A Riqueza Pública das Nações é um lembrete muito oportuno da importância da transparência e da responsabilidade fiscal para a gestão responsável das finanças públicas por meio do ativo do balanço patrimonial do governo, com frequência negligenciado. De maneira veemente e clara, o livro defende o argumento de que os governos devem se concentrar em sua riqueza pública e ao mesmo tempo adotar uma perspectiva de longo prazo em relação às implicações de suas políticas fiscais.

MARCO CANGIANO, diretor-assistente do Departamento de Assuntos Fiscais do FMI e coeditor de *Public Financial Management and Its Emerging Architecture*

A Riqueza Pública das Nações indaga sobre os possíveis benefícios de se aplicar lições do setor privado à gestão de ativos públicos. Pelo que se vê, os benefícios são inúmeros. Muitos países continuam a desconsiderar o retorno econômico sobre os ativos públicos, concentrando-se, em vez disso, em políticas gerais de interesse governamental, ou se envolvem em debates sobre privatização. É compreensível que as finanças públicas padeçam por isso. Usando exemplos de países como Suécia e Cingapura, os autores mostram como as nações podem obter retorno econômico, e como o governo e o desenvolvimento econômico podem ser beneficiados. Estrategistas econômicos e gestores governamentais de todo o espectro político e de desenvolvimento podem aprender com este livro como a gestão de ativos configura-se algo verdadeiramente do interesse público, ao colocar o desempenho financeiro lado a lado com objetivos políticos.

JIM BRUMBY, diretor de prática global de governança do Banco Mundial

Este livro revelador é particularmente relevante em uma época na qual as finanças públicas sofrem pressão, e os governos estão ávidos por reforçar seus cofres. No entanto, Dag Detter e Stefan Fölster apresentam o importante argumento de que o rendimento crescente sobre os ativos públicos não é apenas mais uma maneira de incrementar as receitas do governo. Eles justificam, de modo convincente, que uma administração adequadamente projetada e politicamente legítima dos ativos públicos também resulta em importantes benefícios sociais, entre eles, maior produtividade e distribuição intergeracional mais equitativa dos bens comuns.

LARRY HATHEWAY, economista-chefe de Banco de Investimento

O debate a respeito do papel do Estado tende a ocorrer de modo simplista: ele é bom ou mau? Uma abordagem mais produtiva é perguntar o que fazer para o Estado funcionar melhor. No entanto, é difícil ter uma discussão inteligente e bem informada a respeito do assunto, porque as contas públicas são inquietantemente primitivas: os orçamentos do governo em geral são elaborados com base na disponibilidade de dinheiro, e as dívidas públicas são computadas, embora os ativos públicos não o sejam. É então que surge este livro pioneiro de Dag Detter e Stefan Fölster. Ele prova como os governos têm enormes ativos que consideram com pouca frequência e muito menos utilizam de maneira adequada. E a obra argumenta, de maneira convincente, que, se os governos de qualquer espécie administrassem melhor seus ativos comerciais, poderiam liberar recursos que melhorariam o bem-estar dos cidadãos. *A Riqueza Pública das Nações* é uma leitura obrigatória.

PHILIPPE LEGRAIN, professor sênior visitante do Instituto Europeu da Escola de Economia de Londres e ex-consultor econômico do presidente da Comissão Europeia

A Riqueza Pública das Nações mostra como a governança independente dos ativos públicos é uma ferramenta importante para a utilização mais eficiente dos recursos da sociedade.

RICARDO HAUSMANN, diretor do Centro de Desenvolvimento Internacional da Escola Kennedy de Harvard

A Riqueza Pública das Nações é leitura obrigatória para estrategistas econômicos e acadêmicos. O livro convida os leitores a pensar na riqueza soberana de novas maneiras e apresenta soluções privadas para a gestão de ativos públicos.

ALDO MUSACCHIO, professor-associado da Faculdade de Administração de Harvard e pesquisador acadêmico do National Bureau of Economic Research (NBER)

Este livro intelectualmente instigante mostra como obter riqueza pública da maneira certa pode proporcionar um impulso significativo às finanças públicas e às perspectivas de crescimento no mundo inteiro.

ESWAR PRASAD, membro sênior da Brookings, professor da Universidade Cornell, pesquisador-associado do NBER

Dag Detter e Stefan Fölster desenterraram uma mina de ouro de ativos estatais que poderiam ser usados com mais lucratividade e transparência para gerar valor a todos os cidadãos, utilizando até mesmo a receita para reduzir impostos. Tudo o que é preciso é mais transparência e melhor gestão desses ativos ocultos. Este livro justifica uma conscientização pública muito maior da riqueza oculta das nações, com frequência administrada de maneira incompetente e, às vezes, até mesmo corrupta.

ANDREW SHENG, membro eminente
do Fung Global Institute

Os governos controlam suas dívidas até o último centavo de sua respectiva moeda, e no entanto sabem muito pouco a respeito de prédios, empresas, recursos naturais e outros ativos que possuem. Como demonstram Dag Detter e Stefan Fölster, essa negligência cria um dano econômico desnecessário, sendo uma oportunidade, portanto, para que líderes audaciosos o bastante o corrijam. Ao administrar melhor seus ativos, os governos podem melhorar a transparência, impulsionar o crescimento e fortalecer sua posição fiscal.

DONALD MARRON, diretor de iniciativas
de Política Econômica do Urban Institute

A Riqueza Pública das Nações expõe com perícia os ativos ocultos dos Estados e demonstra de maneira convincente como os países podem tirar proveito de seus ativos comerciais públicos se, ao menos, os administrassem melhor. Este livro é um sopro de ar puro nestes tempos sombrios de austeridade fiscal e pessimismo com relação à dívida pública. A obra de Detter e Fölster deveria ser leitura obrigatória para estrategistas econômicos e todos os alunos de finanças públicas.

MATTHIAS MATTHIJS, professor-assistente
de Economia Política Internacional na Universidade Johns
Hopkins (Escola de Estudos Internacionais Avançados)

Dag Detter e Stefan Fölster fazem neste livro uma contribuição significativa para o discurso do papel do Estado, reunindo uma abundância de informações sobre ativos estatais que os analistas acharão proveitosas. Também apresentam um argumento ponderado e convincente a favor de uma abordagem prática da liberação do valor desses ativos. Os autores identificam as desvantagens da propriedade estatal, mas também oferecem soluções que reduziriam essas desvantagens tanto em economias desenvolvidas quanto nas que estão em desenvolvimento.

Manu Bhaskaran, pesquisador adjunto sênior
da Escola de Política Pública Lee Kuan Yew e diretor
fundador da Centennial Asia Advisors em Cingapura

A RIQUEZA PÚBLICA DAS NAÇÕES

Dag Detter
Stefan Fölster

A RIQUEZA PÚBLICA DAS NAÇÕES

Como a Gestão de Ativos Públicos Pode Impulsionar ou Prejudicar o Crescimento Econômico

Tradução
CLAUDIA GERPE DUARTE
EDUARDO GERPE DUARTE

Editora Cultrix
SÃO PAULO

Título do original: *The Public Wealth of Nations.*

Publicado pela primeira vez em inglês por Palgrave Macmillan, uma divisão da Macmillan Publishers Ltd, sob o título *The Public Wealth of Nations* por Dag Detter e Stefan Fölster. Esta edição foi traduzida e publicada sob a licença de Palgrave Macmillan. Os autores têm o direito de serem identificados como autores da obra.

Texto de acordo com as novas regras ortográficas da língua portuguesa.

1ª edição 2016.

1ª reimpressão 2017.

Editor: Adilson Silva Ramachandra
Editora de texto: Denise de Carvalho Rocha
Gerente editorial: Roseli de S. Ferraz
Preparação de originais: Alessandra Miranda de Sá
Produção editorial: Indiara Faria Kayo
Editoração eletrônica: Fama Editora
Revisão: Nilza Agua

Dados Internacionais de Catalogação na Publicação (CIP)
(Câmara Brasileira do Livro, SP, Brasil)

Detter, Dag
A riqueza pública das nações : como a gestão de ativos públicos pode impulsionar ou prejudicar o crescimento econômico / Dag Detter, Stefan Fölster ; tradução Claudia Gerpe Duarte, Eduardo Gerpe Duarte. – São Paulo : Cultrix, 2016.

Título original: The public wealth of nations.
ISBN 978-85-316-1346-3
1. Atualidades 2. Desenvolvimento econômico 3. Economia 4. Finanças públicas 5. Planejamento estratégico I. Fölster, Stefan. II. Título.

16-03631 CDD-336

Índices para catálogo sistemático:
1. Finanças públicas 336

Direitos de tradução para a língua portuguesa adquiridos com exclusividade pela
EDITORA PENSAMENTO-CULTRIX LTDA., que se reserva a
propriedade literária desta tradução.
Rua Dr. Mário Vicente, 368 – 04270-000 – São Paulo, SP
Fone: (11) 2066-9000 – Fax: (11) 2066-9008
http://www.editoracultrix.com.br
E-mail: atendimento@editoracultrix.com.br
Foi feito o depósito legal.

SUMÁRIO

LISTA DE FIGURAS E TABELA

Figuras

Tabela

PREFÁCIO

Não é todo dia que nos deparamos com uma ideia nova na política pública. Depois do surto de criatividade da década de 1990, a habilidade política vem se tornando estéril. A esquerda tem recuado às grandes ideias de governo da década de 1970. A direita está deixando de abordar os grandes problemas de nossa época, como a crescente desigualdade. A esquerda demoniza o uso de mecanismos de mercado para melhorar a situação do Estado. A direita demoniza o uso do Estado para lidar com as falhas de mercado. Em uma época na qual empresários da área de tecnologia reinventam o mundo, estrategistas da política pública vêm reinventando a roda.

A ideia de riqueza pública das nações é, propriamente, uma dessas novas ideias. Ela identifica um problema cuja existência poucas pessoas tinham compreendido. Ela abala as categorias desgastadas de esquerda e direita, e sugere uma maneira mais ou menos indolor de impulsionar o crescimento econômico.

O argumento se baseia em uma observação extraordinária: que os governos do mundo inteiro têm bilhões de dólares em ativos públicos, como corporações, florestas e monumentos históricos, sendo em geral mal administrados e, com frequência, nem sequer levados em conta. Estrategistas da política pública concentraram-se em administrar a dívida desde a crise financeira de 2007-2008. No entanto, desconsideraram, em grande medida, a questão da riqueza pública. Na maioria dos países, a riqueza pública é maior do que a dívida pública: administrá-la melhor poderia ajudar a resolver o problema do endividamento, ao mesmo tempo que forneceria o conteúdo para o futuro crescimento econômico. A má gestão não joga apenas dinheiro pelo ralo. Ela também evita oportunidades: o fraturamento hidráulico, que tem tornado os Estados Unidos autossuficiente em petróleo, ocorreu quase que tão somente em terras particulares.

Dag Detter e Stefan Fölster abalam as desgastadas categorias de direita e esquerda. Para os fundamentalistas de direita, eles são perigosos estadistas. Para os extremistas de esquerda, são thatcheristas dos tempos atuais. Para o restante de nós, são bravos pragmatistas. Eles argumentam que o debate polarizado entre os defensores da privatização e os partidários da nacionalização não perceberam o ponto essencial – o que na realidade importa é a qualidade da gestão dos ativos. O foco, quando se trata de riqueza pública, deve ser o rendimento, e não a propriedade. Calculam que o aprimoramento da gestão de riqueza pública poderia render retornos maiores que os investimentos mundiais conjuntos em infraestrutura, como transporte, energia, água e comunicações. Também enfatizam que o aprimoramento na gestão de riqueza pública poderia nos ajudar a ganhar a guerra contra a corrupção. Desse modo, eles abordam, de uma só tacada, dois dos grandes problemas de nossa época: a escassez de investimentos em infraestrutura causada pelo endividamento público excessivo e a interrupção do avanço da democracia causada pela predominância do mau governo.

A Riqueza Pública das Nações examina em detalhes países que têm experimentado melhores maneiras de administrar a riqueza pública, como Áustria, Finlândia e Cingapura. Este livro também desenvolve um modelo para aprimorar a gestão: confiar todos os ativos comerciais estatais a um fundo de riqueza nacional (FRN) que possa empregar as pessoas mais talentosas dos setores público e privado para administrar tais ativos do modo mais eficiente possível. Esses fundos podem levar clareza aonde existe confusão, profissionalismo aonde existe amadorismo e, como resultado, criação de riqueza aonde existe destruição de riqueza. Países sensatos já terceirizaram a gestão da política monetária e financeira a bancos centrais independentes e entregaram o controle dos fundos de pensão a gestores profissionais de fundos. A criação de fundos de riqueza nacional é o passo lógico seguinte.

O mundo está repleto de problemas deprimentes que parecem insolúveis: a crise financeira grega, a qualidade deteriorante da infraestrutura norte-americana, as crescentes demandas do estado do bem-estar social e a crescente relutância dos contribuintes em pagar por elas. O aprimoramento da gestão de ativos públicos oferece uma maneira relativamente fácil de ser bem-sucedido em um mundo difícil. Os estrategistas políticos de todas as convicções políticas seriam tolos se não dessem atenção a este livro.

ADRIAN WOOLDRIDGE

LISTA DE ABREVIATURAS

CTA	Controle de Tráfego Aéreo
PCC	Partido Comunista Chinês
CEO	Chief Executive Officer [Presidente]
CFO	Chief Financial Officer [Direitor Financeiro]
COO	Chief Operating Officer [Diretor de Operações]
FAA	Federal Aviation Administration (EUA) [Administração Federal de Aviação]
GAO	General Accounting Office (US) [Departamento Geral de Contabilidade (Estado Unidos)]
GIC	Government of Singapore Investment Corporation
GLC	Government-Linked Company (Cingapura) [Empresas Vinculadas ao Governo]
GSE	Government-Sponsored Enterprise (US) [Empresas Patrocinadas pelo Governo dos Estados Unidos]
FMI	Fundo Monetário Internacional
IPO	Initial Public Offering [Oferta Pública Inicial de Ações]
VCL	Valor Contábil Líquido
FRN	Fundo de Riqueza Nacional
NAR	National Asset Register [Registro Nacional de Ativos]
OCDE	Organização para Cooperação e Desenvolvimento Econômico
PIB	Produto Interno Bruto
PPP	Parcerias Público-Privadas
S&P	Standard & Poor's

SASAC State-Owned Assets Supervision and Administration Commission [Comissão de Supervisão e Administração de Ativos Estatais do Conselho Estatal]

FRS Fundo de Riqueza Soberana

TMT Tecnologia, Mídia e Comunicações

CAPÍTULO 1

O QUE A RIQUEZA PÚBLICA PODE FAZER POR VOCÊ?

O maior proprietário isolado de riqueza, praticamente em todos os países, não é uma empresa privada ou uma pessoa como Bill Gates, Carlos Slim ou Warren Buffet. O maior proprietário de riqueza somos todos nós coletivamente – você e os outros contribuintes. E todos temos nosso gestor pessoal dessa riqueza, que em geral chamamos de "governo". Até onde somos capazes de calcular, os governos são donos de uma provisão de ativos maior do que a de todos os milionários reunidos, e maior até mesmo do que todos os fundos de pensão ou de todos os fundos de *private equity*.

Além disso, quase todos os governos possuem mais riqueza do que têm conhecimento, inclusive os de numerosas nações que passam hoje por crises de endividamento. Muitos desses países que se encontram nessa situação difícil possuem milhares de empresas, escrituras de terras e outros ativos, os quais não se deram o trabalho de avaliar e muito menos administrar em prol do bem comum. A riqueza pública é como um *iceberg* cuja parte visível é apenas a ponta acima da superfície.

Durante décadas, uma pseudoguerra vem sendo travada entre aqueles que defendem a propriedade estatal e os que encaram a privatização como a única solução possível. Nosso argumento é que esse debate polarizado é, em parte, culpado pelo descaso em relação a uma questão mais importante: a qualidade da governança dos ativos públicos. E isso faz toda a diferença no grau de eficiência com que a riqueza pública gera valor a seus detentores: os cidadãos. Até mesmo os ativos públicos que são privatizados podem alcançar resultados muito diferentes, dependendo da qualidade da regulamentação do governo, do processo de privatização e da competência dos proprietários privados. O preço da pseudoguerra entre os que defendem a privatização e os que defendem a estatização tem sido a falta de transparência, o desperdício financeiro e um desempenho aquém do esperado no setor público. Os únicos vencedores são os grupos de interesses especiais em ambos os lados do debate.

Discutiremos neste livro que a maneira como a riqueza pública é administrada é um dos elementos básicos que separam os países bem administrados dos malsucedidos. Na realidade, a governança da riqueza pública não é meramente uma questão de eficiência do desempenho de empresas estatais. A riqueza pública que não é controlada pode arruinar todo um país e também minar a democracia. A riqueza pública pode ser uma maldição se for deixada como um pote de biscoitos aberto, tentando aqueles que a supervisionam com corrupção e clientelismo. Até mesmo em países bem-sucedidos como os Estados Unidos, que são, de modo geral, bem organizados, a riqueza pública encoraja a corrupção democrática, que pode incitar enormes falhas na política econômica e impor privações e custos sociais exorbitantes, pelo menos a alguns de seus cidadãos.

Discutiremos também que a democracia se encontra em sua melhor forma quando os governos têm pouco acesso direto à riqueza pública. Isso não significa que toda a riqueza precise ser privatizada. O processo da privatização em si oferece oportunidades tentadoras para o enriquecimento rápido, o que gera o risco de capitalismo clientelista, rematada corrupção ou regulamentação disfuncional.

Vamos apresentar exemplos de como os países removeram a governança da riqueza pública do âmbito direto dos políticos. Desobrigar governos de ter que administrar empresas públicas muda a missão e o foco deles. Políticos astutos dificilmente agirão como ativistas de consumo se souberem que são responsáveis por empresas públicas com mau desempenho, tendo de corresponder à altura de expectativas mais elevadas. Desobrigar políticos de administrar a riqueza pública possibilitará a junção de suas forças às dos cidadãos, formulando expectativas, metas, exigências e, quando necessário, regulamentações que atenuem os insucessos do mercado. Isso atinge o cerne de uma democracia bem-sucedida – que funcione com responsabilidade, transparência e exposição.

Os mais visíveis detentores de riqueza pública são as corporações do governo controladas pelo governo central, com frequência chamadas de empresas estatais.* Entre as 2 mil maiores empresas do mundo, as estatais representam 11% da capitalização do mercado de todas as empresas registradas em bolsa no mundo inteiro.[1] Vários mercados emergentes, liderados pela Rússia e pela China, têm milhares de estatais. Outros, como o Brasil, a Índia, a Polônia e a África do Sul, têm várias centenas de estatais em nível nacional. Além disso, diversos países têm milhares de corporações públicas em nível estadual/regional e local.

Os governos centrais da maioria dos países europeus possuem dezenas ou centenas de empresas de grande porte bastante conhecidas, enquanto países como a Austrália e a Nova Zelândia têm, em termos relativos, poucas empresas estatais. Menos visíveis são as numerosas corporações do governo, ou ativos semelhantes a corporações de governos regionais e locais. Algumas delas são corporações propriamente ditas, mas com maior frequência estão disfarçadas de diversas entidades legais, embora vendam serviços comerciais pagos por clientes e consumidores.

Além das organizações corporativas de propriedade do governo em diferentes níveis, existem grandes quantidades de bens imóveis produtivos – de longe o maior componente dos portfólios de riqueza pública. Mais de dois terços de toda a propriedade de riqueza pública permanecem nebulosos – grandes *holdings* pertencem a governos municipais e regionais ou a organizações quase governamentais – que são, de modo evidente, independentes mas que, de modo efetivo, são controladas por políticos membros do conselho de administração. Os bancos de poupança municipais não raro funcionam dessa maneira.

---

* No Brasil, também chamadas apenas de estatais. Em inglês, *State Owned Enterprises* (SOEs). (N. dos T.)

Definição de riqueza pública

Nossa definição de riqueza pública é a soma de ativos públicos do governo, a saber:

- ativos totalmente financeiros, como depósitos bancários e fundos de pensão;
- ativos comerciais públicos, como empresas e imóveis comerciais;
- ativos não comerciais públicos, como estradas;
- menos a dívida do governo.

Usamos "pública" no sentido financeiro, referindo-nos à riqueza de propriedade de vários níveis do governo. É importante assinalar que não se deve confundir "ativos públicos" com "bens públicos", que, na maioria das vezes, se referem a ativos e recursos disponíveis para serem usados pelo público em geral, por exemplo, os parques públicos.

Este livro se concentra em ativos comerciais públicos, ou seja, ativos ou empreendimentos que gerem certa renda (acima de tudo, não tributável), e possam ter algum tipo de valor de mercado se estruturados e utilizados de modo adequado. Entre alguns exemplos comuns estão:

- corporações — com frequência, empresas estatais;
- instituições financeiras;
- bens imóveis;
- infraestrutura — quando baseada em pedágio ou relacionada a Parcerias Público-Privadas (PPP);
- atividade comercial não "corporatizada" (por exemplo, a venda de informações geográficas ou empresa de serviços de abastecimento de água).

Nossa definição de riqueza pública abrange todos os níveis de governo — central, regional e local. No entanto, quase todas as estatísticas ou tentativas de se avaliar a riqueza pública desconsideram o nível regional e local, ou o levam em conta apenas em parte.

Em geral excluímos de nossas estimativas de ativos públicos os ativos não comerciais, como parques nacionais, prédios históricos ou estradas que não gerem pedágio. No entanto, alguns capítulos deste livro examinarão como até mesmo esses ativos podem ser administrados de maneira a gerar valor social mais elevado.

Fora do espectro de nossa definição de riqueza pública, às vezes faremos referência e discutiremos as organizações quase governamentais, tais como as instituições norte-americanas de hipoteca residencial Fannie Mae e Freddie Mac, ou bancos de poupança locais em diversos países, formalmente independentes, que têm políticos em seu conselho de administração.

Mais de 25% de toda a terra dos Estados Unidos pertence ao governo federal. Ao lado de toda essa terra, o governo possui prédios com um valor escriturado nos livros de 1,5 trilhão de dólares. Além disso, os ativos de governos estaduais e municipais correspondem a quatro vezes esses ativos federais, ou seja, 6 trilhões de dólares, de acordo com uma cautelosa estimativa do Fundo Monetário Internacional.[2]

O Departamento Geral de Contabilidade (GAO, General Accounting Office), órgão que monitora os gastos do governo, descobriu que "muitos ativos [federais] estão em um estado alarmante de deterioração", assinalando que o governo federal possui "muitos ativos dos quais não necessita".[3] Entres estes estão prédios desocupados no valor de bilhões de dólares. O governo federal gasta bilhões de dólares durante o ano na manutenção de instalações desocupadas nos Departamentos de Defesa, Energia e Assuntos de Veteranos.

A riqueza pública mundial total nas mãos do governo, em um cálculo conservador, é tão vasta, que um retorno mais elevado de apenas 1% adicionaria anualmente cerca de 750 bilhões de dólares às receitas públicas.[4] Esta quantia equivale ao Produto Interno Bruto (PIB) da Arábia Saudita. Argumentamos que a gestão profissional da riqueza pública comercial entre os governos centrais poderia facilmente elevar o retorno em até 3,5%, para gerar 2,7 trilhões de dólares adicionais no mundo inteiro. Isso é mais do que os gastos mundiais totais, em dias atuais, em infraestrutura nacional – por exemplo, transporte, energia, água e comunicações combinados.[5]

Nos Estados Unidos, para cada 1% de aumento em rendimento do portfólio de ativos do governo federal, os impostos totais poderiam ser reduzidos em 4%. Isso, por si só, deveria fazer com que cada cidadão, contribuinte, investidor, analista financeiro e *stakeholder* se levantasse e prestasse atenção. E deveria também incentivar a necessidade de ação.

Como um exemplo da enorme diferença que a governança da riqueza pública pode fazer, olhemos para o Panamá depois que os Estados Unidos entregaram a administração da Zona do Canal do Panamá ao governo panamenho, em 1977. Uma das nações mais endividadas do mundo na ocasião tinha então nas mãos uma mina de ouro potencial. A propriedade dentro da Zona do Canal era uma localização atraente para muitas empresas internacionais e, na realidade, o valor da propriedade naquela época, por si só, era suficiente para cobrir toda a dívida nacional do Panamá – isto é, se ela tivesse sido administrada de maneira profissional e comercial. Com um foco adequado na maximização do valor, o governo panamenho poderia ter monetizado esse atraente ativo alugando-o ou vendendo-o por um preço reduzido em lotes atrativos. Em vez disso, essa oportunidade foi desperdiçada, com grande parte da terra sendo invadida por grupos de interesses especiais, sendo usada como depósito de lixo municipal, moradia informal não regulamentada e para fins militares não econômicos.[6] Nos últimos anos, contudo, a Administração do Canal do Panamá tornou-se muito mais eficiente e começou a desenvolver a área em torno do canal, criando também a Zona de Livre Comércio de Colón.

Muitas cidades e estados em países ricos como os Estados Unidos também têm administrado mal as propriedades que poderiam ser parte integrante das finanças públicas e usadas para reduzir impostos ou bancar uma infraestrutura essencial. Países como Grécia e Itália, que estão em meio a uma crise financeira e fiscal, poderiam usar seus consideráveis ativos públicos para sair do aperto – sem sequer precisar vender esses ativos.

Uma gestão aprimorada não envolve apenas retornos financeiros, mas também outros ganhos sociais significativos. Vito Tanzi,[7] economista italiano, e seu coautor Tej Prakash ilustraram o mau uso de ativos públicos com dois exemplos de escolas em propriedades situadas em locais privilegiados, uma delas no Rio de Janeiro, comprimida entre grandes hotéis na esplêndida avenida que ladeia a famosa praia de Copacabana, e a outra na parte central de Bethesda, em Maryland, fundada em 1789, quando a área era agrícola e a terra, barata. A transferência de escolas para um local situado a poucos quarteirões de distância abençoaria os alunos com um ambiente de estudo mais silencioso, saudável e tranquilo. A venda da propriedade mais cara poderia ser usada para contratar mais professores. Além disso, novos investimentos imobiliários no local onde estão as escolas elevariam a renda nacional e a arrecadação fiscal.

A abordagem tradicional do orçamento do setor público praticamente garante a má utilização de ativos comerciais públicos. A maioria dos países não tem um registro abrangente (um cadastro) dos ativos públicos. Muitos governos, sejam eles federais, locais ou regionais, não seriam capazes de relacionar, e muito menos descrever, os ativos que possuem e seu valor de mercado. Tal fato dificulta a administração desses ativos de modo a aproveitar sinergias e utilizar alternativas dos ativos públicos. Não raro, as decisões são mais emotivas, como quando, em 1983, o presidente Mitterrand da França decidiu remover o Ministério das Finanças do Louvre depois de quase duzentos anos, para conceder mais espaço ao Museu do Louvre.

Lamentavelmente, com demasiada frequência, a administração de ativos públicos não é conduzida tendo em vista o bem-estar do povo. Isso pode não causar surpresa em países onde o governo não é eleito pelo povo, ou que são pura e simplesmente cleptocratas. No entanto, até mesmo países com governo democrático com pouca frequência tomam decisões que reflitam de maneira ideal a vontade do povo ou o que é melhor para ele. A configuração do governo institucional faz toda a diferença. A Grécia e a Suíça, por exemplo, são muito semelhantes em termos geográficos e ambas são democracias. No entanto, a Suíça, que tem sólidas instituições, é um dos países mais ricos da Europa, ao passo que a Grécia é uma das nações mais pobres, graças às instituições disfuncionais.

Argumentamos neste livro que a democracia tem melhor chance de atuar em prol do interesse público quando os governos são impedidos de ter acesso direto à riqueza pública. Isso não significa que toda a riqueza deva ser privatizada. O processo de privatização em si oferece oportunidades tentadoras para o enriquecimento rápido, gerando o risco de capitalismo clientelista, corrupção pura e simples, regulamentações contraproducentes e venda de ativos com grandes descontos para apaziguar grupos de interesses especiais.

Em certa medida, as técnicas para uma administração mais aprimorada podem ser emprestadas do que há de melhor na administração corporativa. Isso incluiria a transparência, contabilidade adequada e balanços patrimoniais realistas.[8] Vamos descrever provas empíricas de que melhores técnicas de administração fazem uma grande diferença, tendendo a ser mais comuns em empresas privadas, sobretudo naquelas expostas à concorrência. Entretanto, a administração de ativos públicos também precisa funcionar em um ambiente político e, às vezes, responder a objetivos sociais além de retornos financeiros. Grande parte deste livro trata da análise de estruturas institucionais que apoiam a governança profissional de ativos públicos por governos politicamente conduzidos.

A resistência contra uma governança mais comercial de ativos públicos revela muitas semelhanças com a resistência histórica contra o esporte profissional. Grupos de interesses especiais mantiveram durante muito tempo o amadorismo no esporte como algo ideal, até que, por fim, no início do século XXI, os Jogos Olímpicos e todos os principais times esportivos passaram a aceitar competidores profissionais. Os profissionais de hoje levaram quase todos os jogos a um patamar diferente, criando um leque de ramificações de atividades multibilionárias no processo. Ao mesmo tempo, muitos provavelmente podem lamentar os incentivos em excesso ou equivocados que às vezes ocorrem no esporte profissional. A solução na governança da riqueza pública é combinar o que existe de melhor nos métodos administrativos da empresa privada com mecanismos que garantam a busca de objetivos sociais dos países.

Remover a governança da riqueza pública do controle direto do governo possibilita aos governantes concentrarem-se em administrar o país em vez de administrar uma série de empresas públicas. Eles podem então se aliar diretamente aos consumidores e ao público em geral para monitorar o desempenho e, onde necessário, implementar regulamentações para atenuar falhas de mercado. O Santo Graal da administração de ativos comerciais públicos é um sistema institucional que remove considerações administrativas da responsabilidade direta do governo, enquanto incentiva a governança ativa projetada para criar maior valor social e financeiro. Estruturas institucionais que alcançarem esse ponto também ajudarão a proporcionar uma base mais firme para uma democracia mais sólida.

Nós nos aprofundaremos, de modo especial, em como algumas nações administram com sucesso seus ativos comerciais usando gestores de riqueza profissionais, que trabalham com certa independência política nos fundos de riqueza nacional (FRNs) ou sistemas semelhantes. Os FRNs possibilitam transparência. As classificações de risco desses fundos, por sua vez, possibilitam a contratação independente de empréstimos que otimizem a estrutura de capital e maximizem seu valor. Também é possível o registro em bolsa, proporcionando a suprema forma de transparência, ao mesmo tempo que se amplia a base de acionistas e se maximiza potencialmente o valor para o contribuinte.

Apesar dos exemplos de sucesso, apenas um pequeno percentual de ativos comerciais públicos é administrado nesses FRNs independentes e mais transparentes, ou seja, à distância de ventos políticos. Em vez disso, a maior parte da riqueza pública é administrada por funcionários públicos da burocracia do governo e mantida em várias formas de conglomerados. Na melhor das hipóteses, trata-se de um sistema burocrático concebido para conduzir a distribuição do dinheiro de impostos. Na pior, é uma área para a interferência política e, de modo ocasional, a pura e simples locupletação. Os ativos comerciais públicos que permanecem ocultos, sem nenhum valor econômico transparente, correm o risco de desaparecer gradualmente.

A doce armadilha da riqueza pública

Uma ideia errônea comum é que um Estado rico é um Estado forte. Poderíamos pensar nos Estados autoritários, como a Rússia, onde o Estado controla um terço da capitalização do mercado de ações local. Ou na China, onde o governo é dono de quatro em cada cinco companhias chinesas da lista das maiores empresas do mundo da Fortune 500. No entanto, embora esses países ostentem uma poderosa autoridade estatal, podem ser de modo surpreendente fracos em termos de capacidade de administrar o país visando o que é melhor para o povo.[9] Por exemplo, 1,2 milhão de chineses morrem prematuramente todos os anos por causa da poluição do ar,[10] devido, acima de tudo, a emissões geradas por empresas estatais.

Alguns países cujo governo é rico e onipresente são o que Gunnar Myrdal chamou de *soft state*.[11] O potencial de ação do Estado no interesse comum é minado por quadros de funcionários públicos que buscam validar a própria agenda. A Rússia é de tal maneira um *soft state* que não consegue sequer produzir um crescimento econômico além do proporcionado pelas receitas de petróleo e gás natural. No lado democrático dessa escala, países como o Brasil encontram-se em dilema semelhante, graças, em parte, ao fato de que o Estado tem uma *performance* medíocre com relação à capitalização de mercado do país.

Nas últimas décadas, muitas nações ricas começaram a empregar mais profissionais, como gestores e membros do conselho de administração, em empresas estatais. No entanto, um progresso muito menor foi realizado na estabilização de funções profissionais de controle de ativos, que assumem responsabilidade pela reestruturação corporativa, pelos lançamentos de ações para novos investimentos e por outras questões estratégicas. Nesse caso, quase todos os países enfrentam problemas semelhantes aos do Brasil ou da Rússia, embora nem sempre de maneira tão evidente.

O Corpo de Engenheiros do Exército dos Estados Unidos (USACE, United States Army Corps of Engineers), por exemplo, é uma agência federal que cria e mantém a infraestrutura de portos e vias navegáveis. A maior parte do orçamento anual de 5 bilhões de dólares da entidade é destinada à dragagem de portos e ao investimento para controlar comportas e canais nas vias navegáveis, como no rio Mississippi. Além disso, o USACE é o maior proprietário de usinas hidroelétricas do país, e administra 4.300 áreas recreativas, financia a limpeza das praias e moderniza sistemas locais de água e esgoto. O Congresso norte-americano vem usando o USACE, há décadas, como máquina de distribuição de verbas governamentais com fins políticos. Os recursos são destinados a projetos de baixo valor em distritos congressionais de membros importantes, enquanto projetos de valor elevado permanecem sem financiamento. Não é de causar surpresa que o USACE tenha se envolvido em muitos escândalos, entre eles a incapacidade de barragens em Nova Orleans durante o Furacão Katrina em 2005, que inundou mais de 100 mil residências e empresas, causando a morte de pelo menos 1.853 pessoas e perdas estimadas de 100 bilhões de dólares.

Outro exemplo é a Amtrak, a National Railroad Passenger Corporation, uma entidade estatal administrada como corporação comercial. A Amtrak opera um serviço ferroviário de 35 mil quilômetros no país inteiro. Além dos múltiplos casos de má gestão conduzidos pelo GAO, o problema mais dispendioso é que a propriedade estatal desvirtuou o processo democrático. Os trajetos de longa distância não são lucrativos. No entanto, a manutenção deles é necessária, para que a Amtrak receba o contínuo apoio de senadores de estados que, de outra maneira, perderiam serviços. Se os trens de longa distância deficitários fossem cancelados, a Amtrak atenderia apenas 23 estados, em vez dos atuais 46. Isso a tornaria mais lucrativa, permitindo-lhe melhorar os serviços em áreas onde ela efetivamente tem passageiros lucrativos. No entanto, o apoio de 23 estados não é suficiente para que o Congresso continue a fornecer subsídios. Muitas pessoas questionam por que sua passagem de trem não raro custa muito mais que uma passagem aérea, apesar dos 30 bilhões de dólares em subsídios que a Amtrak vem recebendo desde 1971. Esse fato tem duas importantes implicações. O impasse político da Amtrak corrompe a capacidade do governo de implementar uma política ferroviária ou de transporte eficaz. Além disso, membros do Congresso precisam despender um tempo valioso fazendo *lobby* para manter os serviços da Amtrak em seu estado.

Esses exemplos ajudam a ilustrar como administrar a riqueza pública pode corromper a democracia, questão que tende a receber muito menos atenção do que a má administração dos monopólios públicos. A riqueza pública que se encontra facilmente ao alcance dos governos gera incentivo ao abuso. Podemos citar como exemplo:

- comprar favores políticos em troca de contratos lucrativos ou cargos em empresas estatais;
- oferecer a grupos de interesses organizados livre acesso a terras federais ou água de empresas públicas de água em troca de apoio político;
- comprar apoio de sindicatos ao permitir maiores aumentos salariais em empresas estatais.

Em cada um desses exemplos, a democracia para o bem comum se degenera em clientelismo. Os políticos são recompensados por comprar habilmente o apoio de vários grupos de interesses especiais em vez de aprovar reformas que beneficiem interesses públicos mais amplos. Essa é a essência do *soft state*.

Em um Estado clientelista ou *soft state*, os governos têm pouco interesse em tornar a administração dos ativos do Estado mais transparentes. Dificilmente é por acaso que a Grécia não tivesse contas consolidadas dos consideráveis ativos do Estado, ou que os Estados Unidos não tenham um registro central de ativos federais, estaduais e locais. Desde que a propriedade estatal permaneça obscura, fica mais fácil para as instituições do governo distribuir favores sem que haja um escrutínio.

Isso voltou a rondar os países quando estourou a crise financeira de 2008. Nenhum dos países que passaram por uma crise financeira tinha uma descrição remotamente verdadeira de todos os seus ativos comerciais públicos. Não apenas os ativos de governos locais ou regionais eram desconhecidos, como também, de modo surpreendente, até mesmo os governos centrais tinham pouco conhecimento do seu portfólio de ativos, de seu valor e do rendimento que geravam. Tanto a Espanha quanto Portugal haviam reunido antes parte de seus bens na Sociedade Estatal de Participaciones Industriales (Sepi) e nas Participações Públicas (Parpúblicas) (SGPS) S.A., respectivamente, mas cada uma dessas entidades continha apenas uma fração dos ativos do governo. Ainda assim, essa consolidação parcial ajudou a criar transparência e salvar as finanças públicas por meio da venda de alguns ativos e do estabelecimento de certa capacidade creditícia em relação aos restantes. De modo semelhante, a Irlanda criou a Agência Nacional de Administração de Ativos em 2009, para administrar ativos de "bancos maus", quando fez uma reestruturação forçada do setor bancário.

A Grécia, por outro lado, criou uma entidade de privatização sem nenhuma autoridade. Sem poder para possuir nenhum ativo comercial, o órgão foi reduzido a um mero consultor de ministros de setores específicos, podendo apenas liquidar ativos em vez de ter permissão para desenvolver e maximizar seu valor. Com essa abordagem fragmentada, controlada por grupos de interesses especiais e pelo capitalismo clientelista, os investidores internacionais compreenderam que, na melhor das hipóteses, a Grécia precisaria de muitos anos para avaliar seus vastos bens estatais e ser capaz de reorganizá-los em ativos produtivos e valiosos. Além disso, quando o governo efetivamente produziu uma avaliação financeira consolidada de seu portfólio de ativos comerciais, como fora exigido pelos credores internacionais, a publicação foi interrompida.

Aqueles que lucram com a contabilidade duvidosa sempre argumentarão que revelar o valor monetário de ativos públicos propagará objetivos econômicos e financeiros em vez de sociais. Mostramos aqui que o oposto é verdadeiro. Quando o valor dos ativos públicos é revelado, e seus gestores recebem instruções para se concentrar na criação de valor, o governo pode fazer escolhas com base em informações boas e transparentes a respeito de quanto deve pagar às empresas estatais para atingir suas metas sociais. Sem essa transparência, as metas sociais sempre serão anunciadas por pessoas que têm agendas egoístas.

Até mesmo nos países com menos locupletação, os ativos comerciais públicos obrigam os políticos a ter a mentalidade de um produtor. Em países tão diversificados como a Suécia e a Índia, os governos têm demonstrado pouco interesse em responder às exigências de consumidores por serviços ferroviários mais confiáveis, embora sejam o principal proprietário e provedor dos serviços ferroviários. Qualquer crítica a respeito das estradas de ferro estatais ameaça levantar questões sobre a responsabilidade do governo. Na realidade, ambos os países administraram mal as ferrovias e investiram recursos insuficientes em sua manutenção durante décadas. Foi somente quando a desregulamentação na Suécia permitiu a concorrência de empresários do setor privado que se tornou politicamente conveniente para o governo prestar atenção aos interesses dos consumidores.

Este livro tem a intenção de demonstrar que a democracia é muito fortalecida quando a riqueza não se encontra à disposição direta do controle político. Um estado forte é aquele no qual os políticos precisam competir uns com os outros a respeito de agendas políticas almejadas para promover o interesse comum ou público, em vez de competir com promessas de distribuição de favores que propiciem o acesso ao pote de biscoitos público.

Como alguns países afastaram a riqueza do controle político

Nas décadas de 1980 e 1990, ficou evidente para muitas pessoas que os monopólios estatais inflados com frequência deixam de satisfazer consumidores cada vez mais sofisticados. Liderados pela economia da oferta defendida por Ronald Reagan, muitos países privatizaram empresas estatais. Por incrível que pareça, o governo norte-americano vendeu apenas uma parcela minúscula de seus ativos públicos. A Conrail, um serviço de transporte ferroviário de carga, foi privatizada em 1987, enquanto a Alaska Power Administration e a Federal Helium Reserve foram privatizadas em 1996. A Elk Hills Naval Petroleum Reserve foi vendida em 1997, e a United States Enrichment Corporation, que fornece urânio enriquecido para a indústria nuclear, foi privatizada em 1998. Essas eram entidades pequenas. De modo mais expressivo, uma série de países no mundo inteiro, entre eles várias nações, como a Suécia, dirigidas por governos social-democratas, se desfez de um percentual significativamente mais elevado de ativos estatais, passando a administrar de maneira mais profissional os ativos remanescentes.

A privatização é uma maneira de colocar a riqueza pública fora do alcance dos políticos. No entanto, ela também cria armadilhas. Se as companhias estatais privatizadas forem monopólios ou instituições financeiras, em geral se fará necessária uma regulamentação competente, para obrigar as empresas a agir visando o que for melhor para os consumidores. Sem uma regulamentação bem elaborada, poderá haver um retrocesso na opinião pública. O processo de privatização em si representa um desafio em países propensos à corrupção e ao capitalismo clientelista.

Certos países tomaram medidas mais amplas do que a mera privatização de algumas empresas. Um livro chamado *Renaissance for Reforms* analisou 109 governos nacionais ricos e descobriu que, quando os governos constituídos implementavam reformas ambiciosas voltadas ao mercado, eles ficavam propensos a ser reeleitos.[12] O que talvez seja mais surpreendente é que essa recompensa pelas reformas tende a ser mais pronunciada no caso de governos considerados esquerdistas.

Em muitos casos, reformas ambiciosas voltadas ao mercado aconteceram em ondas, afastando-se lentamente de uma cultura política clientelista e passando a colocar o bem comum acima das exigências dos grupos de interesses especiais. Um bom exemplo disso foi o Canadá, em 1993, quando Paul Martin foi nomeado ministro das Finanças no governo do recém-eleito Partido Liberal de centro-esquerda. Naquela época, o Canadá vinha acumulando déficits que equivaliam a cerca de 7% do PIB, e no ano seguinte a dívida interna bruta ultrapassou 100% do PIB. Martin compreendeu que o país precisava de uma verdadeira mudança para reverter a escalada de seu endividamento, que se agravava cada vez mais. David Herle, na época conselheiro de Martin, e seu coautor John Springford relataram no *Financial Times* as dificuldades envolvidas na introdução de reformas no início da década de 1990 nesse país.[13] De acordo com Herle e Springford, um raro aliado de gabinete do ministro das Finanças era Ralph Goodale, ministro da Agricultura. No entanto, a amizade deles sofreu uma reviravolta quando Goodale, criado nas pradarias canadenses e representando um distrito agrícola produtor de trigo da província de Saskatchewan, opôs-se vigorosamente à proposta de Martin de cancelar a chamada *crow rate* – um sistema de subsídios para o transporte de trigo. Além disso, o ministro da Agricultura não foi a única pessoa a ficar descontente com a redução das despesas. Grandes segmentos do Partido Liberal canadense ficaram insatisfeitos com as reformas, assim como muitas organizações e empresas cujos subsídios públicos foram afetados. As drásticas reformas do mercado foram uma pílula bastante amarga que eles tiveram de engolir.

As reformas canadenses incluíram a privatização de várias corporações do governo e a instituição de uma administração mais profissional em outras. Essa estratégia fez a nação avançar em direção ao que pode ser descrito como um novo contrato social. No curto prazo, essas mudanças pareceram contrariar vários grupos de interesses, empresas e famílias. Ainda assim, o Partido Liberal canadense obteve um segundo mandato de governo majoritário em 1997. Depois de outro período de políticas de reforma, o partido venceu novamente as eleições em 2000. Ao longo desse tempo, o partido deixou de descrever suas reformas voltadas ao crescimento como resposta de emergência para a crise, passando a promovê-las como reformas no longo prazo destinadas à criação de uma sociedade melhor. O *The Wall Street Journal* e a Heritage Foundation publicam anualmente um relatório sobre o grau de liberdade econômica no mundo desde 1995. Seu relatório do Índice de Liberdade Econômica de 2013 declarou que: "A pontuação de liberdade econômica do Canadá é de 79,4 [com o máximo teórico sendo 100], tornando sua economia a sexta mais livre" do mundo, enquanto os Estados Unidos se classificaram em 12º lugar. Em 2014, o Canadá ultrapassou o nível 80 de pontuação; embora ainda continuasse em sexto lugar, o país ingressou no nível mais elevado de liberdade econômica: "livre".

Em outros países que reformaram de modo semelhante suas economias, entre eles Austrália e Suécia, a reforma de empresas estatais causou um efeito muito mais amplo na economia do que apenas melhoria na produtividade dentro de cada empreendimento. Quando uma empresa estatal era privatizada ou submetida a uma administração mais profissional, também era natural que os políticos abrissem todo o setor para a concorrência. Isso impulsionou uma mudança estrutural, às vezes com consequências impressionantes. Quando as companhias telefônicas perderam seus monopólios, os mercados de telefone celular e o acesso à internet decolaram de tal modo que não teria sido possível de outra maneira.

A privatização nem sempre é necessária para melhorar radicalmente a administração dos ativos. Até mesmo na Holanda, país voltado para o mercado, as empresas estatais são responsáveis por 5% da capitalização do mercado de ações local. Em 1998, a Suécia mudou de direção e decidiu se tornar proprietária ativa de seus ativos comerciais públicos, tendo como único objetivo a maximização do valor, aliando transparência adequada, nomeando conselhos administrativos profissionais, e estabelecendo alvos relevantes para os rendimentos de dividendos e a estrutura do capital semelhantes aos de seus concorrentes do setor privado, no intuito de assim acompanhar os pioneiros da riqueza nacional na Áustria e em Cingapura. Depois de alguns anos, contudo, a Suécia recuou parcialmente, adotando uma abordagem mais de não interferência na gestão de empresas estatais. Essa atitude é conveniente para políticos que desejem evitar tomar decisões operacionais pelas quais possam ser responsabilizados. No entanto, ela se revelou insuficiente para garantir o sucesso.

Sem uma estrutura institucional e governança adequadas que permitissem uma administração ou governança profissional, essas empresas foram com frequência deixadas como "órfãs". Em uma das extremidades do espectro, as companhias lucrativas foram deixadas sem controle de seus excedentes, o que possibilitou a expansão descontrolada de investimentos nos mercados externos. Na outra extremidade, organizações não lucrativas com custos crescentes foram deixadas sem reforma, servindo às vezes apenas para propiciar empregos subsidiados por impostos. Como mostraremos mais adiante com mais detalhes, o aprimoramento da administração dentro de empresas estatais pode conduzir a fracassos fenomenais se a governança profissional for negligenciada.

Em direção à melhor governança da riqueza pública

Em nossa opinião, a melhor maneira de promover boa administração e democracia é consolidar os ativos públicos em uma única instituição, afastada da influência direta do governo. Isso requer a configuração de um corpo independente protegido, isolado da influência política do dia a dia, e a habilitação de uma governança comercial transparente.

Uma tendência internacional semelhante tem sido delegar a estabilidade monetária e financeira a bancos centrais independentes. Um banco central é um depósito para reservas e uma fonte de receita proveniente de lucros obtidos com a criação de dinheiro. Dinheiro fácil também torna os bancos centrais tentadores para os políticos em busca de um paliativo. Em casos ostensivos, o governo obrigará seu banco central a emitir um excesso de dinheiro, o que, com o tempo, causará a hiperinflação. No entanto, até mesmo em muitos países bem administrados, a interferência do governo conduziu de modo sistemático à excessiva criação de dinheiro ou a taxas de juros excessivamente baixas. Depois das décadas inflacionárias de 1970 e 1980, a reação mais comum entre os países da Organização para Cooperação e Desenvolvimento Econômico (OCDE) foi tornar os bancos centrais independentes da influência do governo no curto prazo, confiando a responsabilidade pela instituição a um conselho indicado e aprovado pelo poder legislativo, ou parlamento, que receberia um mandato de longo prazo.

Os bancos centrais independentes foram alvo de controvérsia em muitos países quando introduzidos. Os sindicatos, em particular, ficaram preocupados com a possibilidade de que esses bancos fossem punir aumentos salariais negociados com taxas de juros mais altas, e criticaram a ideia como antidemocrática. Com o tempo, contudo, a experiência com os bancos centrais tem sido positiva e amplamente copiada.

O principal argumento deste livro é que reformas semelhantes da governança da riqueza pública podem conferir benefícios econômicos e democráticos significativos. Mostramos ainda como alguns países se saíram depois de colocar a administração de pensões e ativos públicos nos chamados "bancos maus", fora do alcance da interferência do governo. Alguns países colocaram a maior parte da riqueza pública em *holdings* ou fundos de independência extraordinária. Usamos a expressão "fundos de riqueza nacional" (FRN) para essas instituições de governança independentes dos ativos comerciais públicos. Assim como os bancos centrais independentes, os FRNs não oferecem uma garantia segura de melhor administração em governos cleptocráticos, mas ajudariam a maioria dos países que tenta tornar suas instituições democráticas mais robustas. Até mesmo as democracias estáveis têm muito a ganhar com uma governança mais profissional de seus ativos.

Este livro oferece uma visão minuciosa dos argumentos econômicos em favor da administração de ativos comerciais públicos de maneira mais eficaz bem como as ferramentas disponíveis para fazê-lo, ao mesmo tempo que enfatiza a importância de uma regulamentação adequada. Fazemos comparações diretas entre histórias de sucesso em sistemas contrastantes – Cingapura, Abu Dhabi, China, Áustria, Finlândia, Reino Unido e Suécia –, apresentando vários exemplos do que funcionou e do que não deu certo. Curiosamente, alguns países asiáticos têm hoje uma governança avançadíssima de ativos de Estado.

Nossas propostas estendem-se além da governança exclusiva dos ativos comerciais. Um FRN com independência suficiente com relação ao controle do governo poderia ter permissão para reequilibrar seu portfólio, não apenas ajudando a financiar investimentos em infraestrutura, mas também atuando como administrador profissional e investidor âncora em consórcios de infraestrutura recém-formados. Desse modo, um FRN pode ser uma grande vantagem para investimento em uma infraestrutura muito necessária.

Na sequência da crise financeira, muitos países permanecem vigorosamente endividados e restritos pela austeridade fiscal, na tentativa de restabelecer o equilíbrio orçamentário e, assim, o crescimento econômico. A escolha política se limita a economizar mais, quer agora, quer mais tarde. Reformas estruturais no mercado de trabalho e regras de concorrência também são esperadas, mas elas podem levar anos para impulsionar o crescimento e as taxas de emprego na direção certa.

Quando as pessoas descrevem a situação econômica de um país, não raro desconsideram um elemento essencial. Quase todos os países europeus possuem grandes portfólios de ativos comerciais, assim como os governos federal e locais nos Estados Unidos. O valor desses portfólios públicos pode ser ainda maior do que as dívidas públicas correspondentes em cada país, mas os governos raramente possuem as informações detalhadas necessárias para compreender a extensão da própria riqueza. Até mesmo países bastante endividados como a Grécia podem ser ricos em ativos. É por esse motivo que deveríamos começar a perguntar: O que os ativos públicos podem fazer pela economia?

Capítulo 2

NÃO MORDA A MÃO QUE O ALIMENTA — O CUSTO DA MÁ GOVERNANÇA

Qualquer passageiro que pegue um voo em um aeroporto norte-americano, para qualquer um dos recém-construídos aeroportos na Ásia, ou até mesmo para alguns dos aeroportos privados na Europa, não poderá deixar de notar a extraordinária diferença. Na realidade, a aparência decadente de muitos aeroportos norte-americanos não é sinal de parcimônia. Muito pelo contrário. Quase todos os principais aeroportos norte-americanos são propriedade dos governos dos estados ou locais, que recebem subsídios do governo federal para sua renovação e expansão. Essa mescla de responsabilidades é, em si, um obstáculo à administração eficiente. Mas as coisas não param por aí. Numerosos obstáculos federais fazem as cidades hesitarem em relação à privatização. Por exemplo, os aeroportos do governo podem emitir títulos isentos de impostos,* o que lhes dá vantagem financeira sobre possíveis concorrentes do setor privado.

Em contrapartida, muitos aeroportos prósperos pelo mundo afora foram completa ou parcialmente privatizados, até mesmo na Europa. Essa longa lista inclui Atenas, Auckland, Bruxelas, Copenhague, Frankfurt, Londres, Melbour-

---

* Em inglês, *tax-exempt debt.* Os títulos isentos de impostos são emitidos pelo governo e só podem ser adquiridos por entidades do governo, empresas sem fins lucrativos e entidades privadas que atendam a determinados requisitos. Aqueles que adquirem os títulos recebem juros durante o período em que mantêm os títulos em seu poder. Como eles não pagam impostos sobre os juros que recebem, concordam em receber juros menores dos emissores dos títulos. É uma maneira de as entidades do governo pegarem empréstimos a juros mais baixos. (N. dos T.)

ne, Nápoles, Roma, Sydney e Viena. A Grã-Bretanha foi pioneira na privatização, em 1987, da British Airports Authority, proprietária do aeroporto Heathrow, além de outros.

Mesmo sem a privatização, uma gestão pública mais eficiente poderia realizar melhorias óbvias, aumentando, por exemplo, a renda oriunda de atividades comerciais e alugando o espaço com mais eficácia e de maneira mais atraente para os lojistas. A audiência cativa de um aeroporto é uma base de clientes ideal e uma boa fonte de renda para interesses comerciais, e lojas atrativas tendem a ser muito valorizadas por viajantes com tempo livre. Desse modo, um proprietário com um incentivo adequado, público ou privado, capaz de administrar profissionalmente um aeroporto, pode obter um retorno muito melhor do que o que muitos aeroportos norte-americanos recebem nos dias de hoje.

Os aeroportos norte-americanos são apenas um exemplo da consequência involuntária da má governança de empresas públicas. No entanto, em muitas economias de mercado emergentes, empresas estatais foram usadas como ferramenta para a ambição nacional. Algumas das maiores multinacionais que vêm se expandindo com rapidez são companhias do governo, na China, na Rússia e em muitos outros países. Elas competem cada vez mais com empresas privadas e outras estatais por recursos, ideias e contratos de exportação. Uma edição especial de janeiro de 2013 da revista *The Economist*, "The Rise of State Capitalism" ["A Ascensão do Capitalismo Estatal"], argumentou que: "A propagação de um novo tipo de empresa no mundo emergente causará crescentes problemas". As empresas estatais sempre foram um elemento importante na maioria das economias nacionais, mas permaneciam, não raro, confinadas a mercados internos, ficando para trás no desempenho comercial.

Este capítulo descreve como os ativos comerciais públicos são administrados, comparando depois essa administração à das empresas privadas. Segundo pesquisas, os setores do governo em crescimento, administrados da maneira tradicional, podem impor um custo significativo aos consumidores.

Capitalismo estatal: renascença e retrocesso

Opiniões com relação ao lado de maior visibilidade de ativos comerciais públicos, corporações e bancos cuja propriedade se situa no nível do governo central

— as empresas estatais — têm oscilado. Esse debate polarizado entre os adeptos da estatização e os defensores da privatização afastou a atenção da questão principal: a qualidade da governança dos ativos.

Governos europeus nacionalizaram empresas depois da Segunda Guerra Mundial, mas no início da década de 1970 essa tendência ficou mais forte, devido à convicção de que isso impulsionaria o crescimento econômico, empregabilidade e talvez o poder político. Esse modelo foi copiado pelos governos de muitos países em desenvolvimento. Já no final da década de 1970, em diversos países, a parcela da produção nacional proveniente de empresas estatais superava a gerada por grandes empresas privadas. Em muitos casos, uma parcela ainda maior da economia vinha do direito de propriedade de um portfólio mais amplo de ativos comerciais públicos em nível local e regional.

Hoje em dia, mais de trinta anos depois do impulso de privatização Thatcher/Reagan, e com o socialismo estatal abandonado em toda a Europa, uma crença comum em países ocidentais pode ser que a propriedade governamental de ativos comerciais já tenha saído de moda.[1] No entanto, a realidade é bem diferente, embora esteja oculta por uma contabilidade deficiente. As mais recentes estatísticas oficiais do número de empresas estatais na Alemanha, por exemplo, foram publicadas nos idos de 1988. No final de 1988, o país tinha 3.950 empresas de propriedade de governos federal ou locais, equivalendo a 16,7% da formação bruta de capital fixo e empregando 9,2% do total de funcionários — com uma concentração nos serviços postais e ferroviários, serviços de utilidade pública, instituições de crédito e companhias de seguros.

Nos anos seguintes, algumas empresas foram vendidas, enquanto outras estão hoje registradas em bolsa, embora ainda sejam controladas pelo governo, como ocorreu em 1995 com o Deutsche Bundespost, o serviço postal federal. Pesquisadores da Universidade de Potsdam tentaram reavaliar o montante da propriedade do Estado e, em 2006, encontraram perto de 10 mil empresas do governo da Alemanha, em todos os níveis, inclusive federal, regional e local. Quando a OCDE iniciou mais tarde um estudo para avaliar o tamanho dos portfólios de empresas estatais de cada país-membro, o governo alemão não participou nem apoiou o estudo.

A progressiva abundância de empresas estatais na Alemanha e em muitos outros países pode ser surpreendente. Afinal de contas, entre a década de 1970 e o ano 2000, os países se desvencilharam de muitas empresas estatais e tentaram modernizar a administração das que mantiveram, com reformas na governança corporativa, contratos de desempenho para empresas e gerentes, e programas de treinamento para executivos das estatais. Eles tentaram criar condições iguais para concorrentes do setor privado, que agora podiam competir com esses ex--monopólios.

No entanto, nos primeiros anos do século XXI, antes da crise financeira de 2007, o capitalismo estatal ressurgiu, acima de tudo, em mercados emergentes. Planos para uma completa privatização foram inutilizados. Em vez disso, participações minoritárias de empresas estatais foram vendidas a investidores privados. Ações de empresas estatais chinesas, por exemplo, foram registradas nas bolsas de Hong Kong, Xangai e Nova York. Indiferentes, ao que tudo indica, ao controle do governo, os investidores verteram mais de 100 bilhões de dólares apenas nas vinte maiores Ofertas Públicas Iniciais de Ações (IPO, na sigla em inglês). Entre elas estavam empresas de construção civil, bancos e estradas de ferro. Na Índia, o governo vendeu ações da Coal India, uma companhia obsoleta com um vasto conjunto de minas a céu aberto. Até mesmo a Indonésia e a Malásia introduziram um leque de ativos públicos no mercado de ações.

Já em 2014, o quadro havia mudado radicalmente mais uma vez. As 65 maiores empresas estatais da Ásia tinham perdido 1 trilhão de dólares em valor depois do seu apogeu em 2007, uma perda muito maior do que a das empresas privadas, enquanto a parcela de valor de mercado das empresas asiáticas caiu de bem acima para bem abaixo da metade do total. E seu índice preço/lucro agregado era quase a metade do das empresas privadas. Os investidores tornaram-se muito céticos com relação a comprar ações de empresas pertencentes ao Estado.[2] No mundo inteiro, a proporção de grandes estatais com ações registradas em bolsa na capitalização global de mercado foi cortada quase pela metade em comparação a seu máximo de 22% em 2007. Entre 2007 e 2014, as estatais que estavam entre as quinhentas principais empresas do mundo perderam entre 33% e 37% de seu valor.[3] As ações globais, como um todo, aumentaram em 5%.

Esses caprichos dos investidores refletem, em parte, as tendências globais do mercado de ações. Mas a nova visão sombria de empresas estatais prevaleceu mesmo quando os mercados de ações dos Estados Unidos e da Europa subiram de maneira vertiginosa em 2013 e 2014. Além disso, as empresas estatais se depararam com outros tipos de dificuldades. Os investidores tornaram-se cada vez mais cautelosos com relação à interferência do Estado, à corrupção (em especial, a que diz respeito a um político usar sua autoridade para obter ganho pessoal) e ao simples risco de que as estatais fossem competitivamente superadas por rivais mais argutos. A NTT DoCoMo, operadora de telefonia celular controlada pelo Estado japonês, tem lutado para acompanhar rivais privados mais astutos. Bancos estatais chineses que dominam o mercado estão sendo superados por rivais privados que oferecem rendimentos mais elevados nas contas de poupança.

Além disso, os investidores podem ter desconfiado da relação entre empresas estatais e crise financeira. A pergunta fundamental que fazem é a seguinte: Foi coincidência o fato de alguns dos países mais atingidos pela crise financeira, como Grécia e Itália, estarem entre as nações com maior número de empresas estatais no mundo pouco antes da crise, a qual expôs gravemente a fraqueza econômica e política de suas economias (veja a Figura 2.1)? Por que países como Austrália, Nova Zelândia e Polônia vêm se saindo bem melhor? Neste caso, a Espanha, também castigada pela crise financeira, parece ser a exceção. Na realidade, contudo, a Espanha apenas parece ter menos empresas estatais porque muitos de seus bancos em dificuldades eram bancos de poupança locais, que não eram oficialmente computados como estatais.

A pergunta subsequente, portanto, é a seguinte: É possível que um grande setor estatal oculte problemas de produtividade e reduza a pressão para implementar reformas de crescimento?

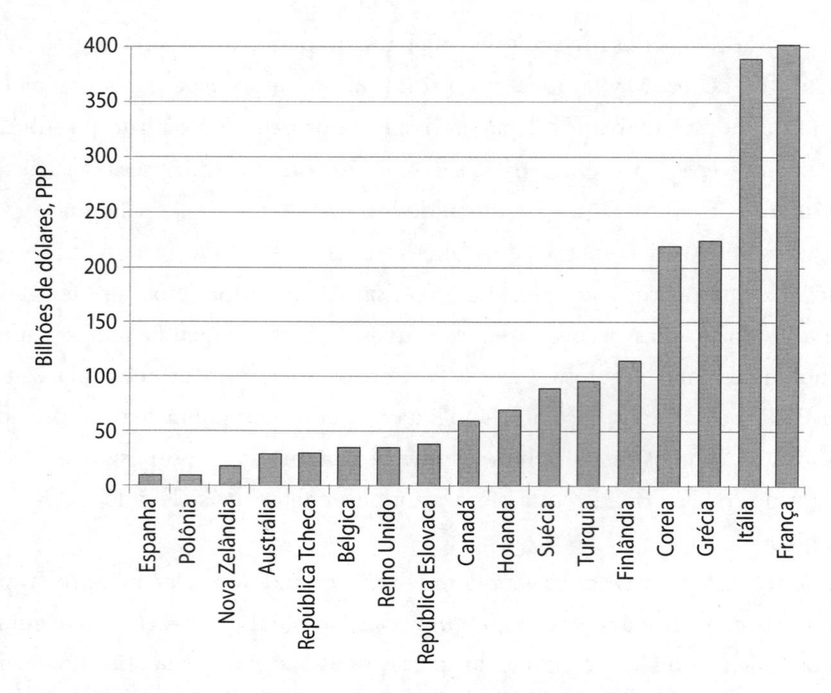

FIGURA 2.1. Valor dos ativos de empresas estatais do governo central nos países da OCDE, 2003.

Fonte: questionário da OCDE sobre governança corporativa de empresas estatais, 2003; dados da OCDE em valores.

Argumentos comuns a favor da riqueza pública

Tendo em vista essas suspeitas, por que os governos se dão o trabalho de administrar um vasto conjunto de ativos públicos? O argumento a favor da propriedade pública baseia-se, na essência, na suposição de que as pessoas nem sempre são capazes de fechar contratos individuais com empresas privadas para obter resultados proveitosos em termos sociais. Alguns dos objetivos declarados com frequência são os seguintes:

- *Política industrial*: por intermédio de uma empresa estatal, o Estado pode ser capaz de criar indústrias emergentes, salvar indústrias decadentes ou ajudar o setor privado a correr riscos maiores.
- *Desenvolvimento*: para ajudar a desenvolver regiões mais pobres por meio de investimento em infraestrutura ou uma nova unidade de produção.

- *Política fiscal e metas redistributivas*: quando, por exemplo, os serviços de correio nacionais cobram preços de monopólio para entregas nas cidades a fim de subsidiar a distribuição postal em regiões rurais.
- Metas ambientais e proteção do patrimônio nacional.

No caso da Coreia do Sul, da Turquia e do México, a intervenção direta do Estado justificou-se pelas metas nacionais de desenvolvimento. Da mesma forma, muitos países europeus e o Japão nacionalizaram empresas ou criaram companhias nacionais depois da Segunda Guerra Mundial – em particular nos setores bancário, de energia e de transportes –, na esperança de que essa medida ajudasse os esforços de reconstrução da economia.

Alguns economistas apresentaram uma gama de argumentos fundamentais para mostrar como os ativos públicos podem, de modo concebível, estimular o crescimento ou suavizar as falhas de mercado. Um desses argumentos teóricos é que a intervenção do Estado pode atenuar as consequências de um monopólio natural, no qual as economias de escala permitam ao monopolista cercear a concorrência ao praticar preços mais baixos e ainda assim obter grandes lucros. Isso pode ocorrer nos setores de geração de energia, gás e ferroviário – casos em que uma rede de suprimentos entrelaçada se faz necessária para o fornecimento de produtos ou serviços. Nessa situação, uma empresa privada pode praticar preços de monopólio.

No entanto, até mesmo os monopólios estatais podem abusar de seu poder de precificação. Muitos países tentaram criar uma regulamentação para evitar que isso ocorresse, chegando até mesmo a obrigar empresas a se dividir ou fazer o *spin-off* de suas operações subsequentes. Por exemplo, o Estado pode administrar a rede de infraestrutura ferroviária, mas incentivar prestadores de serviço privados a operar os vários serviços de transporte.

Um segundo tipo de falha de mercado pode ocorrer na produção dos chamados "bens públicos", que podem ser usados até mesmo por aqueles que optam por não pagar por eles. Terceiro: em alguns casos, os consumidores não têm condições de pagar – argumento formulado de modo habitual em favor das escolas públicas.

Certas atividades causam externalidades e efeitos colaterais positivos e negativos que afetam outras pessoas. A assimetria das informações também é usada para justificar a intervenção do Estado. Isso ocorre quando informações importantes em determinado mercado só estão disponíveis para algumas pessoas, fazendo com que outras tenham de tentar adivinhá-las e, talvez, abster-se de participar de negociações.

Essas possíveis falhas de mercado podem motivar a intervenção do Estado. Mas não provam que as intervenções sejam bem-sucedidas. Até mesmo a ação do Estado pode conduzir à deficiência de informação, ser vítima de motivos burocráticos em conflito com a otimização social e causar imperfeições no funcionamento da democracia. Nessas circunstâncias, o resultado da intervenção do Estado pode ser pior que os resultados baseados no mercado, até mesmo em face de falhas desse mercado.

O capitalismo estatal pareceu, às vezes, gerar com sucesso campeões nacionais capazes de competir no mundo todo. Dois terços das empresas do mercado emergente que chegaram à lista da Fortune 500 em 2014 são estatais, e o restante conta com algum tipo de apoio estatal. Como se espera, elas recebem vários tipos de ajuda do governo para chegar aos mercados internacionais, como financiamento de baixo custo de bancos estatais. Uma suspeita persistente é que, quando as empresas estatais ocasionalmente superam suas rivais em termos de competitividade, isso ocorra com frequência por aceitarem taxas de retorno mais baixas ou assumirem mais riscos à custa dos contribuintes. Por essa razão, o tratamento das estatais também é um pomo de discórdia nas contínuas negociações da Parceria Transpacífico.

A Vale brasileira, por exemplo, considera-se uma empresa de mineração do setor privado, mas o governo federal a trata como uma campeã nacional estatal, porque três *golden shares* (ações douradas) pertencem ao governo brasileiro, sem considerar a participação acionária significativa do fundo nacional de pensões. Estes fatos forçaram o presidente da Vale a renunciar, porque não gostaram dos planos dele de demitir os trabalhadores.

De maneira semelhante, a Lenovo chinesa gosta de se retratar como empresa de computadores do setor privado, mas a Academia de Ciências Chinesa, uma instituição do governo controlada pelo Partido Comunista Chinês (PCC), forneceu a ela capital inicial (e ainda é dona de grande parte da companhia como empresa controladora), e o governo tem repetidamente intervindo para harmonizar seu crescimento, em particular quando ela adquiriu a divisão de computadores pessoais da IBM por 1,25 bilhão de dólares em 2004. No início de 2014, a Lenovo, hoje a maior fabricante de computadores pessoais do mundo, anunciou que iria adquirir a linha de negócios de servidores x86 de padrão industrial da IBM, avaliada em 2,3 bilhões de dólares em dinheiro vivo e ações.[4] A negociação foi concluída em outubro. Nesse mesmo mês, a companhia concluiu sua aquisição de 2,91 bilhões de dólares da Motorola Mobility do Google, para dar seguimento à sua expansão de *smartphones* ao mercado internacional.[5]

Na realidade, o PCC continua a ser um fator onipresente na economia chinesa, especialmente por intermédio de seu Departamento de Organização, que controla a nomeação dos três principais executivos em qualquer empresa estatal. Sua influência em níveis regional e local é ainda maior, com autoridades provinciais controlando um número muito maior de nomeações em corporações regionais e locais. Em uma análise profunda, Richard McGregor revela como uma longa lista de "campeões nacionais" opera nas sombras do Estado, por exemplo, a Geely no setor automobilístico, a Huawei no setor de equipamentos de comunicações e a Haier no setor dos eletrodomésticos de grande porte, todas com uma estrutura de propriedade obscura e conexões com o partido que lhes possibilitam beneficiar-se do capital barato que o PCC disponibiliza para os possíveis campeões nacionais.[6] Isso torna o PCC e seus líderes muito influentes, estando no controle da maior concentração de ativos comerciais do mundo.

Na realidade, as empresas estatais são responsáveis por um valor entre um terço e um quarto do Produto Interno Bruto (PIB) chinês. No entanto, o sucesso delas pode ser questionado. De acordo com um livro revelador de Nick Lardy, o capitalismo estatal na China é quase um fracasso completo, com o retorno sobre ativos de estatais sendo muito baixo, não atingindo sequer a metade do custo do capital.[7] Isso as torna um empecilho ao crescimento econômico chinês. Entretanto, as estatais são menos comuns no setor industrial, o que explica, em parte, o sucesso da indústria chinesa. Mas elas predominam em setores de serviços essenciais como o de telecomunicações, negócios e serviços de *leasing*, e transportes. O crescimento da economia chinesa foi impressionante apesar de suas empresas estatais, e não por causa delas.

Depois de argumentos teóricos e descrições incidentais, está na hora de examinar evidências. Como veremos, as pesquisas publicadas não apoiam, de modo geral, a ideia de que empresas estatais campeãs sejam sinônimo de crescimento.

Gestão de empresas estatais

Comparações entre empresas estatais e privadas não raro conduzem a enganos, já que as estatais, com frequência, são monopólios, quase monopólios ou os únicos provedores para os consumidores, de modo que podem cobrar preços mais elevados. Muitas empresas estatais também foram encorajadas pelo grande avanço dos recursos naturais, sobre os quais, em geral, elas têm direitos exclusivos.

Ocasionalmente, os lucros do monopólio podem ser diluídos por serviços administrados pelo Estado. Os serviços postais estatais, por exemplo, em muitos países têm o monopólio da distribuição da correspondência, mas também a obrigação de atender áreas rurais, que acarretam perdas – a obrigação do serviço universal. Por essas razões, as taxas de retorno oriundas de empresas estatais não são um indicador suficiente da eficiência do Estado como proprietário se não puderem ser comparadas às concorrentes do setor privado.

Nas últimas décadas, economistas vêm usando a produtividade e outros indicadores de eficiência para comparar empresas públicas e privadas, levando em consideração várias fontes de erros. Essa grande bibliografia teórica e empírica indica que, em média, empresas estatais tendem a ser menos eficientes que suas equivalentes do setor privado.[8]

Não obstante, uma advertência é pertinente neste caso. Nem todos os estudos encontram diferenças estatisticamente significativas, embora a maioria encontre. As comparações também podem ser nebulosas, porque empresas estatais com frequência dão um jeito de aumentar sua eficiência quando a probabilidade de serem privatizadas aumenta. Por exemplo, um estudo sul-coreano descobriu que a eficiência das estatais sul-coreanas aumentou de modo significativo entre 1998 e 2002, quando o novo governo sinalizou a intenção de privatizar muitas delas.[9] Este, e resultados semelhantes de outros estudos, respalda nosso argumento de que empresas estatais podem ser muito mais bem administradas quando não estão (ainda) privatizadas.

Uma explicação habitual, nessas publicações, para a ineficiência da propriedade estatal – a visão das entidades – é que os administradores de empresas estatais carecem de incentivos poderosos e também não são monitorados de maneira adequada por proprietários ativos ou pelo mercado. Uma hipótese alternativa é que, para início de conversa, empresas menos eficientes têm mais probabilidade de terem sido nacionalizadas. Um fator fundamental nessas pesquisas parece ser o grau de concorrência. Quando empresas estatais enfrentam ambientes competitivos, elas às vezes têm um desempenho tão bom quanto o de empresas privadas.[10] Além disso, as estatais parecem ter desempenho igual aos das empresas privadas quando seguem as práticas de gestão e de governança corporativa utilizadas por empresas privadas.

Pesquisas mais recentes ofereceram observações empíricas do motivo pelo qual as estatais têm desempenho pior que a média. A análise da gestão apoiou-se de modo tradicional em estudos de casos, os quais, devido à sua natureza, fornecem evidências casuais em vez de empíricas. No entanto, no decorrer da última década, Nicholas Bloom e John van Reenen começaram a examinar práticas de gestão em dezenas de milhares de empresas, usando um método para descrever práticas de gestão originalmente desenvolvido por McKinsey.[11] Os elementos centrais dessa pesquisa consideram até que ponto as empresas avaliam e seguem seus objetivos; oferecem incentivos aos funcionários; administram o capital humano; além de outros fatores semelhantes.

Uma descoberta fundamental de Bloom e Van Reenen foi que as práticas de gestão estão sem dúvida associadas aos resultados. Não apenas as empresas que seguem as melhores práticas são mais produtivas e lucrativas, como essa conexão também é convincente em muitos outros aspectos. Por exemplo, hospitais com melhores práticas de gestão têm taxas de sobrevivência mais elevadas. As práticas de gestão variam de maneira considerável entre organizações, países e setores, mas tendem a refletir a amplitude do desempenho. Um dos fatores associados a essa variação é a propriedade. Constatou-se assim que empresas governamentais, familiares e de propriedade do fundador são administradas com mais deficiência, ao passo que multinacionais, empresas de acionistas dispersos e as que pertencem a fundos de *private equity* têm, com mais frequência, uma gestão competente. A forte competitividade de produtos no mercado e melhores qualificações de empregados estão associadas a melhores práticas de gestão. Bloom e Van Reenen constataram também que mercados de trabalho menos regulamentados relacionam-se a mais práticas de incentivo à gestão, como promoção com base em desempenho.

Essas pesquisas trazem uma nova luz ao problema que todos os governos enfrentam quando administram suas empresas. Não raro, as empresas não estão totalmente expostas à concorrência do mercado. Em muitos casos, existe ainda a ideia de que a companhia será socorrida com dinheiro dos contribuintes caso tenha um desempenho deficiente. De qualquer modo, o desafio é inculcar um senso de urgência nos dirigentes de estatais para que adotem melhores práticas de gestão. Enfrentar esse desafio é uma batalha difícil se os políticos se intrometerem nas decisões do dia a dia da empresa. A questão fundamental, da qual voltaremos a tratar em capítulos posteriores, é o que o governo pode fazer para assegurar uma governança ativa e profissional sem se expor ao risco da intromissão oportunista.

Empresas estatais são realmente vantajosas para o crescimento?

Se as estatais são geridas com menos competência do que as outras empresas, isso não significaria que países com maior número de estatais também tivessem pior desempenho econômico. No geral, não é fácil assim determinar essa relação. As estatísticas sobre a propriedade estatal são de má qualidade, com poucos países para estudo e potencial para grandes erros de quantificação. Empresas de propriedade de governos locais ou regionais, ou de fundações controladas pelo Estado, de maneira habitual não são sequer consideradas. Mais importante ainda, talvez, seja a natureza teórica do relacionamento esperado. Não seria necessariamente de esperar que empresas estatais tivessem menor crescimento de produtividade, mesmo quando adotassem o progresso tecnológico mundial com certo atraso, mas sim um nível de produtividade menor do que empresas privadas comparáveis. Se isso for verdade, um país com muitas estatais poderia ter um PIB menor, e não um crescimento mais lento. Poderíamos esperar, então, que os países que se desfizessem de estatais crescessem com mais rapidez que aqueles que, ao contrário, aumentassem os bens do Estado. Isso, por sua vez, gera exigências adicionais sobre a qualidade das informações. Não basta avaliar a propriedade pública em um único ano; é necessário acompanhar a mudança ao longo do tempo.

Além disso, o crescimento do PIB é influenciado por muitos fatores que precisam ser levados em consideração. Kapopoulos e Lazaretou, dois economistas, fizeram isso com competência, usando informações de propriedade para uma amostragem de empresas em 27 países com renda elevada, em 1995.[12] Depois de levar em conta muitas variáveis, eles descobriram que os países que têm uma parcela mais elevada de empresas estatais experimentam sem dúvida menor crescimento. Tentamos repetir esse exercício para anos mais recentes usando informações diferentes. A OCDE estudou empresas estatais, ou parcialmente estatais, em 34 países em 2008, 2009 e 2012.[13] Infelizmente, as empresas podem ser avaliadas de muitas maneiras, e os países usam padrões diferentes.

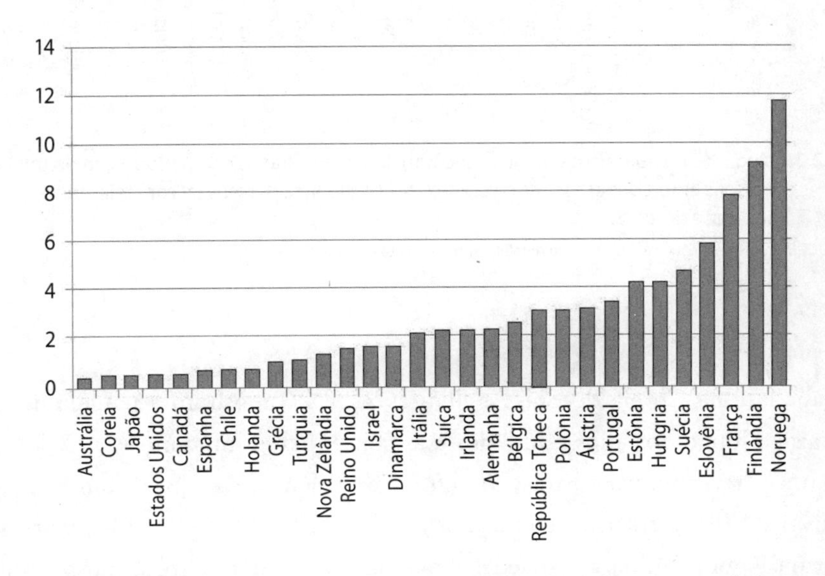

FIGURA 2.2. Trabalhadores empregados por empresas estatais, como porcentagem do emprego total.

Fontes: OCDE; consulte Christiansen (2011) para detalhes sobre a coleta de informações.

Por conseguinte, uma abordagem alternativa baseia-se no número de funcionários em estatais do governo central como percentual ou parcela do emprego total. Nos países da OCDE, esse percentual varia entre 0,5% e 12%, com uma média em torno de 3%. O valor mais elevado está na Noruega, que tem muitos ativos estatais, entre eles, a gigante do petróleo classificada internacionalmente: a Statoil. O governo central finlandês também possui diversas empresas de grande porte, entre elas, a geradora de energia Fortum, a companhia aérea Finnair e a Neste Oil. Em contrapartida, a propriedade estatal é muito baixa na Austrália,

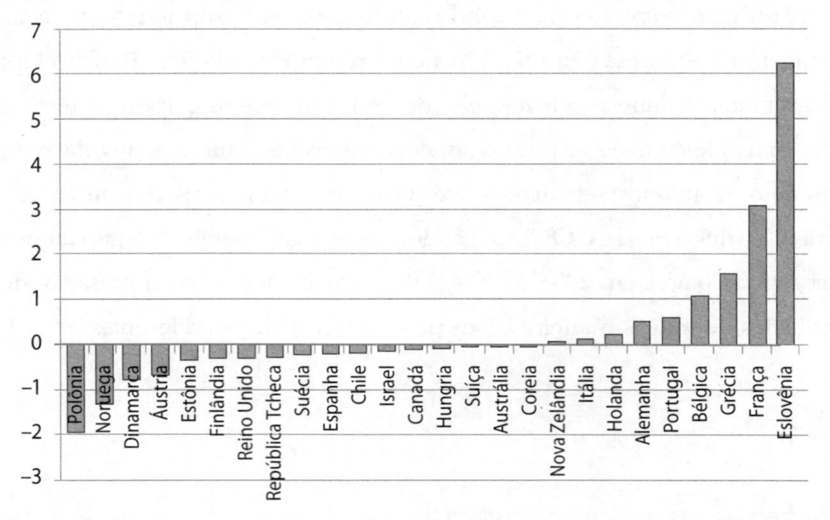

FIGURA **2.3.** Mudança no número de pessoas que trabalham em estatais como proporção do total de pessoas empregadas em estatais, 2008-2012; mudança percentual com relação ao ano-base de 2008.

Fontes: OCDE; consulte Christiansen (2011) para detalhes sobre a coleta de informações.

no Canadá e na Coreia do Sul. As Figuras 2.2 e 2.3 mostram a parcela média por país ao longo dos anos estudados e as consequentes mudanças.

Parece haver pouca correlação entre a prevalência de estatais em um país e o nível do PIB *per capita*, como mostram as Figuras 2.4 e 2.5. O quadro superior da Figura 2.4, para as nações mais ricas da OCDE, parece mostrar uma correlação positiva, mas isso na verdade se dá devido a um único país atípico: a Noruega. Se excluirmos a Noruega, a correlação torna-se negativa.

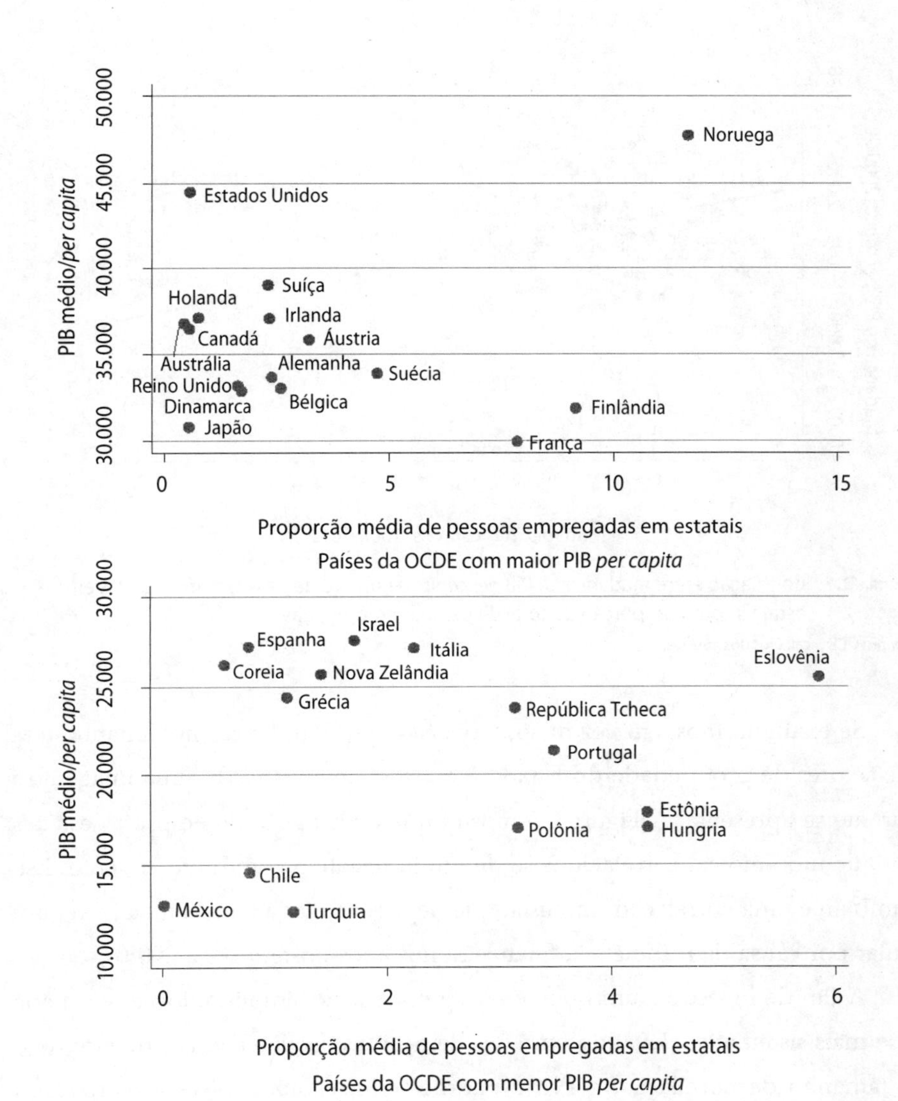

FIGURA **2.4.** PIB nacional e número de pessoas empregadas em estatais como proporção do total de pessoas empregadas.

Fontes: OCDE; cálculos dos autores.

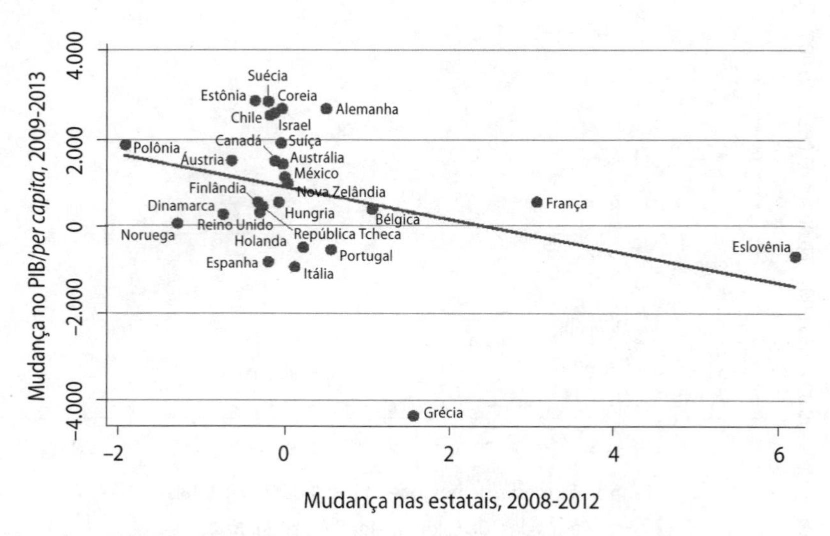

FIGURA 2.5. Correlação entre mudança no PIB *per capita* e número de pessoas empregadas em estatais como proporção do total de pessoas empregadas.

Fontes: OCDE; cálculos dos autores.

Se examinarmos, em vez disso, a relação entre mudanças no tamanho total de setores de propriedade do Estado e o crescimento do PIB, uma imagem diferente se apresenta. A Figura 2.5 mostra que a alienação de empresas estatais, ao que tudo indica, correlaciona-se de modo negativo com o crescimento. Esta também é uma correlação simplista, que deve ser tratada com cautela, em particular por causa da turbulência financeira nos anos posteriores a 2008.

A fim de investigar um pouco mais a correlação simplista, tornamos a análise mais sistemática, levando em consideração as taxas nacionais de emprego, o tamanho da população, o PIB e padrões educacionais.[14] Nessa regressão, a preponderância das empresas estatais tem uma substancial relação negativa com o crescimento econômico. Em média, um aumento de 1 ponto percentual na proporção do emprego total representada pelas empresas estatais entre 2008 e 2012 corresponde a uma redução de 132 dólares no PIB *per capita* ao longo do período de quatro anos de 2009 a 2013. Isso pode ser comparado ao crescimento médio durante o mesmo período, que foi de 909 dólares. Em outras palavras: um aumento de 5 pontos percentuais na proporção de contratação em empresas estatais eliminaria, em média, três anos de crescimento.

Essa regressão dificilmente é evidência de causalidade, que permanece bastante evasiva, não apenas do ponto de vista empírico, mas também do conceitual. As próprias políticas que levam governos a comprar ou vender empresas são influenciadas por uma grande variedade de mudanças, tanto na sociedade quanto para a sociedade, que também podem se correlacionar com o crescimento. Tendo em vista as limitações de informações, não pretendemos tirar conclusões de peso com base nessas regressões por si sós, embora elas pareçam ser corroboradas pela pesquisa anterior de Kapopoulos e Lazaretou (2005). No entanto, elas indicam que correlações macroeconômicas são compatíveis com pesquisas microeconômicas, apontando para uma gestão mais deficiente nas empresas estatais que analisamos antes neste capítulo.

Uma pergunta crucial é se a governança deficiente de ativos públicos pode ter efeitos prejudiciais mais amplos no desenvolvimento de um país além daqueles que se manifestam nas próprias estatais. Vamos tratar disso no Capítulo 3.

Capítulo 3

COMO EMPRESAS ESTATAIS MAL ADMINISTRADAS PODEM ARRUINAR A ECONOMIA E A POLÍTICA

Seria natural pensar que uma grande riqueza pública ajudaria o governo a administrar bem o país. De maneira paradoxal, o oposto é que parece ser verdade. Assim como um país pode sofrer da "doença holandesa",* quando abençoado com uma abundância de recursos naturais, a riqueza pública pode ter efeitos colaterais nocivos. A "*malaise* da riqueza pública" dificilmente é causada pela incompetência dos políticos, embora alguns empresários gostem de pensar que é isso o que acontece. A doença está além da competência com que as empresas estatais são geridas. De modo mais exato, a *malaise* da riqueza pública ocorre porque a administração da riqueza pública desvia seriamente os políticos de sua principal missão e, aliás, de seu mandato – que é promover o bem comum. Na realidade, uma grande riqueza pública enfraquece os governos e a tomada de decisões democrática.

Três mecanismos principais entram em jogo quando a riqueza pública corrompe a democracia. Eles são, em primeiro lugar, a corrupção, os subornos

* Em economia, "doença holandesa" (do inglês *Dutch disease*) refere-se à relação entre a exportação de recursos naturais e o declínio do setor manufatureiro. A abundância de recursos naturais gera vantagens comparativas para o país que os possui, levando-o a se especializar na produção desses bens e a não se industrializar, ou mesmo a se desindustrializar – o que, no longo prazo, inibe o processo de desenvolvimento. (N. dos T.)

ilegais flagrantes ou o peculato para ganho pessoal. Em segundo, o clientelismo – políticos que beneficiam seus partidários em troca de votos ou outros favores. E, em terceiro, o conflito de interesses que surge quando os políticos são responsáveis pela produção em vez de representar e manifestar interesses de consumidores.

A corrupção e o capitalismo clientelista

Na primavera de 2014, Song Lin, presidente da China Resources, um dos maiores conglomerados estatais do mundo, foi submetido a uma investigação e, mais tarde, afastado, acusado de corrupção. Esse foi um evento notável, não porque a corrupção que cerca as estatais seja incomum, e sim porque esses casos de corrupção com pouca frequência são expostos. Na realidade, existem várias evidências de que as estatais, em muitos países, são uma ferramenta para o enriquecimento de uma classe política selecionada. O primeiro relatório da OCDE (2014) sobre suborno internacional analisou quatrocentos casos internacionais de suborno. Uma das conclusões a que ele chegou foi que a maioria dos subornos vai para os dirigentes de estatais, seguidos de perto por autoridades alfandegárias.

Outros textos interessantes de pesquisas associam a corrupção a um excesso de regulamentação e burocracia. Goel e Nelson (1998), por exemplo, mostram que, nos estados norte-americanos, maior corrupção anda de mãos dadas com um governo de estado mais influente. E a causação pode funcionar de duas maneiras. Muitos dos que lucram com a corrupção parecem propagar ainda mais a influência do estado. Outra pesquisa, publicada pela *Public Administration Review*, constatou que estados com funcionários públicos mais corruptos com frequência têm mais atividades governamentais dirigidas a áreas em que é mais fácil existir corrupção.[1]

Países com muitas empresas estatais também estão permeados de corrupção. De acordo com a *Forbes*, os cinquenta principais membros do Congresso Nacional do Povo Chinês ostentam uma riqueza combinada de 94,7 bilhões de dólares, o que faz seus primos do Congresso norte-americano, cujos cinquenta principais membros possuem apenas 1,6 bilhão de dólares, parecerem pobres se comparados a eles.[2] Dos 358 bilionários chineses na Lista Hurun de Ricos da China, noventa são políticos em atividade.

Em 2014, a China prendeu milhares de funcionários públicos por corrupção. Essa campanha atingiu a cúpula do PCC, causando a prisão de Zhou Yongkang, a autoridade chinesa mais graduada desde a Gangue dos Quatro (que incluía Jiang Qing, a última mulher do falecido líder Mao Zedong), no início da década de 1980. Até 2012, Zhou havia sido membro do Comitê Permanente do Politsburo, que governa a China. Talvez mais importante ainda seja o fato de que era o ex-dirigente da segurança do Estado, que controlava tribunais, a polícia e o serviço de Inteligência. Além disso, segundo consta, ele controlava também a indústria chinesa do petróleo, o que o tornava um dos homens mais poderosos da China.

Embora as transgressões do setor privado tenham sido desmascaradas de modo enérgico nessa campanha, os investigadores foram em grande medida brandos com relação às empresas que tinham o apoio do governo. Xi Jinping, o novo presidente da China, parece estar mudando de tática ao atacar a própria elite e impor seu domínio sobre o poder nacional dentro do núcleo da liderança política, bem como sobre a poderosa liderança comercial.

Deng Xiaoping se tornou, na prática, o mandachuva do PCC em 1978, e, nos 25 anos seguintes, grande parte do setor estatal foi privatizada. Mas essa tendência foi quase interrompida por completo nos últimos dez anos. Em todos os anos desde 2005, por exemplo, as instituições petrolíferas e financeiras controladas pelo Estado, em sua maioria bancos, foram responsáveis por uma proporção de três a quatro quintos de todo o lucro auferido por empresas registradas nas bolsas de valores chinesas. A conexão do Estado possibilita que as empresas estatais dominem todos os mercados nos quais possa haver lucro, como o de telecomunicações, fumo, seguros e infraestrutura. O Estado liberalizou determinados setores — varejo, serviços, agricultura e fabricação de produtos de baixo custo —, mas estes são muito competitivos, tendo uma margem de lucro apertada. Desafortunadamente, as oportunidades de corrupção podem ser a razão principal pela qual políticos chineses gostam de manter empresas lucrativas nas mãos do governo.

Na realidade, a corrupção na China piorou de modo substancial no ano 2014. Nesse ano, ela foi classificada em centésimo lugar no Índice de Percepção da Corrupção da Transparência Internacional, que avalia 175 países e classifica os Estados do mais ao menos corrupto, tendo empatado com a Argélia e o Suriname, embora tenha ficado em octogésimo lugar no ano anterior.

Na Índia, ao que tudo indica, os políticos também gostam de manter os lucros de empresas estatais ao alcance da mão. Em agosto de 2014, investigadores indianos prenderam S. K. Jain, o dirigente do banco estatal Syndicate Bank, acusando-o de aceitar um suborno de 82 mil dólares para aumentar os limites de crédito de duas empresas que estavam sendo investigadas em um escândalo envolvendo a distribuição de blocos de mineração de carvão durante o governo nacional anterior. Conhecido como "Fraude do carvão", esse é um dos maiores casos de corrupção a manchar a coalizão do governo liderada pelo Congresso, que perdeu as eleições em maio de 2014, depois de permanecer no poder durante uma década. Dois anos antes, o auditor oficial declarou que o governo perdera uma receita potencial de mais de 33 bilhões de dólares ao transferir blocos de mineração do carvão a empresas privadas por um preço baixo demais. O Syndicate Bank, fundado no sul da Índia em 1925, foi nacionalizado em 1969, sendo hoje 67% estatal, embora esteja registrado na Bolsa de Valores de Bombaim. Jain tinha sido banqueiro durante quase três décadas, tendo deixado o Bank of Baroda (outra instituição controlada pelo governo) para assumir o comando do Syndicate Bank em 2013.

Os bancos estatais dominam o setor bancário indiano. As oportunidades de suborno são, de modo particular, abundantes nos setores que, pela própria natureza, exigem licenciamento do governo, como a extração de recursos minerais. Isso funciona em ambas as direções. Uma vez que os burocratas e os políticos se beneficiam das oportunidades de suborno que surgem com o licenciamento e outras complexidades administrativas, eles também formam um grupo de interesses que defenda a manutenção da burocracia, ou até mesmo uma maior complexidade dela. Em muitos casos, os recursos naturais também são ativos públicos que os governos podem disponibilizar a investidores do setor privado de sua escolha. Esse é um convite aberto ao capitalismo clientelista. Às vezes, os governos optam por explorar os recursos naturais em empresas estatais, o que pode piorar ainda mais as coisas, como afirma a pesquisa da OCDE mencionada antes. Não é por acaso que a Rússia tenha um grande número de bilionários exatamente nos mesmos setores dominados por estatais, como a Gazprom, maior extratora de gás natural do mundo.

A riqueza atrai aqueles que estão em busca de riqueza. A grande riqueza pública pode atrair políticos que estejam mais propensos à corrupção. Líderes políticos podem ficar tentados a usar a riqueza pública de modo a fomentar o recebimento de propinas, ao mesmo tempo que também enriquecem quem lhes oferece suborno. De modo lamentável, isso tende a empobrecer todas as demais pessoas. Na realidade, essa prática lembra a maneira como os reis medievais controlavam suas nações, ou seja, concedendo à nobreza acesso à riqueza pública. É triste, mas essa ainda é a maneira como muitos países são governados hoje em dia; a Rússia, a China e a Índia não são os únicos, nem mesmo os piores, exemplos.

A corrupção pode corresponder tão somente a uma transferência de renda se os políticos aceitarem propinas apenas para facilitar processos que, de outra maneira, ficariam atolados na burocracia. Mas o suborno é um ônus pesado para o desenvolvimento quando se aceitam propinas para medidas que prejudiquem o desenvolvimento nacional, ou caso se aumente a burocracia com o simples intuito de se criar mais oportunidades de suborno. Mesmo antigamente, na história dos Estados Unidos, a corrupção associada à intervenção do Estado era um problema. Os governos de Estado com frequência interferiam em projetos de infraestrutura, como canais e vias férreas, mas essa interferência não raro acabava em escândalos de corrupção.[3]

Uma grande variedade de ativos públicos por si sós, no entanto, não tornam, necessariamente, um país corrupto. Mas uma forma mais branda de corrupção legal é comum, até mesmo em democracias avançadas.

O clientelismo

Nas sociedades tribais, os líderes políticos precisam do apoio de um número suficiente de tribos, e conseguem isso oferecendo em troca vantagens políticas. Essa maneira de governar um país torna da maior importância, para um líder político, controlar a riqueza pública substancial. Nas sociedades modernas, as "tribos" foram substituídas, na maioria dos casos, por grupos de interesses especiais. Os líderes que conseguem garantir o apoio de grupos de interesses podem reduzir as críticas ou o escrutínio público. A obtenção do apoio desses grupos não raro envolve satisfazer às suas exigências com relação a questões específicas. Um exemplo é a campanha sindical para conseguir que o governo nacional francês investisse na Alstom – da mesma maneira como investira na Peugeot (parte da PSA Peugeot Citroën). Essa última decisão foi tomada, acima de tudo, para satisfazer os sindicatos dos trabalhadores, e não os consumidores, que desejavam comprar carros a preços mais competitivos.

O clientelismo também pode envolver o estabelecimento da dependência econômica desses grupos de interesses especiais em vantagens do governo, ou a concessão de favores a líderes individuais desses grupos, como indicações para conselhos de administração de estatais ou outros privilégios. Por exemplo, os lucros das loterias estatais em muitos países são distribuídos entre vários grupos de interesses especiais.

Estatais e outros ativos públicos propiciam excelentes oportunidades para o clientelismo. No Brasil, dois presidentes sucessivos, Luiz Inácio Lula da Silva e Dilma Rousseff, ambos do Partido dos Trabalhadores (PT), agradaram aos motoristas mais pobres apoiando-se na Petrobras, a gigante do petróleo nacional, para abandonar os planos de aumento de combustível de acordo com os preços internacionais. Eles não deram atenção ao prejuízo que a minoria privada de acionistas da Petrobras sofreu em decorrência dessa medida. A polícia federal brasileira fez uma batida policial na casa de um ex-executivo da Petrobras, confiscando mais de meio milhão de dólares em dinheiro vivo. A promotoria alegou que a corrupção que afeta a Petrobras, incluindo suborno e doações políticas clandestinas, custou mais de 440 milhões de dólares em contratos inflados. Além da política partidária, contudo, isso evidencia a facilidade com que os políticos são capazes de utilizar empresas estatais como fonte de fundos ilícitos de campanha. Em 2010, a Petrobras era o símbolo da ascensão econômica do Brasil. No entanto, apesar de grandiosos investimentos, o crescimento de sua produção foi medíocre. O retorno sobre o capital e o preço de suas ações despencaram depois dos escândalos e dos preços decrescentes do petróleo.

O governo brasileiro também providenciou o afastamento de Roger Agnelli da presidência da Vale, a maior mineradora de minério de ferro do mundo. Embora a Vale tenha sido privatizada em 1997, o Banco Nacional de Desenvolvimento Econômico (BNDES) ainda é dono de grande parte da empresa. O governo expressou insatisfação diante da ênfase de Agnelli em exportar minério de ferro para a China em vez de construir usinas siderúrgicas no Brasil.

Musacchio e Lazzarini (2014) analisam os ativos estatais brasileiros para demonstrar que os empréstimos do BNDES transferem subsídios para grandes empresas sem nenhum efeito sobre os propósitos declarados de melhor desempenho do nível das empresas ou maior investimento. Em vez disso, as doações de campanha explicam a escolha, por parte do BNDES, de quem recebe os subsídios. Eles constataram que o BNDES, de modo geral, não escolhe projetos que venham exibindo mau desempenho. As empresas com contatos políticos não são, em absoluto, empresas com desempenho aquém do esperado. Ainda assim, o BNDES alcança poucos resultados, e sua função, de acordo com Musacchio e Lazzarini, é meramente transferir recursos para empresas que apoiam os políticos certos.

O clientelismo em empresas estatais também é preponderante na Itália. Matteo Renzi, o mais jovem primeiro-ministro italiano de todos os tempos, que subiu ao poder em fevereiro de 2014, anunciou alguns meses depois que iria mudar os principais cargos executivos da Enel, da Eni, da Finmeccanica e do Poste Italiane, as quatro principais empresas estatais ou parcialmente estatais vinculadas ao Ministério da Economia e Finanças da Itália. Essas quatro empresas compunham um terço do valor do mercado de ações italiano no segundo semestre de 2014. Em uma medida considerada como teste importante da capacidade do jovem primeiro-ministro em realizar uma reforma, a decisão imediata de Renzi, extremamente vistosa, foi promover três mulheres para dirigir empresas, entre elas, a CEO da indústria do aço Emma Marcegaglia na Eni, o grupo de petróleo e gás. Embora essas mulheres fossem, sem dúvida, bem qualificadas, essa decisão também ilustra como pareceu natural, até mesmo para um reformador, que os principais cargos de estatais devessem ser usados para fazer declarações políticas.

Em muitos países, o clientelismo é mais sutil. A indústria de eletricidade nos Estados Unidos é dominada por corporações privadas. No entanto, o governo federal é dono da enorme Tennessee Valley Authority (TVA) e de quatro Administradoras de Comercialização de Energia (PMAs – Power Marketing Administrations) que vendem energia em 33 estados. Essas empresas estatais de energia tornaram-se um anacronismo, já que a privatização das empresas de serviços de utilidade pública vem sendo praticada no mundo inteiro. Em seu orçamento de 1996, o presidente Bill Clinton propôs a venda das quatro PMAs, mas isso nunca aconteceu. Deixando de lado a questão da privatização, transformar a TVA e as PMAs em empresas mais independentes, comercialmente administradas, sob a supervisão de uma *holding*, eliminaria o clientelismo que gera o consumo excessivo de energia, devido à permissão que essas empresas têm de converter sua vantagem competitiva em tarifas de energia artificialmente baixas. Maior independência da política, portanto, conferiria uma vantagem ambiental. Além disso, é bem provável que também aumentasse a eficiência das operações de empresas de serviços de utilidade pública.

Conflito de interesses

Assim como tantas outras empresas, as estatais fazem *lobby* em prol de sua causa. Não raro, são mais bem-sucedidas como lobistas do que as empresas privadas, já que têm acesso mais fácil aos governos e à burocracia destes. São supervisionadas e têm contatos regulares com, pelo menos, alguns ministérios do governo, e é muito comum terem funcionários ou membros do conselho de administração de alto nível vindos diretamente do governo, e vice-versa. Em particular, são conhecidas por trabalhar em prol do bem comum, e seus motivos podem, portanto, não ser esmiuçados da mesma maneira que os dos representantes de uma empresa privada qualquer.

Don Novey, por exemplo, que durante muito tempo foi presidente da California Correctional Peace Officers Association, foi um lobista de peso por trás de iniciativas como a "Lei das três infrações",* que resultou em maior população

* No original, *Three strikes and you're out*, expressão originária do beisebol. Em 1994, a polêmica "Lei das três infrações" determinou que, no caso de uma terceira condenação, independen-

encarcerada; em dez vezes mais agentes penitenciários no estado; e gastos mais elevados, de modo que a Califórnia gasta mais com suas prisões do que com educação superior. Novey, sem dúvida, se tornou popular entre os membros da associação. Se tivesse representado funcionários de empresas privadas ou, o que seria ainda pior, pessoas que investem em prisões particulares, é mais provável que seu *lobby* tivesse sido considerado como campanha em causa própria.

Na China, a influência das estatais na política é, na verdade, declarada como vantagem. Em teoria, a gestão das estatais, como a China Mobile, é supervisionada pela sua principal administradora de propriedades: a Comissão de Supervisão e Administração de Ativos, de propriedade do Estado. No entanto, na prática, essas empresas têm estreitos vínculos com outros departamentos e, na realidade, são geridas pelo PCC. Os funcionários em nível de gestão mudam com muita facilidade de emprego entre esses órgãos, o que é visto como uma maneira importante de criar competências entre administradores do Estado e do partido, a respeito das condições em várias sucursais.

No entanto, a perspectiva do produtor pode acarretar, sem esforço, um *lobby* não apenas prejudicial aos consumidores, mas também que envolva um jogo muito arriscado abrangendo toda a economia.

A riqueza do governo pode precipitar crises financeiras

Durante o crescimento acelerado do Vietnã em 2005-2010, várias empresas estatais bem relacionadas se deixaram empolgar além da conta, fazendo enormes empréstimos e diversificando-se sem uma boa causa.

Na Índia, os bancos estatais viram mais de um décimo de seus empréstimos darem errado, e estão sob pressão política para assumir a postura de "prorrogar e fingir que está tudo bem" com relação aos empréstimos fracassados para empresas "amigas". No entanto, a inadimplência da Vinashin, construtora naval

---

temente de sua natureza, as penas de encarceramento deveriam variar entre 25 anos e prisão perpétua. A opção da Califórnia se deu pelo endurecimento das penas, exemplo que foi seguido por outros dez estados norte-americanos. Mesmo com sua constitucionalidade questionada na Suprema Corte, os índices de criminalidade foram reduzidos em 15%, e a lei passou a ser cada vez mais aplicada pelo Judiciário da Califórnia. (N. dos T.)

com um impressionante débito acumulado em 4 bilhões de dólares, ajudou a desencadear uma crise bancária. Vários executivos foram presos por malversação.

O sistema bancário da China ainda não está liberalizado nem é totalmente comercial, mas mesmo assim é usado para apoiar as estatais. Graças a um crescimento acelerado conduzido pelo governo em 2008-2011, os bancos acumularam uma grande parcela de empréstimos podres. Com frequência é concedido às estatais acesso mais fácil a empréstimos, e elas têm permissão para subsistir, mesmo quando não conseguem pagar o serviço da dívida. De acordo com Nicholas Lardy, entre 2010 e 2012, as companhias privadas receberam, em média, metade dos empréstimos feitos a todas as empresas, ao mesmo tempo que produziram entre dois terços e três quartos do PIB chinês. Com as estatais lucrando bem menos do que seu custo de capital, a taxa de juros da liberalização resultaria em aumento do fluxo de crédito para empresas do setor privado, já que estas podem pagar taxas um tanto mais elevadas e mesmo assim ser lucrativas.[4]

Em cada um dos casos, as empresas ou bancos estatais fizeram *lobby* para convencer seus proprietários ou as autoridades supervisoras de bancos a permitir uma regulamentação mais complacente. Bancos e empresas privados também fazem *lobby*, é claro, mas com pouca frequência conseguem obter a fácil combinação de interesses que é rotineira entre empresas estatais e ministérios do governo. Alguns tipos de *lobby* da parte de empresas estatais podem ter resultados nocivos e de longo alcance.

Tomemos, por exemplo, a Fannie Mae (Federal National Mortgage Association) e a Freddie Mac (Federal Home Loan Mortgage Corporation) nos Estados Unidos. Ambas as instituições traçaram um curso relativamente cauteloso depois de se estabelecerem como Empresas Patrocinadas pelo Governo (GSE), uma forma de empresa quase governamental. No entanto, em 2003 e 2004, foram abaladas por uma série de escândalos contábeis que manchou a reputação delas de empresas bem administradas. De repente, viram-se diante de perguntas relacionadas com sua contribuição para baixar as taxas de hipoteca, bem como com sua segurança e integridade. Alguns questionavam se elas deveriam ter permissão para continuar a fazer transações com hipoteca – de longe, sua atividade mais lucrativa –, e os republicanos do Senado retiraram do comitê um projeto de lei que teria proibido essa atividade. Depois disso, e talvez para recuperar a credibilidade, elas intensificaram os empréstimos *subprime*, ao lado do *lobby* em favor de regras que permitissem uma quantidade ainda maior de empréstimos.

O gerenciamento de risco político exigiu que essas GSEs oferecessem aos membros do Congresso um generoso pacote de benefícios. As contribuições de campanha, sem dúvida, foram um dos elementos. Entre os ciclos eleitorais de 2000 e 2008, as GSEs, e seus funcionários, contribuíram com mais de 14,6 milhões de dólares para os fundos de campanha de dezenas de senadores e deputados, principalmente para aqueles que faziam parte de importantes comitês para a preservação dos privilégios das GSEs.[5]

A Fannie Mae sabia muito bem como tirar proveito político de sua concessão de empréstimos, e não apenas de seus ativos – ela com frequência contava com a ajuda de outros grupos que lucravam com suas atividades: o setor de valores mobiliários, o de construtores residenciais e o de corretores de imóveis –, para patrocinar eventos específicos de arrecadação de recursos para os principais aliados das GSEs no Congresso. Além dos fundos de campanha, as GSEs (em particular, a Fannie Mae) acentuavam seu poder no Congresso montando "escritórios de parceria" em distritos e estados de importantes legisladores, não raro contratando parentes desses legisladores para fazer parte da equipe dos escritórios locais.

Suas atividades de *lobby* eram lendárias. Entre 1998 e 2008, a Freddie Mac gastou quase 95 milhões de dólares, e a Fannie Mae despendeu quase 80 milhões de dólares em *lobby* no Congresso. Isso as classifica em 13º e 20º lugares, respectivamente, entre as que mais gastaram em *lobby* nesse período. Nem todos esses gastos eram necessários para entrar em contato com membros do Congresso, já que essas GSEs, de modo rotineiro, contratavam lobistas apenas para privar seus adversários da ajuda de ações de *lobby*. Além disso, como os lobistas quase sempre fazem parte das redes de legisladores, que não raro incluem seus antigos funcionários, esses gastos com *lobby* também incentivavam os membros do Congresso a apoiar a Fannie Mae e a Freddie Mac como forma de reforçar a renda de seus amigos.

Outras crises de crédito compartilham esse elemento de ação de *lobby* por parte de empresas públicas (e também de privadas). A crise de poupança e empréstimos (*Savings and Loan*, S&L) nos Estados Unidos, que culminou na década de 1980, foi um dos maiores escândalos financeiros antes do ano 2000. Quase um terço (mais de 1.000 em 3.234) dos bancos S&L no país foram à falência entre 1986 e 1995. Esses bancos S&L (também chamados de *thrifts* em inglês) não eram formalmente de propriedade estatal, mas na prática muitos estavam ligados a políticos locais em várias funções, ou eram até mesmo controlados por esses políticos. Um exemplo é o escândalo do Lincoln Savings and Loan Association. Nesse caso, cinco senadores norte-americanos, conhecidos como "Os cinco de Keating", estavam envolvidos em um esquema de tráfico de influência que recebeu esse nome por causa de Charles Keating, o dono bem relacionado, em termos políticos, do Lincoln Savings (por meio da sua companhia imobiliária). Neste caso particular, ele doou até 1,4 milhão de dólares em contribuições a esses senadores no final da década de 1980, que na ocasião interferiram em uma investigação regulatória federal do banco.

Em outro exemplo, o Silverado Savings and Loan foi à falência em 1988 a um custo de 1,3 bilhão de dólares para os contribuintes. Neil Bush, filho do então vice-presidente George H. W. Bush, fazia parte da diretoria do Silverado na ocasião. O Departamento de Supervisão dos Bancos de Poupança e Empréstimos dos Estados Unidos investigou a falência do Silverado e constatou que Neil Bush havia se envolvido em numerosas "violações de seus deveres fiduciários envolvendo múltiplos conflitos de interesses". Na condição de diretor de um banco S&L à beira da falência, Bush votou a favor da aprovação de 100 milhões de dólares em empréstimos que eram, no final das contas, impossíveis de serem cobrados para dois de seus parceiros comerciais.

Um acontecimento semelhante deixou a Espanha à beira da falência durante a crise financeira. Os bancos regionais espanhóis nem sempre eram formalmente estatais. Com mais frequência, eram de propriedade de fundações, mas na prática atuavam em coordenação com políticos locais em seu conselho administrativo, os quais incentivavam generosos empréstimos para projetos de desenvolvimento locais. Quando a bolha imobiliária estourou, esses bancos foram em massa à falência. Os grandes bancos privados espanhóis foram obrigados a absorver um grande número deles e, como resultado, sofreram graves dificuldades.

Até mesmo na bem administrada Alemanha, os bancos de governos regionais têm sido um desastre. O exemplo que segue não é de modo algum exagerado, sendo, mais exatamente, uma história que, de diferentes maneiras, se repetiu muitas vezes. Em 2007, o Bayrische Landesbank (BayernLB), de propriedade dos contribuintes da Bavária, considerou apropriado arriscar o dinheiro de seus cidadãos comprando um banco em outro país, o banco Hypo Alpe Adria da Áustria, por 1,6 bilhão de libras esterlinas. Por sua vez, esse banco tinha a intenção de se expandir para a Europa Oriental. O BayernLB já havia perdido uma batalha de negociação para o banco BAWAG PSK, sediado em Viena, o que conduziu à especulação de que este fora o motivo pelo qual ele estava com tanta pressa de comprar o Hypo Alpe Adria. Apenas dois anos depois, seu excesso de confiança acabou em lágrimas quando o Estado austríaco foi obrigado a assumir o controle do Hypo Alpe Adria para evitar que ele fosse à falência. O prejuízo dos contribuintes da Bavária totalizou-se em 3,7 bilhões de libras esterlinas.

Quando o BayernLB adquiriu o Hypo, seu conselho supervisor incluía vários políticos locais. O conselho de administração superior continha quatro políticos de alto escalão do governo da Bavária subordinados a Edmund Stoiber, o então primeiro-ministro do estado da Bavária e ex-presidente do conselho de administração do Sindicato Social Cristão. Outros dignitários que faziam parte do conselho de administração do BayernLB eram Kurt Falthauser (ministro das Finanças), Erwin Huber (ministro da Economia), Günter Beckstein (ministro do Interior) e Georg Schmid (secretário de estado no Ministério do Interior).[6] Apesar da importância dessa aquisição e do impacto que ela causou nas principais instituições financeiras da Bavária, Huber e Beckstein não compareceram a nenhuma das seis reuniões que trataram da aquisição do Hypo Alpe Adria, e Schmid só participou de uma, de acordo com os repórteres que cobriam o caso.

O contrato assinado entre o Hypo Alpe Adria e o BayernLB acabou em uma série de comitês de investigação, perseguições, processos penais e demandas civis. Sete ex-membros do conselho supervisor foram levados a julgamento no início de 2014. Entre eles estavam Wilhelm Schmidt, ex-CEO e *chairman*, e seu substituto, Michael Kemmer. Eles são acusados de ter desconsiderado os riscos e pago um preço alto demais.

Nosso principal objetivo aqui não é destacar a malversação quase burlesca dos bancos estatais. Queremos, com mais exatidão, ilustrar como os conselhos que controlam esses bancos são, com demasiada frequência, povoados pelas mesmas pessoas que, em suas funções no governo, precisam participar de decisões com relação à política econômica e à regulamentação dos bancos, criando um inevitável conflito de interesses entre o governo como regulador e o governo como proprietário. Os papéis interconectados que as autoridades do governo e os políticos não raro têm seriam permitidos no caso de empresas privadas.

Esses exemplos mostram como possuir riqueza em nome do povo pode expor os processos democráticos e as políticas econômicas de um país a graves perigos, dos modos mais sutis possíveis.

A negligência da perspectiva do consumidor

Efeitos mais sutis, porém mesmo assim destrutivos, surgem em países com um vasto setor estatal. Esses efeitos têm origem na maneira como os políticos são obrigados a assumir uma dupla responsabilidade: primeiro, a de definir a demanda dos serviços públicos e de financiar o fornecimento deles e, segundo, a de distribuir a produção desses serviços por meio de empresas estatais. Isso cria um óbvio conflito de interesses. O governo "para o povo" deveria, por definição, estar do lado do consumidor. Sua função é proteger o consumidor e os interesses públicos. Essa função não se concilia facilmente com um governo que sabe que será responsabilizado como gestor de uma estatal se sua empresa não for competente e deixar de cumprir suas obrigações.

Uma escolha natural, embora provavelmente equivocada, que os políticos fazem é controlar as estatais por meio de diretrizes públicas, de representantes no conselho de administração ou da indicação de membros do partido a cargos executivos, na esperança de obrigar a empresa a atender às exigências dos eleitores. De modo paradoxal, essa estratégia com frequência alcança o efeito oposto. Os líderes políticos que se responsabilizam pelas estatais também assumem responsabilidade aos olhos de seus eleitores, os quais depois culpam os políticos quando as coisas dão errado. Como resultado, os políticos logo perdem o interesse em formular as demandas dos consumidores ou em tornar o desempenho das estatais mais transparente. Essas medidas apenas aumentam o risco de que a má gestão seja exposta, e a culpa recairá sobre os políticos governantes.

Companhias aéreas estatais como a Air France e a Lufthansa, por exemplo, tinham pouca intenção de oferecer voos de baixo custo, e só fizeram isso quando se viram obrigadas pelos concorrentes privados. Sucessivos governos na França e na Alemanha tinham, na condição de donos dessas companhias, pouca consideração pelo consumidor. Em vez disso, concentravam-se na expansão internacional. E se dobravam às exigências dos sindicatos, acabando por pagar pacotes de remuneração exorbitantes a pilotos e outros funcionários. A extensão dessa perda do consumidor está sendo exposta hoje pelas companhias aéreas econômicas que estão crescendo com rapidez no mundo inteiro, como a Norwegian, a terceira maior companhia aérea econômica da Europa. Essa pequena *upstart* só começou a operar como empresa de aviação econômica a partir de 2002, mas é muito mais bem administrada do que sua concorrente, a estatal SAS (Scandinavian Airlines). Enquanto a SAS continua a se debater em meio a planos consecutivos de reestruturação, parecendo incapaz de alcançar a lucratividade, a Norwegian vem tendo lucro desde 2006. Ela agora está se expandindo para fora da Europa, oferecendo itinerários para quase todos os cantos do mundo. Empresas rivais, sindicatos como o AFL-CIO, a maior federação de sindicatos trabalhistas nos Estados Unidos, e alguns políticos norte-americanos acusam a Norwegian de *dumping* social e por isso fazem *lobby* em Washington para impedir a Norwegian de obter licença para sua subsidiária de longa distância registrada na Irlanda: a Norwegian Air International. Nesse meio-tempo, os consumidores vêm demonstrando cada vez mais o quanto apreciam os serviços da companhia.

Os defensores da propriedade pública expressam com frequência seu receio com relação à exploração da terra ou de outros ativos quando estes são controlados ou vendidos a empresas privadas. Em muitos casos, contudo, as coisas funcionam de maneira inversa. Diversos países africanos descobriram que a fauna selvagem fica mais bem protegida em concessões privadas do que em parques nacionais públicos. Um exemplo talvez radical dos mecanismos que conduzem à exploração excessiva de terras públicas nos Estados Unidos é o incidente que envolveu Cliven Bundy, um criador de gado de Nevada, e seu assim chamado "Partido Patriota". Bundy se recusou a pagar, ou até mesmo a solicitar, permissões de pastoreio em terras federais no estado de Nevada. Quando funcionários do Departamento Federal de Administração de Terras, com o apoio de representantes da lei, tentaram executar várias ordens judiciais (depois de vinte anos de ações na justiça), confiscando gado em terras públicas, foram confrontados por mais de mil partidários convocados por Bundy, muitos deles armados e trajando uniformes de campanha. Bundy incitou seus partidários antigoverno a confrontar os representantes do governo.

Os agentes tentavam executar uma ordem judicial que determinava que Bundy deveria remover suas novecentas cabeças de gado das terras federais onde pastavam. Seus partidários privados trouxeram com eles um arsenal impressionante. Depois de um breve e tenso impasse, durante o qual os manifestantes apontaram fuzis de assalto para seus supostos adversários, os agentes soltaram os quatrocentos animais que haviam capturado e bateram em retirada. Bundy e seus partidários foram considerados extremistas, mas entre eles havia vários legisladores como Dean Heller, senador republicano de Nevada.

Embora esse incidente possa ter sido excepcionalmente exuberante, ele ilustra as pressões políticas que, muitas vezes, fazem terras federais ficarem desprotegidas. As concessões para utilização de terras federais com pouca frequência são revogadas. Não bastasse isso, o Departamento Federal de Administração de Terras é um pesadelo burocrático por si só. Além do excesso de burocracia, muitos tipos de subsídios (que chegam a centenas de milhões ao ano) não apenas lesam os contribuintes como incentivam de maneira efetiva o pastoreio excessivo.

De modo semelhante, Francis Fukuyama apresenta uma impressionante descrição de como o Serviço Florestal dos Estados Unidos decaiu, deixando de ser um guardião das florestas nacionais relativamente independente e muito profissional.[7] Hoje, ele parece ser uma burocracia um tanto inflada e disfuncional, que opera sob a direção de uma multiplicidade de determinações não raro contraditórias, provenientes do Congresso e dos tribunais.

Depois de descrever os execráveis efeitos colaterais que organizações ineficientes no comando da riqueza pública podem causar, a próxima pergunta é qual o tamanho efetivo da riqueza pública e de que maneira ela poderia contribuir muito mais para o desenvolvimento interno dos países. Esse assunto será discutido no Capítulo 4.

Capítulo 4

O TAMANHO E O POTENCIAL DA RIQUEZA PÚBLICA

Os capítulos anteriores examinaram os efeitos perniciosos que os vastos ativos comerciais públicos podem ter na governança, no crescimento do Produto Interno Bruto (PIB) e na democracia. No entanto, a riqueza pública abrange muito mais que empresas estatais. Na realidade, estatais e instituições financeiras representam a menor parte do portfólio do governo, quer em nível de governo central, quer em níveis regional e local. O maior segmento de ativos comerciais públicos é o de bens imóveis: propriedades e terras com valor econômico que, com frequência, não aparecem em nenhum balanço patrimonial. Além disso, porém fora do escopo de nossa tentativa de avaliação de ativos públicos, existem os itens de infraestrutura – estradas, pontes e ferrovias – financiados por intermédio do orçamento do Estado e para os quais pode não haver nenhum mercado, mas que poderiam ser administrados de maneira a promover mais crescimento e desenvolvimento – como parques nacionais e outros ativos que estão sob o controle de organizações quase governamentais, sendo administrados por políticos com cargos governamentais.

Quanto de riqueza pública existe em determinado país? Ela pode ser utilizada de maneira melhor? Quais alternativas os países têm? O artigo de capa da *The Economist* de 11 de janeiro de 2014 foi: "The $9 Trillion Sale" ["A venda de 9 trilhões de dólares"].[1] O artigo enfatiza a magnitude dos ativos comerciais públicos e recomenda, com insistência, a privatização imediata de grande parte deles como maneira de estimular o crescimento e restabelecer a saúde financeira.

O último quarto de século tem sido permeado por discussões violentas, sempre ideológicas, sobre propriedade estatal *versus* privatização. Chamamos isso de "pseudoguerra". O debate polarizado desviou a atenção da questão mais importante: a qualidade da governança dos ativos. Para qualquer modo de propriedade, seja ele privado, público, mútuo ou cooperativo, existe um vasto leque de modelos/estilos alternativos de administração. Escolhas adequadas causarão grande impacto, em termos de desempenho e valor, para os derradeiros proprietários em seu papel de contribuintes bem como para os consumidores. Está na hora de nos concentrarmos em todo o lucro que está sendo posto sobre a mesa para ser capturado por grupos de interesses especiais, após toda a discussão sobre quem é, de fato, o dono da mesa.

Neste capítulo, examinaremos o valor atual, e o potencial futuro inexplorado, que permanece atravancado em ativos estatais. Os capítulos posteriores se concentrarão em reformar a riqueza pública e lhe providenciar melhor governança.

A ardilosa investigação da avaliação do valor

Governos do mundo inteiro têm apenas uma ideia incompleta da riqueza nacional que está sob seu controle, já que muitos desses ativos estão ocultos. Padrões contábeis deficientes, estatísticas econômicas obscuras e mal definidas, além da ausência de uma lista consolidada de ativos, são parte do problema. As contas são predominantemente mantidas por governos nacionais centrais e rotuladas, de modo um tanto arbitrário, como ativos "financeiros" *versus* "não financeiros".

Informações sobre ativos imobiliários de propriedade do Estado ficam não raro emperradas em algum lugar entre um levantamento cadastral formal e registros de terra desordenados, e às vezes estando em poder de usuários ou administradores em diferentes departamentos ministeriais, devido à legislação contraditória. As tentativas de centralização de informação chegaram a encontrar resistência, já que alguns departamentos se recusam a entregar a documentação que têm arquivada ou que está sob sua administração, ao que tudo indica, pelo medo da equipe de perder autoridade.[2]

Poucos governos, contudo, enfrentam desafios tão esmagadores quanto o grego, que carece de um registro de terras adequado. Apesar de ter recebido mais de 100 milhões de dólares em ajuda da União Europeia ao longo das duas últimas décadas, a fim de estabelecer um registro de terras nacionais, menos de 7% do país foi mapeado de modo adequado.[3] A maioria dos ativos do portfólio do governo também carece de documentação adequada, abrangendo tudo, desde o direito de propriedade livre de hipoteca a registro, zoneamento e questões de licenciamento.

O maior desafio na avaliação da riqueza pública em muitos países permanece com os bens imóveis, já que os registros estão, com frequência, fragmentados e espalhados por vários departamentos, cada um se agarrando à sua peça do quebra-cabeça, negando aos demais o acesso às suas informações. Qualquer tentativa de avaliar valores, de fazer um orçamento para avaliar atividades de administração e de avaliar o desempenho do portfólio de ativos públicos perde-se na procrastinação e na burocracia. Como resultado, os ativos são administrados de modo improvisado e, não raro, reativo.[4]

O emprego de melhores metodologias contábeis ou orçamentárias por si só não garante automaticamente a melhor utilização desses ativos. Faz-se necessária também a organização profissional e consolidada, com intenção de administrá-los. A atual estrutura institucional em muitos países nos leva a fazer a seguinte pergunta: O governo está ao menos interessado em uma governança mais eficiente? Pense nos Estados Unidos, onde muitos governos locais têm unidades de orçamento, contabilidade e administração de ativos – três diferentes departamentos com pouca interação.

Análises de formulação de políticas e estatísticas concentram-se de modo completo em ativos financeiros de propriedade dos governos centrais, e em estatais mais visíveis e registradas em bolsas de valores. Foram feitas poucas tentativas de avaliação de ativos não financeiros como bens imóveis até agora. Além disso, assim como acontece com os *icebergs*, ativos em níveis inferiores, em governos locais e regionais, ou, mais anonimamente, a terra e a propriedade, com pouca frequência são incluídos em informações disponíveis. A pergunta a ser feita aqui é quanto o balanço patrimonial de qualquer país melhoraria se esses ativos fossem avaliados (do modo correto ou de qualquer maneira) e se tornassem mais transparentes. Ainda assim, é um exercício difícil, que a maioria dos governos evita.

O principal problema conceitual é que o valor da propriedade estatal depende, na sua totalidade, da competência com que ela é administrada. Uma empresa nacionalizada, operando em um baixo nível de lucratividade que, portanto, só pode substituir o capital depreciado, não tem nenhum valor em um balanço patrimonial no qual os ativos são registrados ao valor de mercado. No entanto, com apenas um pequeno aprimoramento na eficiência administrativa, um discreto aumento na lucratividade pode gerar um fluxo de retornos esperados, aumentando assim, de modo potencial e significativo, o valor atual.

Esse problema conceitual com a determinação do verdadeiro valor da propriedade é, em especial, relevante quando examinamos terras estatais, já que isso é feito sem se considerar o custo de oportunidade da terra. As forças armadas do mundo inteiro, por exemplo, não raro usam prédios e terras com valor de mercado muito elevado para finalidades que poderiam, sem sombra de dúvida, estar localizadas em propriedades de menor valor. Exemplos recentes são os diversos quartéis na área central de Londres, como o Chelsea Barracks, que está situado em uma das áreas residenciais mais caras de Londres, vendido apenas há pouco tempo a fim de ser desenvolvido pelo Qatari Diar e pelo CPC Group.

Em muitos casos, esses ativos públicos subutilizados são tratados como se não tivessem nenhum valor. Como exemplo, o Ministério do Interior dos Estados Unidos supervisiona cerca de 105 milhões de hectares, principalmente por intermédio do Departamento de Administração de Terras. A maior fonte conhecida de xisto petrolífero no mundo é a Formação Rio Verde, nos estados de Colorado, Utah e Wyoming. Mas acontece que ela está, pela maior parte, situada sobre (ou sob) terras federais e estaduais. A revolução do gás de xisto e do petróleo de xisto nos Estados Unidos vem acontecendo quase que por completo em terras particulares. O fato de um pedaço de terra ter ou não um poço petrolífero faz uma grande diferença em seu valor.

Esses exemplos também ilustram nossa afirmação de que uma administração aprimorada dos ativos públicos pode gerar grandes ganhos de capital para o Estado. Um pequeno aumento no retorno anual produz um grande aumento no valor atual. Ainda assim, a avaliação de ativos públicos precisa se basear na rentabilidade atual, não em uma estimativa irrealista. Os países que fizeram algum progresso usam, de modo conservador, uma mescla de custos históricos, valor de mercado e custo de reposição para estimar a riqueza pública. Mesmo assim, a quantia é impressionante.

Qual é o tamanho da riqueza pública?

No Capítulo 2, mencionamos as estimativas da OCDE sobre o valor das empresas estatais. No entanto, elas constituem apenas um dos segmentos da riqueza pública. A maior parcela dessa riqueza é composta por ativos fixos, inclusive propriedades e terras, grande parte dos quais pertencendo aos governos locais.

Estima-se, por exemplo, que 86% dos 3,9 bilhões de hectares de florestas do mundo sejam de propriedade estatal. Essa área inclui cerca de 200 milhões de hectares de florestas tribais e administradas por comunidades. Na Rússia, 100% das florestas são estatais, com a propriedade pública dominando nos outros onze estados da Comunidade de Estados Independentes e em vários outros países anteriormente comunistas. Na Europa Ocidental, o percentual de terras florestais estatais é de 54% na Alemanha, 77% na Grécia, 66% na Irlanda e 68% na Suíça. Nos Estados Unidos, há um percentual maior de terras florestais de propriedade privada.

O Departamento de Análise Econômica dos Estados Unidos calcula que o valor dos ativos públicos não financeiros neste país, como um todo, correspondia a 74% do PIB em 2011.[5] Desse total, a parcela federal dos ativos não financeiros vem diminuindo, correspondendo hoje a menos de 20% do PIB. A maior parte desses ativos é de propriedade de estados e municípios.

O Reino Unido, ao lado da Nova Zelândia e da Suécia, é um dos poucos países que produzem um balanço patrimonial nacional de seus ativos públicos. A versão do Reino Unido, o Balanço Patrimonial Nacional, incorporado pelo Departamento Nacional de Estatística, estimou em 2012 que o patrimônio líquido de ativos financeiros e não financeiros do governo, como um todo, estava negativo em 259 bilhões de libras esterlinas, devido à dívida pública. Esses 259 bilhões eram compostos por 763 bilhões negativos do governo central e 504 bilhões positivos dos governos locais.[6]

A boa notícia é que o Reino Unido se esforça bastante para fazer uma descrição abrangente dos ativos públicos. No entanto, a descrição ainda é bastante fragmentada, sendo muito provável que a avaliação dos ativos nunca fosse aprovada pelos padrões contábeis de uma empresa do setor privado que administrasse esse tipo de ativos. Ela se baseia na Totalidade das Contas do Governo (WGA, Whole of Government Accounts), uma iniciativa do Tesouro de Sua Majestade para consolidar as contas auditadas de cerca de 4 mil organizações em todo o setor público a fim de produzir um panorama abrangente, com base em contas da posição financeira do setor público do Reino Unido. A WGA baseia-se nos Padrões de Relatórios Financeiros Internacionais, o sistema de contas usado no mundo todo pelo setor privado. As contas são auditadas independentemente pelo gerente de controladoria e pelo auditor geral, e, no final de 2013, colocou o valor dos ativos totais do governo em 1.263 bilhão de libras esterlinas (em torno de 1.987 bilhão de dólares), compostos por 747 milhões de libras esterlinas em terras, prédios, habitações, infraestrutura e outras propriedades, fábricas e equipamentos; e 516 milhões em negócios e outras contas a receber, empréstimos e depósitos em bancos, além de outros ativos. Esse valor corresponderia a cerca de 70% do PIB.[7]

A WGA também calcula um passivo total de 2,893 bilhões de libras esterlinas, enquanto o passivo líquido (patrimônio líquido), sob a ótica da WGA, é de 1.630 bilhão. Alguns argumentam que isso significa que o governo estaria falido se fosse visto como uma empresa privada, mesmo se utilizando do Balanço Patrimonial Nacional ou da WGA. Mas isso passa uma impressão assimétrica, já que o governo também pode contar com a arrecadação fiscal futura (que não é computada como ativos atuais) para cobrir futuros encargos com pensões.

Um projeto anterior do Tesouro de Sua Majestade produziu, em 2007, o Registro Nacional de Ativos (NAR, National Asset Register) de todos os ativos do governo central, interrogando todos os departamentos. Esse levantamento delineou todos os ativos fixos tangíveis (entre eles os militares e os históricos), ativos fixos intangíveis (como as licenças de *software*) e investimentos em ativos fixos (como participação acionária) de propriedade dos departamentos, excluindo porém o ativo circulante. O NAR calculou que o valor contábil líquido de todos os ativos do governo central no Reino Unido em 2007 era de 337 bilhões de libras esterlinas (em torno de 530 bilhões de dólares).[8]

Além disso, a Comissão de Auditoria publicou em março de 2015, conforme autorização da Lei de Auditoria e Responsabilidade Local de 2014, o que ela chama de "valor para perfis monetários", que reúne informações disponíveis para o público a respeito do custo, do desempenho e da atividade de conselhos locais e departamentos de combate a incêndios.* O valor dos bens do conselho que ela usa para esse exercício, registrado nas contas do conselho, é chamado de Valor Contábil Líquido (VCL). Ele registra o valor de um ativo para o conselho, levando em conta sua depreciação. Em 2012/2013, o VCL para todos os conselhos ingleses era de 170 bilhões de libras esterlinas.[9] A Figura 4.1 compara essas quatro avaliações da riqueza pública do Reino Unido.

Porém, tendo em vista a falta de um cadastro central ou registro de bens imóveis, a seguinte pergunta permanece: O governo foi capaz de captar todos os ativos estatais, sejam eles centrais, locais ou regionais? Além disso, como as informações não estão centralizadas nem consolidadas sob uma única adminis-

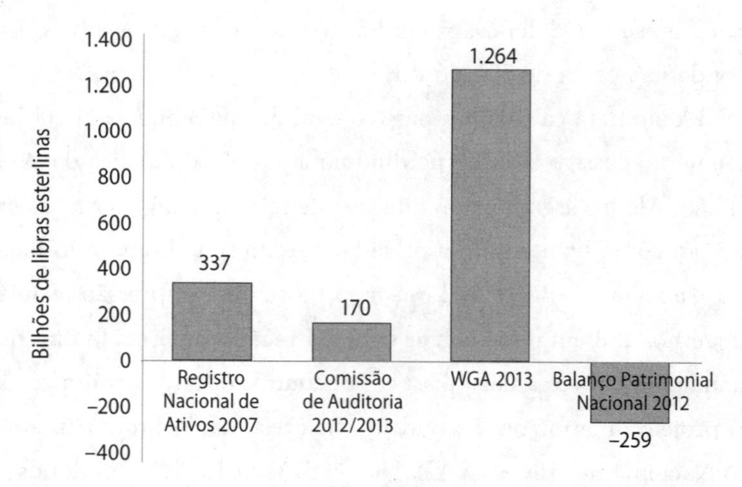

FIGURA 4.1. Avaliações da riqueza pública do Reino Unido de acordo com quatro caminhos parcialmente coincidentes.

* Na Inglaterra e no País de Gales, um departamento de combate a incêndios é um corpo estatutário de conselheiros locais que supervisiona as normas e a prestação dos serviços de combate a incêndios. (N. dos T.)

tração, com um objetivo unificado, elas são coerentes o bastante para possibilitar a avaliação de um valor potencial de mercado?

Os valores apresentados pela Comissão de Auditoria abrangem apenas ativos dos conselhos locais e estão limitados em termos geográficos à Inglaterra. O NAR contém somente ativos do governo central avaliados por meio de seu VCL em 31 de março de 2005, possibilitando ser feita uma comparação entre as informações do NAR e as publicadas nas contas de recursos do governo. As aquisições e alienações de bens são avaliadas por meio de seu VCL na ocasião da aquisição ou alienação apenas dos ativos que valem mais de 1 milhão de libras esterlinas. Em decorrência, é quase certo que o verdadeiro valor dos ativos esteja subestimado, pois foram adquiridos há muito tempo ou por uma quantia menor, embora continuem a ter um valor de mercado substancial.

É provável que até mesmo o VCL dos ativos comerciais públicos de propriedade do governo central exceda tudo o que acabou de ser estimado antes, se forem consolidados e declarados de modo adequado. O valor de mercado de todos os ativos de propriedade do governo central estaria, ao que tudo indica, mais próximo do PIB nacional, com os ativos comerciais em nível local sendo um múltiplo do portfólio do governo central.

A boa notícia é que, com esse avanço rumo a uma maior transparência, o governo central e os conselhos locais no Reino Unido vêm buscando novas soluções em sua abordagem de administração de ativos. Arrendamentos ou parcerias no longo prazo com especialistas do setor privado e de grupos comunitários, por exemplo, possibilitam aos conselhos reconfigurarem os bens públicos ao mesmo tempo que continuam a reter a propriedade pública.[10] Outras iniciativas, como a de Kent, ajudam os provedores de serviços públicos locais a trabalharem em conjunto, possuindo um número menor de prédios, porém com maior qualidade e utilizados de modo mais intensivo, a um custo menor.[11]

Embora o Reino Unido provavelmente seja um dos países mais transparentes do mundo, talvez até mesmo o mais transparente, no que diz respeito aos bens imóveis do setor público, como acabamos de ver, as diversas tentativas de avaliação e os diferentes resultados obtidos não se comparam ao que é exigido no setor privado e ao que seria necessário para administrar com eficiência um portfólio dessa envergadura. Um balanço patrimonial adequado que consolide todos os ativos de maneira coerente ainda é indispensável, como foi sugerido por Buiter nos idos de 1983.[12] A ausência de um inventário completo de ativos imobiliários e as diferentes técnicas de avaliação aplicadas a variados tipos de ativos do setor público não permitem que se atribuam valores de mercado apropriados a cada um desses ativos. Isso impede o governo de formar uma estratégia coerente e aplicar um custo de oportunidade à utilização desses ativos. Décadas de tentativas de reinvenção da roda, propondo ferramentas e uma reorganização do setor público que fossem capazes de imitar o setor privado, na maioria das vezes fracassaram.

A riqueza pública mundial

O Fundo Monetário Internacional (FMI) tem feito o possível até agora para reunir informações individuais sobre ativos públicos dos países.[13] Mesmo assim, ele só fez isso levando em conta 27 países. As comparações entre países ainda são precárias, e todas as estimativas tendem ao erro para menos.

Os países divulgam predominantemente ativos financeiros (na definição do FMI, estão entre eles também ações de empresas estatais) e não financeiros que consistem, em parte, dos chamados "ativos produzidos". Entre esses estão os ativos fixos (prédios, máquinas e equipamentos), inventários, propriedade intelectual e objetos como obras de arte, metais preciosos e joias.

Um número menor de países registra informações sobre ativos "não produzidos", como recursos naturais: petróleo, gás natural ou minérios, contratos e arrendamentos.[14] Os ativos não produzidos poderiam, em potencial, ser uma importante fonte de riqueza e receita para os governos, como são, por exemplo, na Austrália (quase 69% do PIB), na Costa Rica (48% do PIB) e no Japão (26% do PIB). Mais importante ainda: a extensão em que os ativos públicos locais e regionais são incluídos difere de país para país, sendo a inclusão, em geral, incompleta.

No entanto, mesmo com essas limitações, os resultados desse exercício são reveladores. Embora os ativos não financeiros tenham a tendência de ser subestimados, eles superam, em geral, os ativos financeiros. Ainda mais impressionante é que, em quase todos os países, a soma de ativos financeiros e não financeiros ultrapasse a dívida pública bruta, inclusive em países com dívidas elevadas como França, Alemanha, Japão e Reino Unido. No caso dos Estados Unidos, os ativos e as dívidas estão mais ou menos no mesmo nível.

A Figura 4.2 mostra os resultados para os países que o FMI avaliou, com a adição de alguns outros, como Suécia, Ucrânia, Letônia, Lituânia, Eslovênia e Israel, que os autores examinaram. (Os ativos públicos e não financeiros locais e regionais estão incluídos apenas em parte.) É importante lembrar que esses países são tão somente os que têm as melhores estatísticas, e não necessariamente os que possuem os maiores ativos públicos. A China, por exemplo, não está incluída.

Em média, nos 27 países avaliados pelo FMI, os ativos públicos correspondem a 114% do PIB. Até mesmo quando calculamos a média ponderada, levando em conta o tamanho do PIB, os ativos do governo ainda são maiores do que o PIB. Os países adicionais que avaliamos confirmam essa estimativa.[15] Uma extrapolação simplista, com base nesses países, para o mundo como um todo infere que os ativos públicos globais excedem tanto a dívida pública total (54 trilhões de dólares) quanto o PIB mundial total (75 trilhões de dólares). Também fizemos extrapolações mais sofisticadas que levam em consideração diferenças de países com resultados semelhantes.[16]

Os valores incluídos nos bancos de dados oficiais do governo central são, de modo geral, subestimados devido a problemas com padrões contábeis e à falta de uma relação consolidada de ativos públicos. Os ativos de governos locais e recursos naturais ou não estão incluídos ou estão apenas parcialmente. Em média, os governos subnacionais possuem mais da metade do total dos ativos não financeiros. No caso de países que incluíram valores de governos locais, a proporção tende a ser ainda maior. Isso indica que, se todos os países tivessem incluído de modo abrangente os níveis locais, o total registrado de ativos públicos seria mais elevado.

Em resumo, argumentamos que é seguro presumir que o valor agregado de ativos em termos de governo central no mundo inteiro é, pelo menos, igual ao PIB mundial – 75 trilhões de dólares. Na realidade, é quase certo que essa estimativa esteja bem abaixo do valor real. Isso deveria, no mínimo, estimular todos os níveis de todos os governos a fazerem um esforço considerável para obter um entendimento melhor da riqueza que possuem.

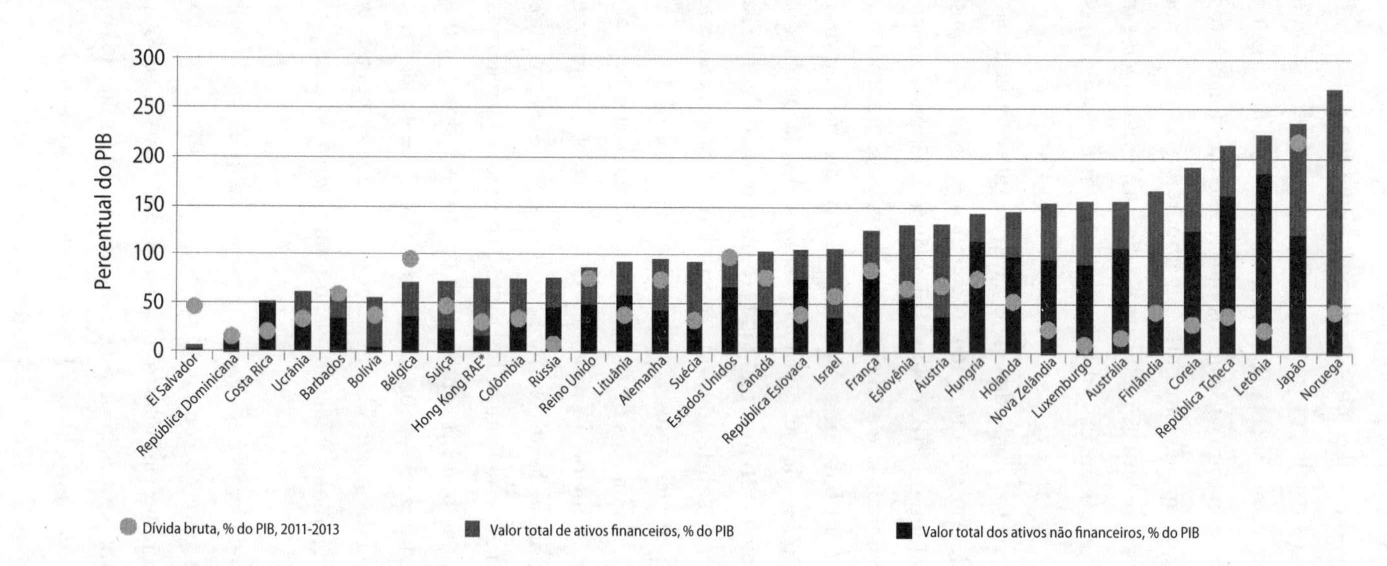

FIGURA 4.2. Ativo e passivo geral do governo como um todo, como percentual do PIB.

Fontes: FMI (2013); autores.

* Região Administrativa Especial.

Gestão de ativos e ativos comerciais públicos em uma perspectiva mundial

A gestão dos ativos comerciais públicos também possui um lado financeiro. Vamos comparar como os ativos privados e públicos são administrados. O total mundial de ativos dos fundos de pensão, dos fundos de riqueza soberana, das companhias de seguros, do segmento mais abastado do mercado de massa e das pessoas com um patrimônio líquido elevado (HNWI, High-net-worth Individuals) correspondia a mais ou menos 180 trilhões de dólares no final de 2013. Desses, cerca de 36% são administrados por gestores profissionais externos, por meio do setor de administração de ativos.[17]

Se encarássemos os governos e os bancos centrais[18] como "gestores da riqueza" das pessoas, poderíamos fazer uma comparação, como a apresentada na Figura 4.3. Os governos parecem ser sem dúvida os maiores gestores de riqueza de qualquer categoria.

O governo em si terceiriza apenas uma minúscula parcela para gestores externos de ativos. Se perguntarmos, em vez disso, que parte dos ativos públicos é administrada por gestores profissionais nos fundos de riqueza nacional, a respos-

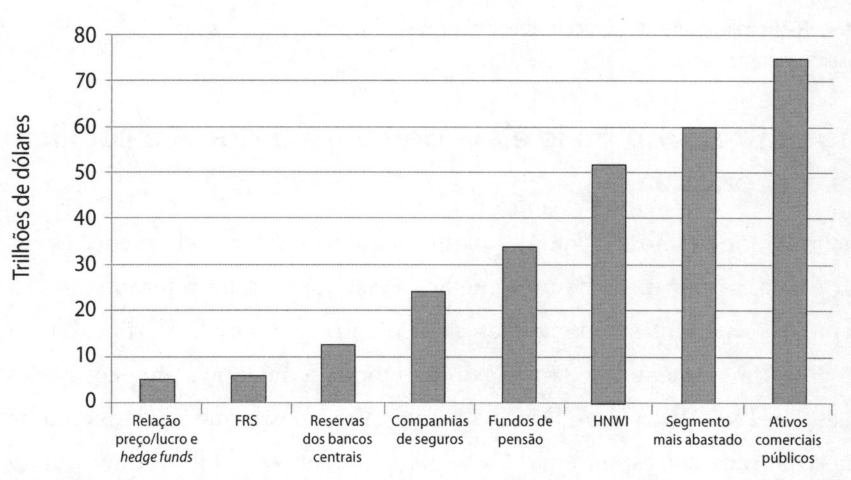

FIGURA 4.3. Os governos são os maiores gestores de riqueza: ativos sob administração externa em diferentes categorias.

Fontes: PwC (2013); Banco Mundial; cálculos dos autores.

ta é que apenas 1 trilhão de dólares (ou menos de 1,5%) são administrados em um ambiente profissional externo.[19] Desse modo, o segmento de ativos públicos é o menos administrado por gestores profissionais externos.

Outra maneira de olhar para isso é considerar toda a riqueza como pertencendo, na essência, aos cidadãos. A riqueza ostensivamente de propriedade das empresas privadas se reflete no valor das suas ações, as quais, no final, também são de propriedade de cidadãos privados. Na Figura 4.4, a riqueza mundial total (após a dedução das dívidas) é mostrada como a soma dos ativos privados e dos ativos públicos.[20]

Depois dessas tentativas de quantificar o valor dos ativos públicos, qual é a importância que retornos maiores sobre esses ativos têm para seus proprietários, os cidadãos?

FIGURA 4.4. Riqueza mundial dividida em ativos públicos e privados.
Fontes: Credit Suisse (2014); autores.

Como um retorno mais elevado sobre a riqueza pública afeta a economia?

A conclusão que tiramos do fato de os ativos públicos serem pelo menos iguais ao PIB é que, se por meio de uma melhor gestão, a taxa de retorno sobre os ativos públicos aumentasse em apenas 1%, isso corresponderia a 1% do PIB total a cada ano. Um aumento de 2% na taxa de retorno seria equivalente aos gastos mundiais em P&D [Pesquisa e Desenvolvimento], ao passo que um aumento de 3,5% nos retornos corresponderia aos gastos mundiais com infraestrutura básica – transporte, energia, água e comunicação. No entanto, de onde vêm esses recursos ocultos e qual é a implicação macroeconômica dos retornos mais elevados sobre a riqueza pública? Isso pode ser confuso, e merece ser explicado com clareza.

Podemos considerar como ponto de partida dois exercícios de raciocínio. Primeiro, suponha que a riqueza pública de um país consista na sua totalidade de dinheiro no banco. Nas condições atuais, a taxa de juros é baixa, e é pouco provável que ela aumente muito. Uma taxa de retorno sobre a riqueza pública é improvável.

De modo alternativo, suponha que toda a riqueza pública esteja investida em capital produtivo, para máquinas e prédios, em uma fábrica estatal. Então, uma taxa de retorno sobre a riqueza pública 3,5% mais elevada – com tudo o mais permanecendo igual e partindo do princípio de que a riqueza pública é igual ao PIB – se traduzirá como um PIB que é 3,5% mais elevado. Repare que isso não significa que a taxa de crescimento do PIB seja 3,5 pontos percentuais maior, o que teria de ser considerado improvável. Se parte dos rendimentos forem investidos, poderá haver efeitos mais duradouros sobre a taxa de crescimento. Mas, se os rendimentos adicionais sobre a riqueza pública forem consumidos, o único efeito será que o PIB se estabilizará em um nível 3,5% mais elevado do que aquele em que teria se estabilizado se os rendimentos sobre os ativos públicos tivessem permanecido mais baixos.

Isso é tangível? Na verdade, existe uma considerável bibliografia de pesquisas que indicam que os investimentos públicos podem causar um efeito significativo sobre os níveis do PIB e do crescimento,[21] e nos capítulos posteriores vamos mostrar em detalhe como os retornos sobre esses investimentos públicos podem variar de modo significativo, dependendo da competência com que são investidos. A conclusão que tiramos dessas comparações é que uma taxa de retorno 3,5% mais elevada sobre os investimentos públicos produtivos não é de modo nenhum irrealista. Por exemplo, o retorno médio sobre os ativos para entidades estatais na China tem sido em torno de 4,6% a partir de 2008, em comparação com 9,1% para as empresas privadas.[22]

A taxa de retorno sobre a riqueza pública, contudo, também depende de como o valor dos ativos públicos muda, independentemente dos investimentos efetivos realizados. Por exemplo, se o estado de Massachusetts transferisse o Aeroporto de Boston Logan do terreno em uma orla privilegiada onde está situado para um local mais afastado da costa, teria a probabilidade de obter um grande ganho inesperado com ativos imobiliários no terreno da orla que, quase certo, excederia em muito o custo de transferir o aeroporto. O PIB também seria afetado de modo indireto devido aos investimentos e às perspectivas de crescimento resultantes. O padrão de vida poderia aumentar, já que as pessoas valorizam a vista na orla marítima. Mas, acima de tudo, isso representaria um ganho de riqueza para o estado, o qual poderia ser usado, por exemplo, para os gastos muito necessários com infraestrutura.

Valendo-se desses elementos, a melhor governança da riqueza pública pode aumentar os retornos de quatro maneiras que têm diferentes implicações macroeconômicas:

1. *Melhor gestão dos ativos financeiros líquidos:* retornos mais elevados propiciam mais receita pública, sem necessariamente aumentar o PIB. Negligenciamos isso em grande medida em nosso livro, mas trata-se de uma estratégia óbvia que deveria ser seguida.
2. *Melhor gestão das empresas estatais*: aumenta a produtividade dos investimentos públicos, o que aumenta o PIB, mas também melhora a avaliação das empresas estatais com base em expectativas de desempenho futuro. Por exemplo, a Statoil da Noruega tem uma avaliação muito mais elevada do que a Gazprom da Rússia.[23]
3. *Melhor gestão dos bens imóveis e da infraestrutura*:
   - pode aumentar a produtividade dos investimentos do Estado, aumentando desse modo o PIB;
   - pode propiciar valores sociais, como tempo de viagem mais curto devido a um investimento mais inteligente em infraestrutura, o que pode aumentar o PIB e o padrão de vida de maneiras não mensuradas no PIB;
   - produz ganhos de capital à medida que a avaliação dos bens imóveis aumenta.
4. *Avaliação mais elevada e precisa dos ativos públicos*: pode reduzir o prêmio de risco associado à dívida de um país. Isso diminui diretamente as despesas públicas, mas também pode reduzir os custos das taxas de juros

para os bancos e outras grandes empresas. Desconsideramos em grande medida esse aspecto em nosso livro.

Em seções posteriores, vamos mostrar que maiores taxas de retorno sobre a riqueza pública de alguns pontos percentuais por intermédio desses canais deveriam ser resultados bastante tangíveis de uma gestão mais competente. Mas, primeiro, examinaremos mais de perto a Ucrânia, que oferece um exemplo ilustrativo de um país que está perto da falência, mas que possui uma enorme riqueza pública administrada com deficiência.

Exemplo: Ucrânia

As oligarquias dominam a Ucrânia desde a sua independência em 1991. No início da década de 1990, uma grande quantidade de ativos públicos, antes nas mãos do sistema comunista, foi transferida por uma pechincha para camaradas bem relacionados. Embora o país permaneça entre os primeiros colocados no índice de capitalismo clientelista da revista *The Economist*,[24] mesmo assim o portfólio remanescente de ativos comerciais públicos representa uma parcela significativa da economia da Ucrânia, desempenhando um papel dominante na economia por meio do transporte, das empresas de serviços de utilidade pública, da energia e dos setores imobiliários.

O portfólio de empresas constitui ao mesmo tempo uma oportunidade e um risco fiscal considerável para os governos. Entre as oportunidades estão os benefícios potenciais da reestruturação, da liberalização e dos possíveis dividendos provenientes do portfólio. Mas os riscos envolvem a necessidade de proporcionar apoio fiscal e outras transferências de recursos orçamentários, entre elas, emitir garantias para a dívida das empresas e promover linhas de crédito.

O portfólio dos ativos comerciais inclui corporações, instituições financeiras e mais de 3.500 entidades de propriedade do governo central, como instituições completamente estatais, embora grande parte delas não sejam entidades ativas e os números não abranjam os ativos imobiliários.[25] Estão incluídos nele dois dos maiores bancos da Ucrânia, o State Export-Import Bank of Ukraine (Ukreximbank) e o State Savings Bank of Ukraine (Oschadbank).

É bastante provável que o valor total do portfólio ucraniano de ativos comerciais públicos exceda as estimativas conservadoras atuais de 70 bilhões de dólares, ou cerca de 60% do PIB. A Naftogaz da Ucrânia, por si só, deve representar grande parte desse valor, já que o setor de energia está sendo liberalizado e, em consequência, a empresa está sendo desmembrada em transporte, armazenamento, distribuição e extração. Além disso, não são prestadas contas do componente da propriedade do portfólio do país, e ele é em grande medida desconhecido, mas inclui grande parte da propriedade comercial da nação e todos os ativos florestais.

Os ativos públicos no nível nacional têm um impacto fiscal negativo, com as perdas correspondendo a um custo líquido para o país em 2013 de mais de 11,8% do PIB como um todo.[26] Além disso, as garantias públicas emitidas para a dívida das estatais, que totalizam 8,4% do PIB (em maio de 2014), para as quais quase 77% são garantias denominadas (ou referenciadas) em moeda estrangeira, expõe as finanças do governo a um risco significativo devido a uma possível alteração das taxas de câmbio.[27]

Os riscos fiscais e econômicos para a Ucrânia são agravados por fatores geopolíticos, entre eles um planejado gasoduto – South Stream – entre a Rússia e a Europa através do Mar Negro. Embora o gasoduto esteja em compasso de espera, caso fosse ativado, o aumento da capacidade de transporte entre a Rússia e a Europa Ocidental reduziria a importância da Naftogaz e o valor dos seus ativos de transporte e armazenamento para uma fração do seu valor potencial atual. Para piorar ainda mais a situação, muitas indústrias estatais estão situadas na porção oriental do país, palco de luta entre forças ucranianas, e separatistas pró-Rússia e forças armadas supostamente apoiadas pelos russos (em fevereiro de 2015). O resultado desse conflito poderá causar por um longo período um impacto significativo no portfólio de ativos públicos e, por conseguinte, nas finanças do governo, bem como no crescimento econômico da Ucrânia.

Naftogaz

A Naftogaz é a empresa de gás e petróleo de propriedade do governo central e verticalmente integrada. É a maior companhia da Ucrânia, possuindo uma enorme importância estratégica para o país do ponto de vista econômico, político e até mesmo de segurança. Ela tem um vasto leque de objetivos, funções e linhas de subordinação e prestação de contas conflitantes. É nominalmente uma empresa comercial, mas carece do direito de propriedade legal dos ativos que opera — todos os quais permanecem sob a propriedade direta do Estado.

Em termos históricos, ela tem nomeado representantes do governo para seu conselho de administração, enquanto a direção da empresa está subordinada ao Gabinete e ao Ministério de Combustíveis e Energia nas questões operacionais e de regulamentação. Os subsídios fornecidos às unidades familiares na forma de gás e aquecimento subvalorizados custam quase 5% do PIB por ano. O modelo empresarial interno da Naftogaz depende em sua totalidade de substanciais subsídios do governo em toda a sua cadeia de valor. Esse sistema de subsídios pesa de modo acentuado nas finanças nacionais, ao mesmo tempo que promove o consumo excessivo de energia, desestimula os investimentos nos sistemas de distribuição e desgasta os incentivos para o aumento da produção interna. Com as restrições orçamentárias significativas que o país vem enfrentando nos últimos tempos, subsídios de gás implícitos não direcionados também desviam os recursos de gastos sociais e de infraestrutura mais focalizados.[28]

Um relatório de auditoria do Estado apresentado em 2009 concluiu que as operações da empresa não eram transparentes, e que as informações sobre seu desempenho financeiro e atividades de comércio exterior eram contraditórias e confusas. O Ministério de Combustíveis e Energia não tem um mandato específico para supervisionar e controlar as atividades da empresa, e também carece da capacidade analítica de fazer isso em qualquer sentido autêntico. Ao mesmo tempo, foi negado ao comitê de auditoria interna da empresa o acesso às informações financeiras, apesar de significativos estouros de orçamento do planejamento financeiro; de malversações do orçamento da empresa, que totalizaram 468 milhões de dólares; de um aumento significativo no atraso do pagamento dos salários e empréstimos que não foram pagos; bem como grandes quantias no orçamento da empresa que vão para "patrocínios e obras de caridade".[29] Para lidar com esses desafios, o governo fez a tentativa de estabelecer um mercado de energia mais voltado para o lado comercial, com tarifas justas e o desmembramento da empresa, de acordo com o Terceiro Pacote de Energia da União Europeia.

A Ucrânia é um dos países da Europa que mais consome energia, com a utilização de energia por unidade do PIB dez vezes acima da média da OCDE. Isso tolhe a modernização em todo o complexo industrial do país. Ela também manteve preços muito baixos nas vendas de gás para as unidades familiares e para as empresas de aquecimento dos distritos, impedindo qualquer mudança nas suas práticas de mercado.

A consolidação da posse e a instituição de uma gestão independente e profissional do portfólio de ativos comerciais públicos sem dúvida confeririam um grande impulso à democracia e ao desenvolvimento da economia da Ucrânia. A propriedade estatal dos ativos comerciais é acompanhada por uma série de papéis e objetivos conflitantes, os quais, se forem separados e administrados de modo profissional, com uma abordagem de posse abrangente, melhorariam de maneira considerável o desenvolvimento do país. Mas, para isso, a rede complexa de leis, em parte, coincidentes e, às vezes, contraditórias precisaria ser reelaborada por completo. A gestão profissional dos ativos públicos requer o apoio de instituições estatais fortes e de uma vibrante sociedade civil, e isso, por sua vez, também ajudaria a proporcionar uma base muito mais firme para uma democracia mais sólida na qual *lobbies* de grupos de interesses especiais pelos benefícios da riqueza pública perderiam um pouco da sua razão de ser.

Obtenção de retornos mais elevados para ativos públicos

Qual é a evidência de que uma gestão melhor dos ativos públicos pode conseguir retornos mais elevados e até mesmo o crescimento do PIB? Várias pesquisas mostram como a qualidade das instituições faz uma grande diferença no grau em que o capital público contribui para o crescimento da produtividade de um país.[30] Uma pesquisa particularmente interessante examinou a produtividade do investimento público em países de baixa renda.[31] Ela usou o Índice de Gestão do Investimento Público (PIMI, Public Investment Management Index), composto por dezessete indicadores agrupados em quatro estágios do ciclo de gestão do investimento público: avaliação de projetos, seleção de projetos, implementação de projetos e acompanhamento de projetos. Depois de estimar o efeito do capital público ajustado pelo PIMI sobre o crescimento do

PIB, os autores concluíram que, em média, o capital público nesses países de baixa renda perde cerca de metade do seu valor devido à gestão inadequada, com grandes variações entre os países, dependendo da qualidade da gestão do capital público.

Os próximos capítulos se aprofundarão mais em como o controle dinâmico dos ativos pode elevar os retornos de empresas estatais. Mas como uma gestão mais aprimorada poderia melhorar a utilização e a avaliação de outros ativos públicos?

Grande parte desses ativos é composta por bens imóveis. As empresas privadas não raro têm o claro entendimento de que o valor da boa administração das propriedades é fundamental para seus negócios e encaram isso como parte integrante de suas operações comerciais. No caso das grandes empresas, isso conduziu a uma variedade de modelos de negócios e de propriedade, principalmente com o objetivo de consolidar seu portfólio de propriedades confiando seus ativos a uma *holding* à parte, para possibilitar uma estratégia melhor e mais integrada com base na maior transparência possível e em uma gestão mais eficiente. A utilização mais eficiente do espaço, o desenvolvimento das propriedades e sinergias de fornecimento de serviços, entre eles eletricidade/aquecimento, métodos de tratamento do lixo, bem como os serviços de limpeza e manutenção, fazem uma grande diferença.

Dependendo da situação financeira e do vínculo operacional entre as propriedades e o negócio efetivo, diferentes métodos de governança e modelos de propriedade foram aplicados, como contratar profissionais e terceirizar a governança com base em um contrato a fim de desenvolver o valor do portfólio. Em decorrência, a posse poderia assumir qualquer forma, como a plena propriedade, convidar um parceiro estratégico/financeiro, fazer uma oferta pública inicial de ações ou até mesmo a completa alienação do portfólio – uma vez que completamente desenvolvida.

Como exemplo, a Time Warner, um dos maiores arrendatários comerciais de Nova York, tem procurado consolidar a maior parte dos seus 370 mil metros quadrados de espaço de escritórios. A empresa gostaria de se mudar para uma parte menos dispendiosa de Manhattan e desocupar o Time Warner Center, o prédio Time & Life no Rockefeller Center e grande parte de seus outros treze prédios. A empresa estimou que a redução da sua pegada imobiliária poderia fazer com que ela economizasse 150 milhões de dólares por ano.[32]

Na Bélgica, uma iniciativa fora do comum para reduzir as necessidades imobiliárias foi tomada por Frank van Massenhove, presidente do Belgian Federal Service Social Security a partir de 2002. Van Massenhove recebeu o título de Gestor Público do Ano em 2007 depois de transformar um dinossauro burocrático em um ambiente de trabalho moderno, flexível e atraente. Um elemento essencial para que isso ocorresse foi permitir que os funcionários trabalhassem em casa. Foi constatado que quase 92% deles podiam exercer suas funções em casa. Permitir que mais funcionários trabalhassem em casa possibilitou uma redução significativa na quantidade e no espaço de escritórios necessários.

Essa estratégia também se revelou bem-sucedida para o governo sueco, que decidiu confiar os seus ativos imobiliários a várias *holdings* segmentadas. Como exemplo, o valor do portfólio da Akademiska Hus, gerenciadora de bens imóveis especializada em propriedades universitárias, aumentou de 7 bilhões de coroas suecas para mais de 64 bilhões ao longo de vinte anos, em parte por meio de uma gestão e desenvolvimento mais profissionais.[33] E por intermédio do arrendamento de cerca de 13 milhões de metros quadrados de propriedades, os aluguéis tiveram um aumento de 36% entre 1998 e 2008, em comparação com um aumento no índice de preços ao consumidor de 17%.

A Finlândia adotou uma estratégia mais consolidada, colocando em 1999 grande parte dos seus bens imóveis de propriedade do governo central em uma única *holding* – a Senate Properties. Ela agora administra cerca de 10 mil propriedades do governo, que consistem de mais de 6 milhões de metros quadrados de área útil alugada, e poderia servir de um exemplo bem-sucedido de uma *holding* consolidada de bens imóveis estatais. A Senate Properties atua como uma entidade comercial e distribui um retorno de 4% sobre o patrimônio dos acionistas e uma margem de lucro de 19%.[34] A empresa está dividida em quatro segmentos operacionais principais: departamentos e instalações especiais, escritórios, defesa e segurança, e desenvolvimento e vendas das propriedades imobiliárias.

Em 2011, a Grécia entregou formalmente a administração dos bens imóveis estatais à ETAD (Companhia de Propriedades Públicas da Grécia), uma *holding* comum, mas até agora não conseguiu administrar bem as suas propriedades.[35] Apesar de um esforço de mais de trinta anos, essa nova empresa e as suas predecessoras não foram capazes de criar um registro claro dos bens do Estado e das suas utilizações permitidas, ou produzir de uma maneira mais geral o tipo de informação que um gestor prudente de bens imóveis precisaria para administrar de maneira adequada os assuntos do portfólio de propriedades e para o benefício do proprietário. Além disso, mais de um ano depois da fusão e da instituição da ETAD como uma nova empresa, ela ainda não publicou os seus documentos constitutivos. Isso ilustra que confiar todos os ativos a uma *holding* não é suficiente sem instituir a governança apropriada, a transparência, e contratar e incentivar adequadamente gestores profissionais.

Do mesmo modo, nos Estados Unidos, a Administração de Serviços Gerais é incumbida de centralizar a aquisição de serviços e a transparência sem ter as ferramentas adequadas ou os poderes para administrar de maneira profissional as propriedades. Em vez disso, o controle e a administração das propriedades estão descentralizados e distribuídos entre as diversas repartições do governo federal, com um total em torno de 1,1 milhão de prédios, dos quais 79% são usados pelo governo federal e com um custo operacional total anual de 30 bilhões de dólares. Isso deu origem a um projeto de lei em 2012 que exigiu que o governo vendesse ou remodelasse propriedades de valor elevado, consolidando o espaço e se desfazendo de ativos desnecessários.[36] De acordo com o Departamento de Administração e Orçamento, esse processo poderia gerar 15 bilhões de dólares em receita de vendas de propriedades nos próximos dez anos; uma economia adicional seria proveniente da redução dos gastos federais com aluguéis, energia e manutenção.[37]

Como tornar a riqueza pública produtiva

O fato de a riqueza pública exceder a dívida bruta na maioria dos países demonstra que quase todos os países são mais ricos do que percebem. No entanto, isso não significa que o país possa gastar mais. A riqueza só é um ativo se for bem aproveitada.

Às vezes, a privatização pode ser a melhor maneira de tornar os ativos públicos mais produtivos. No entanto, um país que esteja tendo dificuldade em administrar seus ativos públicos não está, em muitos casos, em uma posição apropriada para realizar adequadamente uma privatização e terá, de modo geral, igual dificuldade em manter depois uma regulamentação eficaz. Muitos países também enfrentam restrições políticas, em particular a preocupação de que o dinheiro apurado com a privatização não vá ser gasto com sabedoria ou que os ativos não sejam vendidos pelo preço máximo. Uma estrutura política que administre mal as empresas estatais poderá também não ser muito bem-sucedida com a privatização. Em vez disso, no Capítulo 10, defenderemos uma gestão mais independente dos ativos públicos, por exemplo, por meio de um FRN, que também desenvolve esses ativos para que fiquem na melhor posição possível para serem vendidos no setor privado em uma data futura enquanto ainda maximizam seu valor.

Muito pode ser alcançado, mesmo na ausência de uma liquidação arrasadora de ativos públicos. Muitas medidas para maximizar o valor do portfólio público e minimizar os riscos também melhoram a credibilidade para todos os *stakeholders*, inclusive os investidores do mercado interno e os internacionais.

No Capítulo 5, descreveremos como os políticos podem reinventar seu papel para representar, de maneira autêntica, os cidadãos, em vez de tentar ser capitalistas.

Capítulo 5

POLÍTICOS COMO DEFENSORES DOS CONSUMIDORES EM VEZ DE QUASE CAPITALISTAS

Quase todos concordariam em que a riqueza pública poderia ser mais bem administrada. Este livro, contudo, faz uma afirmação bem mais abrangente. Melhores instituições para gerir a riqueza pública poderiam aprimorar a democracia e fazer com que políticos e gestores tivessem mais facilidade em representar seus cidadãos em vez de sucumbir à pressão de todos aqueles que competem para participar dos benefícios da riqueza pública. Vamos mostrar neste capítulo como os monopólios públicos têm o potencial de oferecer aos consumidores serviços muito melhores se a política se preocupasse mais em garantir o bem-estar dos cidadãos e menos em proteger as empresas estatais. Isso também requer que as estatais sejam regulamentadas em pé de igualdade com as empresas privadas. Um exemplo é a maneira como aeroportos, companhias aéreas e o controle do tráfego são tratados em muitos países.

Aeroportos e companhias aéreas

Aeroportos e companhias aéreas costumavam ser encarados como parte fundamental da infraestrutura dos transportes. Quase todos os principais aeroportos dos Estados Unidos são de propriedade de governos estaduais e locais, com o governo federal subsidiando a reforma e a expansão dos aeroportos. Em contrapartida, os aeroportos foram completa ou parcialmente privatizados em muitas cidades do exterior, entre elas, Atenas, Auckland, Bruxelas, Copenhagen, Frankfurt, Londres, Melbourne, Nápoles, Roma, Sydney e Viena. A Grã-Bretanha foi a pioneira, com a privatização da British Airports Authority em 1987, que é proprietária do Heathrow e outros aeroportos. Para instituir reformas nos Estados Unidos, o Congresso deveria tomar a iniciativa, porque os numerosos obstáculos federais tornam as cidades hesitantes em proceder à privatização. Por exemplo, os aeroportos estatais podem emitir títulos isentos de impostos, o que lhes confere uma vantagem financeira sobre os aeroportos privados.

Na sempre bem organizada Alemanha, o novo Aeroporto Berlin Brandenburg tornou-se uma caricatura de um projeto mal administrado. Cofinanciado por Berlim, pelo estado vizinho de Brandenburg e pelo governo federal, estava previsto que o novo aeroporto fosse inaugurado em junho de 2012, mas a inauguração continua a ser adiada. Problemas de construção afloram em toda parte, e os custos continuam a subir vertiginosamente. Klaus Wowereit, o extravagante ex-prefeito de Berlim, insistiu em ser o *chairman* do conselho supervisor do aeroporto – a razão de muitos erros de gestão ao longo do caminho. Na realidade, Wowereit descreveu Berlim como "pobre, porém *sexy*", sem se dar conta de que a pobreza de Berlim tinha muito a ver com a incapacidade dele de administrar bem os ativos da cidade. Wowereit foi obrigado a renunciar em dezembro de 2014. Se Berlim tivesse tido uma abordagem voltada ao consumidor, a administração da cidade teria se concentrado em especificar a funcionalidade que um aeroporto deveria ter, e em quanto a cidade estaria disposta a pagar ao ano por essa funcionalidade, depois então encarregando uma *holding* independente ou uma parceria público-privada na qual investir para mostrar resultados.

Uma gestão inteligente pode fazer milagres para os passageiros das companhias aéreas, mas também pode ajudar a financiar aeroportos. O Aeroporto Changi de Cingapura desenvolveu receitas adicionais, surgindo ao mesmo tempo como um dos líderes mundiais em qualidade de atendimento ao consumidor, com uma classificação cinco estrelas no Skytrax; na realidade, ano após ano, ele é o aeroporto com a classificação mais elevada. Apenas um exemplo de sua abordagem inovadora é o fato de ele oferecer uma gama de serviços gratuitos, como passeios guiados pela cidade, que são respaldados por serviços pagos por utilização, entre eles duchas e áreas de descanso.

Até meados da década de 1980, os governos eram proprietários da maioria das companhias aéreas, definiam o preço das passagens e protegiam as *flag carriers* ("companhias de bandeira") por meio de restrições às novas concorrentes. No entanto, a privatização tornou as viagens aéreas mais competitivas e a liberalização trouxe a concorrência de companhias aéreas de baixo custo. A maioria das empresas aéreas sob o controle estatal não consegue se adaptar. Muitas delas são obrigadas a manter rotas deficitárias no país para agradar aos políticos. A Olympic Airlines foi forçada a entregar jornais por uma ninharia para manter felizes os magnatas da imprensa do país. A companhia aérea grega nacional foi à falência em 2009. Em contrapartida, a Suíça e a Bélgica se saíram bem durante anos sem uma *flag carrier*. Na realidade, abrir as portas para a concorrência tende a resultar em mais voos e tarifas mais baixas.

Entretanto, existem algumas exceções. As florescentes companhias aéreas de Cingapura e da Etiópia, e as empresas do Golfo, Etihad, Emirados e Qatar Airways, foram beneficiadas com dinheiro do governo, mas tiveram permissão para operar como empresas comerciais com uma interferência mínima, embora, às vezes, com grandes investimentos estatais.

Um exemplo relacionado é a Administração Federal de Aviação (FAA, Federal Aviation Administration), que é o serviço de Controle de Tráfego Aéreo (CTA) nos Estados Unidos. A FAA tem sido mal administrada há décadas e propicia aos norte-americanos um CTA de segunda classe. A FAA tem se esforçado para expandir a sua capacidade e modernizar a sua tecnologia, e os seus esforços de se atualizar com frequência ficaram atrasados e estouraram o orçamento. O GAO, por exemplo, descobriu um projeto de atualização da tecnologia da FAA que começara em 1983 e ainda não estava concluído. Alguns argumentam que a FAA talvez seja importante demais para ser submetida a uma gestão governamental tão ruim e que ela deveria ser privatizada. A boa notícia é que uma série de países privatizou seu CTA e poderia oferecer bons modelos para reformas norte-americanas. O Canadá privatizou seu sistema de CTA em 1996. Ele criou a Nav Canada, uma corporação de CTA sem fins lucrativos, que é autossustentada a partir de taxas cobradas aos usuários da aviação. O sistema canadense recebeu notas elevadas em eficiência, finanças sólidas e uma administração confiável. Empresas estatais de controle do tráfego mais bem administradas provavelmente poderiam almejar resultados semelhantes.

Esses diversos exemplos mostram como os governos com frequência apoiaram os interesses dos produtores em vez dos interesses dos consumidores no que diz respeito às viagens aéreas. E a governança dos ativos públicos tem uma tendência semelhante em muitas outras áreas. Um bom lugar para começar a proteger os cidadãos e os consumidores é ser franco a respeito do que eles possuem.

Diga aos consumidores o que eles possuem

Reinventing State Capitalism, um novo livro de Aldo Musacchio, da Harvard Business School, e de Sergio Lazzarini, da Insper, uma universidade brasileira, descreve como o velho modelo do empresário leviatânico, no qual o estado era o dono absoluto das empresas e as dirigia por meio de uma ditadura ministerial, foi em grande medida posto de lado pela onda de privatizações das décadas de 1980 e 1990. No entanto, em vez de realizar uma privatização em grande escala, muitos governos permaneceram acionistas majoritários ou minoritários e investidores indiretos. Embora isso tenha tornado a gestão mais profissional, também criou um relacionamento nebuloso, no qual os governos não raro deixaram de exercer a governança ativa de empresas estatais, deixando também de se colocar diretamente do lado dos consumidores ou cidadãos.

No caso dos ativos que não foram convertidos em empresas registradas nas bolsas de valores, a situação é, acima de tudo, ainda menos transparente. Em janeiro de 2003, o GAO nos Estados Unidos declarou que a administração das propriedades federais representava uma nova área de "alto risco" na administração estatal como um todo, devido a persistentes dificuldades em implementar modernos padrões de gerenciamento de ativos imobiliários.[1] Um registro central de propriedades que contenha todos os ativos imobiliários raramente existe ou, quando existe, pode estar, como na Alemanha, espalhado por numerosos registros imobiliários mantidos pelos tribunais locais, a respeito de propriedades localizadas em seu distrito. Somente os tabeliães e as autoridades têm acesso a esses registros, os quais não estão disponíveis para o público.

Para começar, relatórios simplificados como as avaliações anuais fornecidas na Lituânia e na Letônia podem ser uma maneira eficaz de transmitir informações financeiras gerais dos portfólios estatais. Entre elas, estão o valor agregado do portfólio, os rendimentos, bem como os dados desmembrados por setor e a comparação do desempenho com a de segmentos semelhantes do setor privado.[2]

No caso da Avaliação Anual da Lituânia, ela possibilitou uma comparação por setor que revelou um surpreendente hiato de desempenho entre as empresas estatais e suas concorrentes internacionais. Talvez o mais revelador tenha sido o setor florestal, no qual a produtividade por unidade de produção era trinta vezes mais elevada nas concorrentes internacionais. Até mesmo concorrentes estatais eram mais eficientes, em parte porque a indústria florestal lituana era fragmentada e desmembrada em 42 empresas, enquanto a maior concorrente sueca, por exemplo, era consolidada em uma única empresa com menos funcionários por hectare de floresta administrado. A Suécia tinha um funcionário para cada 4.488 hectares de floresta administrados, enquanto a Lituânia tinha um funcionário para cada 324 hectares.[3]

A preparação e a publicação dessa avaliação anual é um simples procedimento, que requer apenas um período mais ou menos curto para ser concluído, dependendo da qualidade das fontes de informação. Com o tempo, o número e a qualidade das fontes de informações também podem ser aprimorados. Até mesmo a criação de um registro profissional do portfólio de propriedades pode comumente ser concluída com bastante rapidez, dependendo do *status* do registro de propriedades. O propósito de uma etapa intermediária, menos extensa, é criar uma conscientização do portfólio, em especial de seu tamanho, composição e desempenho financeiro global. Isso pode então preparar o terreno para uma publicação mais complexa e abrangente com o mesmo *status* de um relatório anual consolidado e auditado. Esse relatório anual abrangente deveria incluir declarações dos objetivos globais de cada entidade ou ativo, junto com metas financeiras e operacionais informadas no relatório anual separado de cada bem. Esta é uma maneira simples de garantir que o capital público seja administrado para o benefício de seus acionistas (contribuintes) e dentro dos limites da sua atividade básica.

Muitos países avançaram, em certa medida, em direção a melhores práticas contábeis no setor governamental. Uma migração para a contabilidade de exercício e os Princípios Contábeis Geralmente Aceitos (PCGA) se propagou por grande parte do mundo desenvolvido e tem progredido com rapidez nos países em desenvolvimento. A contabilidade de exercício e os padrões do PCGA conferem maior clareza a como os custos relacionados a propriedades e os valores das propriedades são reconhecidos e avaliados ao longo do tempo. Também é útil transmitir um entendimento mais claro do motivo pelo qual um governo adquire ou retém bens imóveis e que medidas são requeridas caso essa necessidade tenha deixado de existir. A contabilidade de exercício ainda pode designar encargos de capital para a retenção de um excedente de propriedade para refletir o custo de oportunidade de negar à propriedade sua melhor e mais elevada utilização. Isso obriga os órgãos do governo a se desfazer rapidamente dessas propriedades.

As informações abertas e a contabilidade adequada são pequenos passos em direção a dar prioridade aos consumidores e cidadãos. Separar as funções regulatórias da propriedade é um passo maior e mais importante.

Regulamentações no interesse dos consumidores

De maneira tradicional, os economistas sempre pensaram na regulamentação e na propriedade estatal como duas ferramentas alternativas para corrigir falhas de mercado. Em nossa opinião, isso está completamente errado. As complicações políticas que com frequência representam um obstáculo para o melhor gerenciamento dos ativos estatais, os interesses especiais na organização atual e motivos egoístas entre aqueles que administram as empresas estatais também indicam que a regulamentação independente das estatais é tão necessária quanto para as empresas privadas.

A função tripla do governo como regulador, fiscal de regulamentação e proprietário de ativos gera o risco de que haja uma distorção no tratamento concedido às empresas estatais e que estas atendam aos interesses de seus funcionários em vez de interesses dos consumidores. A frequente parcialidade pode assumir a forma de subsídios diretos, financiamentos concessionários, garantias com o respaldo do governo, um tratamento regulatório preferencial, ou isenção do cumprimento das leis antitruste e das regras de falência. Em particular, as regulamentações podem, sem sombra de dúvida, se inclinar a favor das estatais. Isso acontece não apenas porque um governo que tenha assumido a responsabilidade de administrar uma empresa pode se tornar tendencioso, mas também porque as empresas estatais têm uma vantagem informacional sobre seus mestres políticos e, com frequência, utilizam isso em uma intensa ação de *lobby*.

Por essas razões, assim como no caso das empresas privadas, a regulamentação das empresas estatais é muito necessária. No caso destas últimas, contudo, é ainda mais importante que os órgãos regulatórios tenham certa independência e não sejam coagidos pelos mesmos ministérios do governo que agem como donos das empresas públicas. Em alguns casos, esses órgãos com certeza deveriam ser diretamente subordinados ao parlamento em vez de a um governo, como com frequência acontece com os contadores públicos.

Alguém poderia argumentar que algumas leis abrangem todos os setores e, portanto, já abarcam as estatais. As leis nacionais antitruste podem, em princípio, ser usadas para lidar com o abuso da posição dominante da parte de estatais, mesmo em um contexto internacional, ou evitar os efeitos anticompetitivos associados às atividades de incorporação e aquisição das estatais.

A disciplina que os acordos comerciais e a Organização Mundial do Comércio (OMC) impõem às regulamentações e ações do governo não estabelece nenhuma distinção entre situações nas quais o fornecedor das mercadorias ou provedor dos serviços cobertos pela regulamentação ou ação seja uma entidade pública ou privada. Eles podem, às vezes, evitar algumas medidas e ações protecionistas do governo envolvendo as estatais, quando estas recebem, por exemplo, subsídios estatais que distorçam o comércio. Violações do tratamento nacional ou princípios da nação mais favorecida, bem como a concessão de subsídios ou de outras formas de influenciar o comércio pelas próprias estatais, também podem estar cobertos por disciplinas da OMC se for possível provar que foi confiada a esses empreendimentos uma função governamental ou que estejam exercendo uma função governamental.

No entanto, no todo, essas regulamentações gerais dificilmente são suficientes para evitar regulamentações tendenciosas de setores, como as regulamentações da atividade bancária, as da energia elétrica e muitas outras. As regulamentações que podem ser utilizadas de modo impróprio pelos ministérios do governo para favorecer empresas que ele possui podem ter sérios efeitos negativos sobre o desenvolvimento econômico. Por exemplo, em uma pesquisa transeccional dos países da OCDE no período 1975-2000, o FMI (2004) selecionou uma série de critérios a fim de criar índices para o ônus da regulamentação nos mercados de produtos, regulamentações trabalhistas, impostos e barreiras comerciais. A melhora desses indicadores está associada, de modo significativo, a subsequentes aumentos no PIB.

Para ilustrar o tamanho desses efeitos, imagine um país que parta da mediana dos países da OCDE e mal consiga alcançar o terço superior sob o prisma das regulamentações e impostos voltados para o crescimento (um movimento de um desvio-padrão no respectivo índice). O resultado, como foi sugerido na pesquisa do FMI, seria que essa melhora no índice de barreiras comerciais aumentasse o PIB real em 4,7% em quatro anos; uma mudança semelhante no índice de impostos aumentaria o PIB em 2,3%; nas regulamentações dos mercados de produtos, em 7%; e, no índice de reformas no mercado de trabalho, em 1,9% durante o mesmo intervalo de tempo. Não raro, essas regulamentações repressivas foram instituídas devido à pressão de vários grupos de interesses especiais e, às vezes, das estatais que temiam a concorrência.

Parte do efeito de crescimento negativo, contudo, pode surgir devido à crescente complexidade das regulamentações. Haldane e Madouros descrevem essa tendência e suas consequências de maneira convincente.[4] Em parte, essa complexidade é impulsionada pelas exigências dos lobistas, favorecendo pessoas bem informadas que conseguem compreender as complexas regulamentações, mas que também encontram brechas nelas. As regulamentações voltadas ao consumidor, em contrapartida, precisam ser simples e se concentrar em resultados e na funcionalidade, em vez de em como as coisas são feitas. As empresas estatais não devem ser instigadas a promover *lobby* que vise obter regulamentações mais complexas para suas rivais do setor privado. Se as regulamentações forem aplicadas de modo uniforme tanto às empresas públicas quanto às privadas, por órgãos específicos do governo, é mais provável que as estatais também promovam *lobby* para conseguir regulamentações mais simples e melhores.

A governança em nome dos consumidores

Ao usar o exemplo dos serviços postais, mostramos aqui como os governos podem alcançar uma mudança para as perspectivas dos cidadãos e dos consumidores nas estatais.

Nos Estados Unidos, o Serviço Postal, que conta com 685 mil funcionários, enfrenta volumes de correspondência declinantes e custos em ascensão. Uma das alternativas, defendida por alguns, é privatizar esse serviço e revogar o monopólio legal da companhia sobre a correspondência de primeira classe.* As reformas em outros países mostram que não existe um bom motivo para o atual monopólio da correspondência. Desde 1998, o mercado postal da Nova Zelândia está aberto à concorrência privada, o que fez com que as tarifas postais caíssem e a produtividade no New Zealand Post aumentasse. De maneira semelhante, a Suécia repeliu o monopólio da correspondência e transformou a companhia dos correios em uma empresa não subsidiada. O Deutsche Post da Alemanha foi parcialmente privatizado em 2000, e a empresa melhorou sua produtividade e se expandiu em novos negócios. Os serviços postais também foram privatizados ou abertos para a concorrência na Bélgica, Grã-Bretanha, Dinamarca, Finlândia e Holanda. O Japão está avançando com a privatização dos serviços postais e, em 2013, um processo de liberalização dos serviços postais na União Europeia, que durou quinze anos, chegou ao fim, quando os últimos países-membros aboliram os segmentos remanescentes dos monopólios sobre os serviços de correio nacionais.

No entanto, existem tradicionalmente dois importantes impasses políticos. O primeiro é que os governos gostariam de garantir a existência de um serviço de correio até mesmo em áreas pouco povoadas, onde a entrega da correspondência é muito mais dispendiosa e não está coberta pela receita gerada pelos selos. Este também tem sido o argumento tradicional para a continuação do monopólio estatal. Essa questão foi solucionada com facilidade na Suécia e em outros lugares por meio da terceirização dessa área de atuação e da oferta do serviço em uma concorrência aberta.

---

* *First-class mail* no original. Abrange cartas, cartões-postais, grandes envelopes e pequenos pacotes que pesem até treze onças (cerca de 368 gramas). (N. dos T.)

O segundo impasse envolve a questão das agências físicas dos correios, com frequência encaradas pelos políticos como um dos símbolos poderosos do bem-estar social. Países como a Suécia, que expuseram as empresas estatais desde cedo à concorrência, descobriram, em vez disso, uma oportunidade. Caso necessário, pagam a prestadores de serviços para manter o serviço em áreas pouco povoadas, sem regulamentar de maneira exata como isso deve ser feito. Na Suécia, que tem enormes extensões de terra com poucos habitantes, a empresa de correios estatal descobriu que o melhor caminho a seguir era deixar que os supermercados e mercearias funcionassem como agentes para os serviços postais. Como resultado, esses estabelecimentos se encontram em melhor posição para sobreviver. Esse é um exemplo de como os políticos podem obter resultados aprimorados para os cidadãos especificando e regulamentando o que os cidadãos precisam, em vez de tentar administrar um monopólio estatal a fim de alcançar metas sociais.

Ilustramos como os governos podem adotar uma estratégia bem diferente se começarem por definir o que é mais interessante para os cidadãos e os clientes. Isso pode requerer uma certa regulamentação, mas ela deve ser não discriminatória, atingindo os prestadores de serviços públicos ou privados. É preciso deixar que essas empresas públicas e privadas operem com pouca interferência. As empresas públicas devem ser administradas profissionalmente.

No Capítulo 6, vamos mostrar como transcorreram as tentativas de reforma dos governos, antes de nos voltarmos para o nosso método preferido de administrar ativos públicos.

Capítulo 6

PRIMEIRAS TENTATIVAS DE REFORMA DA GOVERNANÇA DA RIQUEZA PÚBLICA

Muitas das deficiências na governança da riqueza pública discutidas nos capítulos anteriores têm periodicamente, em alguns países, conduzido à necessidade de realizar reformas. Neste capítulo, vamos descrever como algumas delas ocorreram, começando pela mais divulgada e debatida: a privatização. Em seguida, passaremos a analisar outros tipos de reformas destinadas a melhorar a gestão das empresas públicas.

As ondas de privatização

Depois do choque macroeconômico das décadas de 1980 e 1990, com a subsequente queda do bloco comunista, governos privatizaram milhares de empresas,[1] abriram sua economia para o comércio exterior e derrubaram aos poucos os controles do capital.

Os primeiros países a empreender uma longa e sistemática onda de desnacionalizações foram a Alemanha (que começou no início da década de 1960) e o Reino Unido (no início da década de 1980). Quase todos os outros países da OCDE acompanharam esses pioneiros durante as décadas de 1980 e 1990. Com Margaret Thatcher como líder do movimento e os banqueiros dos bancos de investimento como seus soldados conselheiros, governos de muitos países reduziram o tamanho do seu setor público. As privatizações envolveram principalmente as estatais – ativos corporativos de propriedade do governo central –, várias das quais sendo ex-monopólios estatais depois "corporatizados". Ao mesmo tempo, regimes regulatórios foram reformados de maneira significativa, desde uma regulamentação legislativa, dirigida e detalhada a uma regulamentação com estruturas mais amplas e voltadas para o mercado, o que também envolveu um acentuado declínio no controle do governo central.[2] Com menos frequência, as privatizações envolveram bens imóveis de propriedade do governo central e, com uma frequência ainda menor, ativos de propriedade dos governos regionais e locais.

Os países que fizeram privatizações não estavam apenas visando promover a eficiência econômica nessas empresas. Eles também queriam apoiar o desenvolvimento dos mercados de capital, gerar receita para o governo e deslocar o poder das burocracias estatais para o setor privado.

Mesmo depois de uma onda de privatizações, a maioria dos países permaneceu no controle de muitas estatais e, acima de tudo, de seus ativos imobiliários, quer no nível nacional, quer no nível local. Na realidade, nos anos subsequentes, ocorreu uma reação adversa contra a privatização. Durante seu governo, Bill Clinton tentou e não conseguiu privatizar a Tennessee Valley Authority. Hoje, essa medida não está na agenda política. Mas o ímpeto da mudança ocorre em ambas as direções. Por exemplo, há alguns anos, a Grã-Bretanha pensou em renacionalizar suas companhias ferroviárias, mas acabou optando por intensificar a concorrência.

Em alguns países, a privatização foi precipitada por um flagrante abuso da propriedade pública. A história do Banco Sonali, o maior banco estatal de Bangladesh, é um exemplo ilustrativo. O banco foi roubado muitas vezes, e não apenas por pessoas como Yusuf Munshi e seus cúmplices, que passaram dois anos cavando um túnel debaixo de uma das agências do banco antes de fugir com sacos de dinheiro que continham 2 milhões de dólares. O mais comum é que o dinheiro desapareça de maneira menos espetacular. O maior entre os numerosos escândalos ocorridos no sistema bancário de Bangladesh aconteceu em 2012. Esse escândalo particular veio à luz quando o Banco Sonali revelou que uma das suas agências em Dhaka havia distribuído ilegalmente 460 milhões de dólares em empréstimos entre 2010 e 2012, quantia que corresponde a quase

1% do PIB. A maior parte, ou quase 340 milhões, foi para um único tomador de empréstimo, e mais de 85% desses fundos desapareceram sem deixar vestígios.

Empréstimos imprudentes, feitos com frequência a empresas ou pessoas bem relacionadas, eram comuns nos bancos do país, e o Banco de Bangladesh, o banco central de Bangladesh, estimava que cerca de 20% do total de empréstimos concedidos pelos bancos estatais não estavam sendo pagos, obrigando o governo a fazer grandes injeções de novo capital.

No entanto, essa triste história tem um lado mais positivo. Os dirigentes do banco central duvidavam de que qualquer governo, apesar dessa péssima reputação, estivesse disposto a privatizar os quatro bancos e desistir dessas importantes fontes de influência e apoio. Em vez disso, o banco central sugeriu uma solução alternativa, que era aumentar o nível da concorrência do setor privado por meio da emissão de uma série de licenças para bancos privados, a fim de restringir o crescimento dos bancos estatais. Em decorrência disso, a proporção de depósitos nos bancos estatais caiu de 60% para 25% em pouco mais de dez anos, a partir de 1992. Desse modo, hoje em dia, os bancos do setor privado de Bangladesh contam com quase dois terços dos depósitos, sendo os principais financiadores do crescente setor de empresas privadas, como fábricas de artigos de vestuário, centrais elétricas e usinas siderúrgicas.

Comparemos o que acaba de ser exposto com a Índia, que talvez tenha sido poupada de abusos como os do quilate do Banco Sonali. Como resultado, houve pouco respaldo público para a mudança. Os bancos estatais ainda controlam 75% dos depósitos no país. A companhia estatal Life Insurance Corporation da Índia é o maior investidor nas empresas registradas em bolsa no país, com cerca de 50 bilhões de dólares investidos em setembro de 2011.

A China tentou ao mesmo tempo todas as abordagens, inclusive a total privatização de pequenas empresas e o registro em bolsa de grandes bancos e empresas estatais, mas ainda controla muitas estatais essenciais. Muitas delas foram, ao que parece, modernizadas, submetendo-se aos padrões de governança e ao escrutínio dos investidores que acompanham os registros em bolsas de valores. Mas o Estado retém de modo formal bastante influência em mais da metade dessas empresas, por meio de sua participação majoritária. Na prática, contudo, muitas das mudanças formais para tornar as estatais mais transparentes e independentes se revelaram uma cortina de fumaça, de acordo com os críticos. O Departamento de Organização do PCC, que é efetivamente o Departamento de RH, continua a ser uma das mais poderosas instituições no país, com um poder quase autocrático de indicar os altos executivos e planejar a carreira de todos os funcionários de alto nível. Isso envolve a criação de carreiras variadas para todos os que ocupam os cargos mais elevados, deslocando-os entre funções nas corporações estatais, destinando-os a cargos nos governos regionais e locais ou promovendo-os ao nível do governo central.

Por lei, o Departamento de Organização indica um comitê do partido para cada estatal, bem como as três pessoas mais importantes de cada empresa. Os membros do conselho de administração do partido precisam receber um cargo importante, de modo que tendem a ser indicados como membros executivos dos conselhos de administração das estatais. Consta que até mesmo as decisões relacionadas com a indicação dos principais executivos dos bancos comerciais estatais que têm estrangeiros em seus conselhos administrativos são tomadas pelo comitê do partido, em vez de pela diretoria.

No entanto, esse estreito controle político custa bastante caro. Muitas das 155 mil empresas que ainda são de propriedade dos governos central e locais perderam terreno para concorrentes privados mais argutos. Ao enfrentar perdas crescentes na década de 1990, a China implementou uma primeira onda de reformas nas estatais. Muitas foram fechadas e outras foram registradas nos mercados de ações, passando portanto a ser administradas um pouco mais como empresas privadas. A princípio, isso também elevou a produtividade e os retornos. Entretanto, nos últimos anos, o setor estatal vem perdendo terreno, apesar do tratamento preferencial que recebe dos reguladores e dos bancos estatais.

Em seu livro *Subsidies to Chinese Industry: State Capitalism, Business Strategy, and Trade Policy*, Haley e Haley (2013) narram em detalhe o que aconteceu com os substanciais subsídios do governo em muitas estatais. Mas então, em novembro de 2013, o PCC lançou um plano de reforma para melhora de desempenho. Como exemplo, a Sinopec Corp. (China Petroleum & Chemical Corporation), a maior refinaria da Ásia, anunciou que iria vender uma participação acionária de 17,5 bilhões de dólares da sua unidade de varejo para 25 grupos chineses (a maioria estatal) e investidores estrangeiros, arrecadando fundos sem na verdade abdicar do controle do governo sobre a companhia. Outras empresas foram registradas em bolsa ou receberam instruções para experimentar maior participação privada e conceder maior independência aos diretores. Até mesmo os governos locais têm anunciado um surto de medidas semelhantes.

Muitos países passaram por ondas de privatizações parciais ou completas, ao mesmo tempo que ainda tentavam melhorar a gestão de suas estatais ao expandir a participação nas empresas ou ampliar os poderes dos diretores. No entanto, essas medidas para reformar a gestão de empresas podem não corresponder exatamente ao que parecem ser no papel. Como Musacchio e Lazzarini (2014) descrevem no livro *Reinventing State Capitalism*, no papel, as estatais em sua nova versão se parecem mais com verdadeiras empresas do setor privado do que com antiquadas empresas nacionalizadas. Na prática, poucas delas foram bem-sucedidas. Musacchio e Lazzarini desejam apresentar a Statoil da Noruega como exceção e afirmam que ela talvez seja uma das estatais mais bem administradas do mundo. Na realidade, em muitos casos, as estatais renovadas deixam lamentavelmente de corresponder às expectativas.

Antes de apresentar evidências mais sistemáticas, vamos considerar agora o caso do Brasil.

Tentativas brasileiras de reformar suas gigantescas estatais

Para que possamos compreender por que as reformas das estatais são tão difíceis no Brasil, bem como em muitos países, vale a pena recordar como elas vieram a existir. As numerosas estatais brasileiras foram criadas principalmente durante dois períodos dominados pelo capitalismo estatal. Na década de 1930, um ambicioso programa de gastos do governo, que visava industrializar a economia brasileira, combinado com uma crise de liquidez, preparou o terreno para a criação de diversas estatais grandiosas. A força propulsora foi o presidente nacionalista Getúlio Vargas, que governou o país como ditador, de 1930 a 1945, e depois como presidente eleito, de 1951 a 1954. Ele expandiu ainda mais o setor ao fazer com que as estatais cobrassem preços artificialmente baixos, o que, por sua vez, obrigou muitos proprietários de concorrentes do setor privado a vender suas empresas aos governos federal ou estaduais.

Uma segunda onda começou na década de 1950, para dar ao Brasil outro "grande empurrão em direção à industrialização", quando foram criadas várias das imensas estatais atuais, entre elas, a Petrobras (Petróleo Brasileiro S.A.), a Eletrobras (Centrais Elétricas Brasileiras S.A.) e o BNDES (Banco Nacional de Desenvolvimento Econômico e Social). A Petrobras obteve o monopólio de extração, exploração e refino do petróleo brasileiro.

A partir de meados da década de 1970 a meados da década de 1980, na vigência do regime militar do presidente Ernesto Geisel e seus sucessores, o número de estatais aumentou de modo significativo, espalhando-se para outros setores sob o disfarce de seu Segundo Plano de Desenvolvimento Nacional. O presidente Geisel acreditava vigorosamente no planejamento estatal e procurou criar empresas estatais em áreas consideradas "ativos estratégicos". Nessa ocasião, foram criadas estatais em setores como o de telecomunicações, no qual os concorrentes existentes chegaram a ser obrigados a abandonar o mercado. O êxodo de empresas privadas e estrangeiras de setores que incluíam esses "ativos estratégicos" foi ampliado pela construção do império das estatais, criado por seus administradores. Uma estatal no setor de grãos e alimentos poderia, de repente, diversificar suas operações no setor de ferrovias. Isso também dificultava a transparência e tornava esses administradores menos dependentes das diretivas do governo federal. Protegidas da concorrência das importações e subsidiadas de várias maneiras, as estatais enfrentavam pouca pressão para melhorar seus produtos ou aumentar a produtividade. Aos poucos, conseguiram exigir subsídios ainda maiores, o que resultou em um ônus considerável nas finanças do governo.

Além do desenvolvimento nacional, as estatais também justificavam os subsídios que recebiam com base em seus "objetivos sociais", como estabilizar preços e combater o desemprego. A opinião pública no Brasil naquela época era muito positiva com relação a essas políticas. Refrear a inflação por meio de preços subsidiados na sequência de políticas fiscais expansionistas era considerado obrigação do governo.

Grande parte disso mudou no início da década de 1990. A insolvência fiscal e a inflação desenfreada eram um perigo real e presente na primeira parte da década de 1990. Isso obrigou o governo a reconsiderar sua economia planejada para ser centralizada, vendendo empresas públicas, reduzindo de maneira drástica as tarifas, derrubando barreiras comerciais não tarifárias, desregulamentando o investimento estrangeiro e os mercados de trabalho, e removendo o estado de muitas funções distributivas.

Em 1992, o presidente Itamar Franco sucedeu Fernando Collor de Mello (que sofreu ação de *impeachment* por corrupção) e iniciou um programa conhecido como Plano Real para reformular os sistemas econômico e financeiro do Brasil. Entre os principais elementos do Plano Real estavam a introdução de uma moeda nova e "moderadamente" flutuante (o real), a desindexação da economia, um congelamento inicial dos preços do setor público e maior rigidez da política monetária. As principais vitórias do programa do Plano Real foram uma redução significativa da inflação, já que uma taxa de 45% no segundo trimestre de 1994 foi reduzida para uma média de menos de 1% em 1996. Junto com a baixa taxa de inflação, os salários reais também aumentaram rapidamente. Isso conduziu a um florescimento da atividade econômica, com maior demanda interna. Muitas estatais foram privatizadas durante o Plano Real. O presidente Fernando Henrique Cardoso, eleito no final de 1994, deu seguimento às privatizações no novo milênio. Na realidade, entre 1990 e 2002, 165 empresas foram privatizadas, o que elevou as receitas para o equivalente de 8% do PIB, ajudando a quitar a dívida do governo. Medidas adicionais foram tomadas para melhorar a governança das estatais, como registrá-las nas bolsas de valores, permitindo que acionistas minoritários com participação de pelo menos 10% elegessem um representante na diretoria. A Figura 6.1 traça o crescimento do Brasil de 1960 a 2011.

As diversas medidas do Plano Real foram implementadas entre 1992 e 2002. Depois do Plano Real, o período de 2002 a 2011 veio a ser o mais favorável de todos os tempos. O PIB *per capita*, em dólares americanos, triplicou de 3.500 para 11 mil por ano.

Apesar desse aparente sucesso, a privatização não foi amplamente aceita. Como já foi mencionado, a opinião pública no Brasil apoia uma influência dominante do governo por meio de ativos estatais para controlar a inflação. Durante esse período de privatização, partidos políticos de esquerda, empregadores e funcionários de estatais, além de muitos sindicatos, fizeram protestos públicos e

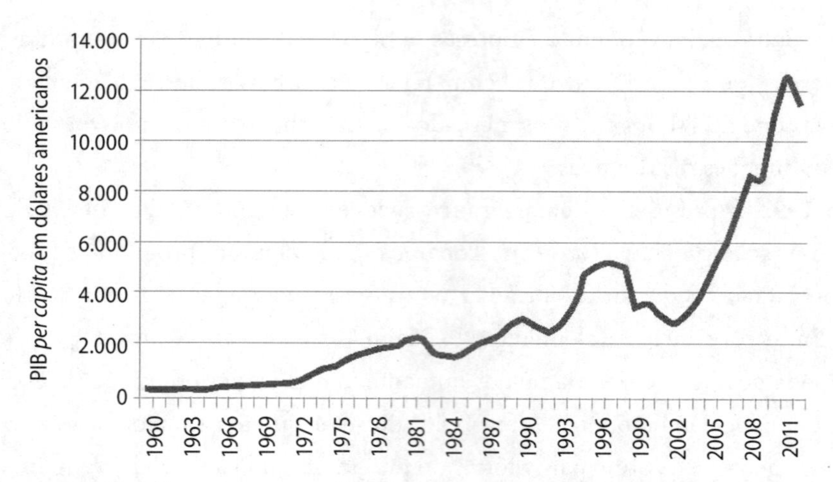

FIGURA 6.1. O rápido crescimento do Brasil depois da melhor governança de estatais, da privatização e do Plano Real.

Fonte: OCDE.

recorreram aos tribunais. Não raro, os protestos deram origem a violentas manifestações nas ruas. No entanto, na época, o governo permaneceu firme e deu seguimento à disciplina financeira, implementando mais medidas liberais, entre elas a redução de impostos e a flutuação da moeda.

Como indício do sucesso, a Petrobras arrecadou 70 bilhões de dólares na maior venda de ações em 2010, quando os investidores apostaram em seus planos de duplicar a produção em uma década por meio da exploração das reservas em alto-mar, quando muitos dos outros protagonistas internacionais enfrentavam desafios porque muitas de suas reservas se exauriam.[3] A Petrobras está contando com o campo petrolífero Tupi descoberto em 2006, uma das maiores descobertas no Brasil, e talvez até mesmo no hemisfério ocidental, nos últimos tempos. Mas a queda dos preços do petróleo em 2013 e 2014, ao que tudo indica, atrapalhará todos os planos.

De certa forma, a doutrina ortodoxa brasileira retornou com o governo de Dilma Rousseff presidente eleita em 2010 e reeleita em 2014, que afirmou recentemente que o argumento para a interferência do governo é que ele é fundamental para "promover campeões nacionais". Longe de estar sendo "promovida", contudo, a Petrobras foi obrigada a sofrer grandes perdas no mercado interno quando recebeu ordens para vender combustível bem abaixo do custo, o que por sua vez exigiu ainda mais subsídios do governo e a renovação do monopólio para parte da exploração do petróleo. E, para culminar, uma série de escândalos de corrupção e malversação foram descobertos, entre eles revelações publicadas em um jornal local em dezembro de 2014 por um ex-executivo da divisão de refinação de petróleo da Petrobras, que acusou mais de quarenta políticos de envolvimento em um grande esquema de suborno. Uma série de ações legais foi impetrada nos Estados Unidos contra a Petrobras, em prol de investidores que compraram ações da empresa entre 2010 e 2014. As ações judiciais alegam que a Petrobras "fez declarações materialmente falsas e enganadoras ao deturpar fatos e deixar de divulgar uma cultura de corrupção".[4]

No todo, o Brasil se converteu em uma economia de livre mercado, renunciando a grande parte de suas estatais na década de 1990 e melhorando a gestão de muitas das empresas remanescentes. O Brasil também foi ricamente recompensado ao passar por um período de alto crescimento causado por essas e muitas outras reformas, embora o impulso para a reforma e o crescimento tenham se dissipado nos últimos anos.

Por que o movimento da nova governança ficou aquém das expectativas

Assim como no Brasil, muitos governos reformistas privatizaram completa ou parcialmente algumas empresas estatais. De igual importância, contudo, também foram as tentativas dos países de retirar a administração diária de estatais da interferência direta do governo. Foram nomeadas diretorias profissionais, com menos políticos e mais transparência. Às vezes, o registro em um mercado de ações foi um instrumento para obrigar as empresas a aderir a regras de transparência e a padrões contábeis.

Essa estratégia de fato melhorou a governança. Vários bons exemplos podem ser encontrados na Holanda. Lá, o Schipol, o aeroporto internacional estatal, conseguiu se transformar em um importante foco de serviços para passageiros e centro industrial para mercadorias que precisam ser entregues rapidamente em toda a Europa. A KLM, o carro-chefe da companhia aérea de transporte de passageiros do país, também foi bem-sucedida. O serviço postal holandês tornou-se um precursor logístico com a TNT, que o serviço postal alemão tentou imitar com menos sucesso ao comprar a DHL. Até mesmo a Alemanha tem tido algum sucesso com a Lufthansa (que é lucrativa a maior parte do tempo), enquanto a Volkswagen, que pertence em parte ao Estado da Baixa Saxônia, tem há várias gerações um acionista privado ativo e controlador – a família Piech, que também controla a Porsche – que tem atuado como fator de equilíbrio para a participação acionária do governo com uma duradoura influência do setor privado na cultura corporativa e no desenvolvimento da empresa.

No entanto, muitos fracassos também estiveram misturados com esses sucessos. Em particular, muitas das estatais que receberam um excesso de independência, como uma criança cujos pais estão ausentes, se envolveram em uma expansão internacional muito arriscada (como no caso dos bancos estatais alemães), sofrendo grandes perdas. Muitas estatais francesas também vêm tendo perdas significativas no exterior com a construção de usinas nucleares e a administração de serviços locais de transporte.

Em decorrência, considerando todos os fatos, essa nova estratégia de deixar as estatais operarem independentemente como se não tivessem nenhum dono também ocasionou uma quantidade considerável de fracassos espetaculares. Na Suécia, por exemplo, descentralizar a responsabilidade para os conselhos individuais sem os efeitos equilibradores de uma gestão profissional independente da propriedade esbarrou em problemas cada vez maiores. A imprudente expansão internacional da Telia, empresa que antes tinha o monopólio da telefonia, e da Vattenfall, empresa que antes tinha o monopólio estatal e é hoje uma das maiores geradoras de energia na Europa, são bons exemplos.

No Capítulo 7, vamos descrever com minúcia o caminho sueco em direção à reforma, já que ele oferece muitas ideias interessantes.

CAPÍTULO 7

OS PIONEIROS SUECOS: DA GOVERNANÇA ATIVA À GOVERNANÇA SEM INTERFERÊNCIA

A Suécia, um dos países pioneiros na modernização, tentou administrar as empresas estatais sem depender tanto dos políticos, embora retivesse importantes bens públicos. Em nossa opinião, apesar de a Suécia ter, no final, esbarrado em uma série de fracassos significativos, ela também acumulou uma série de sucessos. A experiência com as três estratégias bem diferentes que a Suécia praticou ao longo das últimas décadas é instrutiva, sendo, portanto, descrita com certo detalhe, antes de avançarmos, em capítulos posteriores, para o que consideramos uma melhor abordagem.

A experiência sueca da gestão dinâmica, 1998-2001

No final da década de 1980, a Suécia era conduzida por um governo social-democrata minoritário que havia estudado o exemplo de Temasek em Cingapura (nós o examinaremos no Capítulo 8). Em 1990, a Suécia criou a Fortia, uma *holding* ostensivamente semelhante. No entanto, as eleições do outono de 1991 colocaram no poder um governo de coalizão quadripartidário de centro-direita. Esse novo governo alçou as políticas de privatização ao topo da agenda. Em três anos tumultuados, durante a pior crise bancária sueca, o país conseguiu privatizar cerca de 6% do total do portfólio estatal. As eleições seguintes, realizadas em 1994, resultaram em um governo social-democrata minoritário que se concentrou essencialmente em continuar a equilibrar as finanças do Estado, mas que mesmo assim levou adiante várias reformas iniciadas pelo governo anterior.

Com o ciclo de eleições parlamentares de quatro anos implementado na Suécia, Göran Persson, o novo líder do Partido Social-Democrata, conseguiu formar um governo minoritário apesar de uma base menor de eleitores, graças ao apoio dos partidos Verde e de Esquerda. Na condição de ministro das Finanças, Persson havia resistido à privatização indiscriminada, que era a tendência internacional predominante na época. Ele deu seguimento a essa política quando se tornou primeiro-ministro em 1996, voltando-se para o estabelecimento da gestão ativa dos ativos públicos em 1998 quando o partido foi reeleito e ele pôde conseguir apoio no Riksdag (Parlamento) sueco. Ele queria provar que os governos podem, de fato, ser proprietários dinâmicos e competentes de ativos comerciais. Desse modo, teve início uma experiência de três anos (1998-2001) de uma administração dinâmica do portfólio público sueco "como se ele pertencesse a acionistas privados". Essa experiência incluiu a introdução da disciplina do setor privado e uma cultura de participação acionária, e, no final, o valor do portfólio aumentou 12%, mesmo depois de quase um terço do portfólio original ser privatizado, quase cinco vezes mais do que quando a privatização era o principal objetivo do governo conservador anterior. O aumento do valor foi quase duas vezes o do mercado de ações local, que subiu apenas 6% durante o mesmo período.

Um cético *Financial Times* descreveu inicialmente essa iniciativa estratégica sem precedentes em que o governo agia como acionista dinâmico de ativos comerciais, mas concedeu a ela o benefício da dúvida, citando o forte desempenho sueco na administração da reviravolta das finanças públicas e do setor bancário, depois do colapso financeiro do início da década de 1990. O editorial expressou a esperança de que o melhor desempenho das empresas públicas abriria possibilidades para posteriores privatizações.[1]

A "nova e audaciosa abordagem" – a primeira tentativa de um governo europeu de abordar de modo sistemático a posse e a gestão das empresas estatais – rapidamente gerou retornos e benefícios significativos, como UBS Warburg descreveu a experiência sueca alguns anos depois.[2] Em 2000, James Sassoon e

Martin Pellbäck resumiram o programa de três anos, detalhando três casos para ilustrar a gestão dinâmica do governo sueco dos ativos públicos, entre eles:

1. A reestruturação da AssiDomän, um dos maiores grupos de papel e embalagens da Europa, com importantes participações em ativos florestais, desfazendo-se ou fazendo o empreendimento conjunto de partes de suas operações industriais, e devolvendo o capital aos acionistas.
2. A formação, reestruturação e subsequente venda do Celsius, um grande grupo de defesa europeu, que envolveu encontrar parceiros industriais adequados para várias divisões da empresa.
3. A transformação da empresa monopolista ferroviária estatal SJ em uma das mais lucrativas operadoras ferroviárias da Europa, por meio da modernização de operações e da alienação de todas as atividades, exceto os serviços essenciais de passageiros.

AssiDomän: um conglomerado deficitário que se tornou uma indústria florestal focada

Entre 1992 e 1994, a AssiDomän foi formada a partir de empreendimentos florestais pertencentes em termos históricos ao governo em Domänverket (agência estatal) e a produtora de papel e polpa Assi. A empresa foi parcialmente privatizada (a propriedade estatal permaneceu acima de 50%, e o percentual restante foi vendido para mais de 590 mil pessoas) por meio do registro na Bolsa de Valores de Estocolmo, vindo a se tornar um dos maiores grupos de polpa, papel e embalagens da Europa, e um dos maiores proprietários mundiais de ativos florestais. Ao longo do período de 1994-1999, as ações registradas tiveram um fraco desempenho devido a perdas anuais consecutivas, à ausência de um foco estratégico, a uma insuficiente participação no mercado em vários segmentos e a retornos negativos, em especial, de maciços investimentos e aquisições feitas na antiga União Soviética. Enfim, os mercados de capital perderam a confiança na empresa devido a constantes problemas operacionais e financeiros, que necessitavam na ocasião da urgente atenção do governo, o seu maior proprietário.

Uma nova diretoria foi nomeada em 1999, e eles contrataram um novo CEO para implementar a recuperação operacional. Os ativos florestais foram rapidamente separados, com o Estado sueco permutando participações em ativos florestais por participação acionária em unidades operacionais da empresa. Depois, operações industriais foram eliminadas ou incluídas em um empreendimento conjunto com investidores ou parceiros industriais e financeiros. Em 2000, os ativos da produção de polpa e papel remanescentes foram combinados com ativos semelhantes do conglomerado florestal sueco-finlandês StoraEnso na Billerud.

A Billerud foi registrada com sucesso em bolsa no final de 2001, o que possibilitou à AssiDomän ajustar sua estrutura de capital em direção a uma *holding* exclusivamente florestal. Isso também resultou em um substancial dividendo único para os acionistas da AssiDomän, excedendo todos os rendimentos obtidos com a oferta pública inicial de ações da Billerud.

O governo sueco comprou então o restante da AssiDomän, como *holding* exclusivamente florestal, como parte da estratégia de reestruturação da indústria florestal sueca, colocando os empreendimentos que não estavam mais registrados em bolsa em sua subsidiária Sveaskog. A AssiDomän encerrou 2001 como uma das ações com melhor desempenho no mercado de ações.

Depois de todas essas transações, a nação sueca como acionista, junto com outros acionistas, acumulou uma taxa de retorno interno sobre seu investimento em ações da AssiDomän, ao longo do tempo em que a empresa esteve registrada em bolsa, superior a 15%.[3] Hoje, a Sveaskog é a maior proprietária de terras florestais na Suécia, possuindo mais de 4 milhões de hectares (dos quais quase três quartos são produtivos), que correspondem a 14% do total do país. A partir de 2008, o presidente do conselho de administração é Göran Persson, ex-primeiro-ministro.

No início dessa experiência, muitos observadores estavam céticos com relação à ideia de reformular a gestão dos ativos públicos em vez de seguir a rota de uma plena privatização. Na metade do caminho da reestruturação, contudo, os observadores começaram a examinar mais de perto essa experiência e seu possível impacto na economia. Tendo em vista os 25% de participação na economia do portfólio, a Merrill Lynch achou que as reformas teriam um impacto significativo no crescimento econômico da Suécia como um todo.[4]

Celsius: o fim da dependência do governo e o início da consolidação europeia

O fim do grupo da União Soviética fez com que os orçamentos de defesa encolhessem em toda a Europa, com a cooperação e a consolidação sendo bastante destacadas na agenda. O Celsius, grupo de defesa sueco cujas ações estavam registradas em bolsa, tinha uma longa história como fornecedor preferencial das forças armadas suecas e, desse modo, era um dos pilares centrais da política de "não aliança" do país.

Com um orçamento de defesa encolhendo em casa e uma rápida consolidação entre os seus concorrentes, o Celsius era visto como tendo chances limitadas de sobrevivência sem consideráveis melhoras na eficiência e um maior acesso ao mercado além das limitações estatutárias autoimpostas baseadas nas políticas suecas de não aliança. O preço das ações da empresa refletia essa nova realidade, declinando de maneira significa e tendo uma constante perspectiva negativa. Isso exigiu uma solução radical do governo na qualidade de maior acionista e principal *stakeholder*.

O caminho óbvio para a consolidação seria com o Saab Group, o grupo de defesa e aeronáutica, mas o novo conselho do Celsius iniciou contatos informais com todos os pleiteantes potenciais relevantes que eram aceitáveis dentro da estrutura de política externa restritiva da Suécia. Para facilitar uma fusão antevista, várias alienações separadas foram executadas, já que elas ao que tudo indica conseguiriam um preço melhor como empresas independentes do que se fizessem parte de um pacote maior. Entre estas estavam as maiores partes da Bofors (vendidas para as United Defense Industries, passando depois a pertencer a Carlyle, grupo norte-americano de *private equity*, que hoje faz parte da BAE Systems). No caso da construtora naval Kockums (que produzia, entre outras coisas, submarinos convencionais e contava com a Suécia, a Austrália e Cingapura entre os seus maiores clientes), as coisas foram mais difíceis. O grupo alemão HDW (que mais tarde se fundiu com o ThyssenKrupp), também uma construtora convencional de submarinos, parecia ser o melhor parceiro. Os alemães tinham um marketing mais forte, enquanto a Kockums havia desenvolvido o mecanismo Stirling AIP, um sistema tecnológico competitivo que possibilitava aos submarinos movidos por energia convencional operarem debaixo d´água durante várias semanas sem ter necessidade de subir à superfície, como ocorria com os submarinos regulares movidos a diesel.

As alienações enfim prepararam o terreno para a oferta pública de ações pelo Saab Group das partes restantes do grupo Celsius, que hoje pertence em parte à família Wallenberg e aos BAE Systems. A venda da Kockums se revelou menos bem-sucedida do ponto de vista industrial e de defesa nacional. O negócio dos submarinos não conseguiu se desenvolver de modo adequado sob a propriedade alemã e começou lentamente a definhar, com sua tecnologia exclusiva sendo possivelmente desconsiderada. Por fim, isso foi revertido em 2014 pelo governo sueco, quando o Saab Group assumiu o controle dos ativos originais (inclusive os direitos de propriedade intelectual) da Kockums. De início, o Saab Group havia rejeitado a ideia de adicionar uma plataforma de segmento de sistemas navais às suas atividades. Mas agora o governo sueco entregou à Saab Kockum o desenvolvimento da próxima geração de submarinos suecos, tornando-a um dos poucos conglomerados de defesa capazes de fornecer soluções de defesa para ar, terra e mar.

Na percepção mais ampla do público, o drama político que veio a envolver a Telia, operadora de telecomunicações incumbente da Suécia, tornou-se o exemplo típico do drama que envolve um programa de reestruturação. Negociações de fusão e falsas iniciativas de uma proposta de consolidação com a Telenor, estatal norueguesa, tenderam a resultar em uma novela política com destaque nas notícias em ambos os lados da fronteira. Por fim, a ideia da fusão foi anulada e o subsequente IPO foi concluído, apenas pouco antes do estouro da bolha dot.com do início de 2000. Vamos discutir a Telia em detalhes mais adiante neste capítulo.

Consolidação: a criação de um portfólio

Empresas remodeladas nos últimos tempos enfrentaram uma crescente concorrência internacional. Além disso, o rápido desenvolvimento tecnológico e a subsequente liberalização havia exposto ineficiências em monopólios estabelecidos. O melhor da disciplina do setor privado e uma sólida cultura acionária eram necessários para que elas fossem capazes de competir em um mercado com igual condições para todos, inclusive os novos protagonistas do mundo inteiro. O governo se viu debaixo de uma crescente pressão da comunidade comercial e da oposição de centro-direita para privatizar o seu amplo portfólio de ativos comerciais, em sincronia com os ventos thatcheristas que varriam a Europa.

No entanto, o primeiro-ministro Persson desejava demonstrar para o setor privado que o seu governo era capaz de administrar os ativos comerciais tão bem quanto qualquer proprietário privado. Como uma primeira medida no projeto planejado de três anos, ele tentou consolidar em 1998 todos os ativos sob um único comando, e contratou profissionais do setor privado para gerir a propriedade e a reestruturação do portfólio com participação ativa.[5]

Até então, o variado conjunto de ativos não havia sido percebido como portfólio coerente, e tampouco nenhum desses ativos havia sido avaliado ou administrado de modo profissional. Esse grupo eclético de empresas comerciais incluía ex-monopólios de grande porte como a Vattenfall (geração de energia), a Telia (telecomunicações), a SJ (serviços ferroviários) e a Posten (distribuição postal), bem como uma participação acionária em empresas registradas em bolsa como a SAS (companhia aérea nacional), a AssiDomän (produtos florestais) e o grupo Celsius (indústria da defesa). Todos esses empreendimentos seriam agora geridos por uma única liderança.

No entanto, consolidar um portfólio de ativos comerciais em um ambiente político não é tarefa fácil, já que todos os ministros políticos responsáveis por um ativo comercial sempre parecem desejosos de manter seu clientelismo. A Figura 7.1 mostra o desdobramento do portfólio sueco.

No início, pouco depois da formação do novo governo social-democrata minoritário em 1998, Erik Åsbrink, o ministro das Finanças, recusou-se a permitir que os bens do seu ministério fossem transferidos para uma recém-criada "unidade de propriedades" subordinada ao ministério da Indústria. Em respaldo à sua recusa, ele até mesmo ameaçou deixar o governo, apesar da condição clara do primeiro-ministro, ao nomear cada ministro, de que nenhum ativo público comercial seria incluído nos respectivos ministérios.[6] No final, o primeiro-ministro cedeu às exigências do seu ministro das Finanças (até segunda ordem) mas, mesmo assim, foi capaz de conseguir a quase completa consolidação fundindo vários ministérios de setores específicos, inclusive o das comunicações e emprego, e o da indústria e comércio, em um novo e único "superministério". Essa unidade do governo foi colocada no comando da Stattum, *holding* existente que administrava a maior parte da participação acionária em empresas registradas em bolsa.

O resultado da primeira avaliação externa do portfólio consolidado causou surpresa e possibilitou que todos os *stakeholders*, contribuintes, mercados financeiros, o *establishment* político e a comunidade comercial compreendessem a

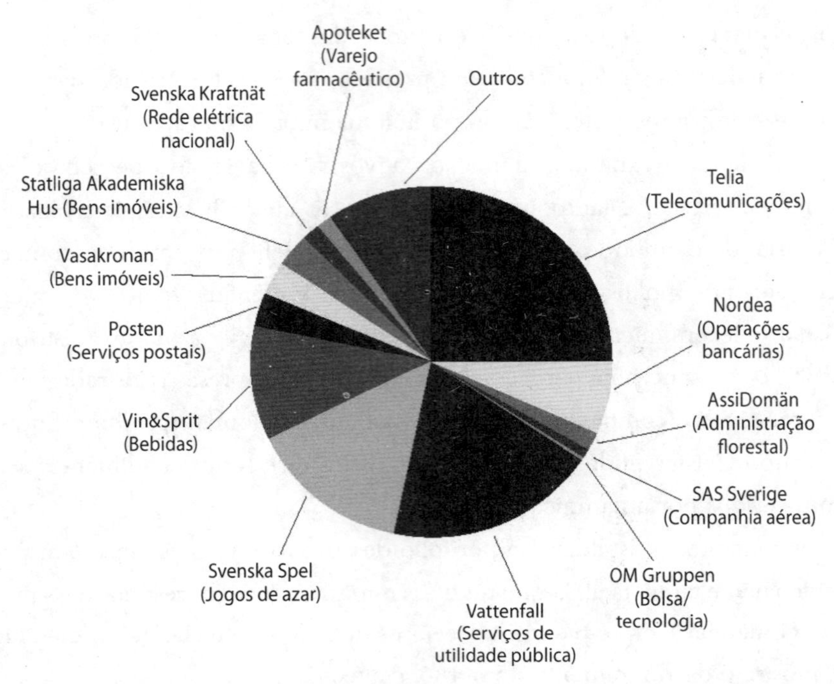

FIGURA **7.1.** Desdobramento do portfólio sueco de acordo com os maiores ramos industriais.
Fontes: UBS; governo sueco.

amplitude do portfólio e colocassem a experiência no contexto adequado. O portfólio consolidado poderia agora ser confrontado com o setor privado, por meio do desempenho global do mercado de ações. O desempenho dele poderia ser comparado com o de *holdings* individuais do setor privado como a Investor, a Industrivärden, a Kinnevik e outras semelhantes, ou com qualquer empresa individual dentro do setor relevante.

A avaliação oficial de 500 bilhões de coroas suecas (por volta de 65 bilhões de dólares) revelou um leviatã da noite para o dia. O capitalismo estatal na Suécia, por meio dos chamados "fundos de assalariados" controlados pelos sindicatos, cujos baluartes haviam sido abalados de maneira considerável nos últimos tempos, agora assomavam com importância, vestindo um terno executivo escuro ao lado do setor privado sueco. O governo sueco ou, mais exatamente, os cidadãos da nação, era agora (de modo evidente, ou, melhor, "transparente"), de longe, o maior dono de ativos comerciais do país, várias vezes maior do que qualquer grupo *holding* privado individual (veja a Figura 7.2).

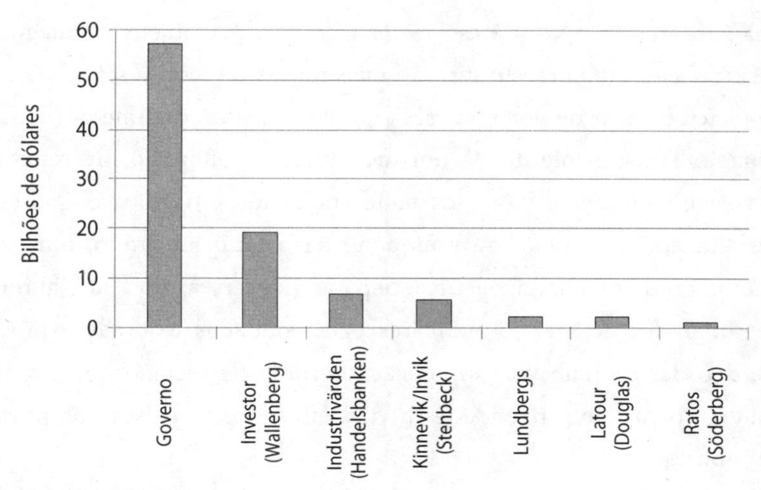

FIGURA **7.2.** Maiores proprietários na Suécia.

Fontes: UBS; governo sueco.

Inovação tecnológica e desregulamentação requerem reestruturação

Com a China e a Índia ingressando na esfera econômica como concorrentes, junto com rápidas revoluções tecnológicas, a lógica industrial de todas as indústrias mudou de modo irreversível. No final da década de 1980 e durante a década de 1990, em ambos os lados da linha divisória política, surgiu um consenso sueco de que era necessária a liberalização vital de setores da infraestrutura para garantir a competitividade em um mundo cada vez mais globalizado.

Infelizmente, algumas das maiores empresas estatais também eram ex-monopólios. Neste caso, o fato de o governo ter permanecido dono, mas também regulador no mesmo setor (ou seja, o Estado é ao mesmo tempo jogador e árbitro), tornou a política econômica bastante complexa. Melhorar a eficiência de um ex-monopólio também envolve reestruturar e fazer uma nova regulamentação de todo o setor.

Abrir um setor para a concorrência pode ser um pouco como abrir a caixa de Pandora: um objetivo simples e direto expõe uma série de interesses especiais e conflitos ocultos que os políticos se esforçam para equilibrar. Essa é uma das razões pelas quais muitos observadores defendem a completa privatização como maneira mais simples de esclarecer e evitar esses objetivos antagônicos, possibilitando assim uma reestruturação mais rápida de todo o setor.[7]

Não é fácil colocar de volta na caixa questões ocultas durante décadas dentro do funcionamento interno de um monstruoso monopólio, de repente reveladas pela liberalização. Isso é bastante conhecido em todos os países que liberalizaram, por exemplo, um monopólio ferroviário integrado, um sistema postal ou uma rede de energia elétrica. Separar vias férreas do material rodante e vender unidades de serviço auxiliares para entidades externas expôs, sem exceção, décadas de malversação, alocação errada de recursos, investimentos insuficientes, corrupção e rivalidades triviais em todos os países que passaram por esse processo.

Ferrovias estatais (SJ): a transformação de um conglomerado em um provedor de serviços focado

No início, a operação dos serviços ferroviários suecos chamava-se Royal Railway Board até que o nome foi alterado para Statens Järnvägar (ferrovias estatais), chamada popularmente apenas de SJ. Tratava-se de uma agência estatal integrada responsável por operar todo o sistema ferroviário do país, recebendo um subsídio anual do governo para cobrir os custos das operações e negócios não lucrativos. Sem uma governança ou transparência adequadas, a SJ se tornou um conglomerado ineficiente e de difícil controle, embora em termos organizacionais ainda fosse um órgão do governo, possuindo diversos ativos como restaurantes, cassinos e hotéis, navios e ônibus, além das suas operações básicas relacionadas com as ferrovias.

Já em 1988, o governo social-democrata decidiu que o caminho para uma maior eficiência (e menores exigências orçamentárias), uma melhor oferta de serviços e preços mais baixos para os usuários finais era liberalizar o setor e abri-lo para a concorrência.

A primeira medida tomada naquele ano foi separar a infraestrutura das operações — quando foi formada a Banverket (Administração Ferroviária Nacional Sueca), que passou a ser responsável por toda a infraestrutura ferroviária, e reter a SJ, a antiga marca do órgão, responsável pelas atividades operacionais.[8]

A segunda fase foi abrir ambas para a concorrência, começando pelo tráfego local e regional em 1990 e 1992, e adiando o tráfego inter-regional até 2010. Ainda assim, a Suécia foi um dos primeiros países na Europa a desregulamentar em grande medida esse mercado.

O processo de incorporação só começou no final da década de 1990, e revelou uma organização não focada, desacostumada às exigências do setor moderno de serviços e com um modelo empresarial insustentável. O governo decidiu dividir a SJ em três unidades separadas: serviços de passageiros, serviços de carga e uma *holding* à parte, a Swedcarrier, consolidando todas as operação não básicas. Ainda assim, os três pertenciam de modo direto ao governo. Esse desmembramento teve a intenção de possibilitar que as operações de passageiros e de carga se concentrassem em suas atividades básicas de serviços ferroviários e se preparassem para competir com as novas protagonistas. As operações de passageiros mantiveram a marca SJ, enquanto o serviço de carga foi incorporado sob uma nova marca, Green Cargo. Ambas as operações recrutaram uma gestão especializada, preparando-se para enfrentar os desafios dos concorrentes do setor privado. A Swedcarrier também assumiu as funções de apoio ao serviço que tinham de se transformar em fornecedores neutros dessas funções em vez de fazer parte das operadoras incumbentes.

Foram nomeados para a Swedcarrier um conselho e gestão separados, com experiência em reestruturações e alienações. O vasto portfólio de bens imóveis estava concentrado em uma subsidiária à parte, a Jernhusen, com uma equipe de gestão especializada encarregada de desenvolver valores ocultos em seu exclusivo portfólio de propriedades. Todos os serviços de apoio não básicos foram vendidos para entidades externas independentes, inclusive os serviços de TI, limpeza dos trens, serviços de preparação dos trens, manutenção, operações de consultoria e assim por diante. Isso deixou a Jernhusen como o veículo remanescente para se concentrar em desenvolver o extenso portfólio de propriedades, que havia sido quase esquecido anteriormente nos balanços patrimoniais da antiga agência. Entre outros empreendimentos vendidos antes da incorporação estavam os seguintes:

- a Swebus, que oferecia serviços de ônibus de longa distância e que era até proprietária de postos de gasolina;
- a participação acionária na ASG, empresa de expedição de transporte rodoviário de carga;
- a Scandlines, operadora de balsas entre o sul da Suécia e o continente;
- uma rede nacional de hotéis;
- um negócio de restaurantes de grande porte que incluía o fornecimento de serviços nas maiores estações ferroviárias, em *shopping centers*, restaurantes de bordo dos trens, e restaurantes e cassinos sofisticados.[9]

O projeto de reestruturação corporativa de três anos revelou décadas de malversação no setor como um todo, inclusive investimentos insuficientes em infraestrutura e material rodante, manutenção ineficiente, falta de coordenação e, em particular, pequenas rivalidades. Ainda restam muitas questões a serem resolvidas, entre elas uma estrutura regulatória abrangente e coordenação institucional para o desenvolvimento do setor.

É fácil compreender a inerente resistência política à reestruturação de ativos públicos. Interesses especiais que se beneficiam da imprecisão e vicejam na presença dela não buscam de modo voluntário a luz do dia, e tampouco esse processo ajuda políticos a ganhar eleições. O governo de centro-direita que subiu ao poder na Suécia em 1991 tornou a privatização um objetivo de alta prioridade. E ativos no valor de cerca de 30 bilhões de coroas suecas foram, de fato, privatizados durante os três anos em que o partido permaneceu no poder.

Por outro lado, embora oficialmente resistente à privatização indiscriminada e pleiteando, em vez dela, o controle dinâmico, o governo social-democrata minoritário, depois de 1998, se desfez de ativos no valor de mais de 150 bilhões de coroas suecas no processo. Essa quantia foi cinco vezes superior à do governo anterior voltado ao mercado, seguindo assim a política de Margaret Thatcher. No entanto, o valor total do portfólio cresceu de maneira significativa durante o período da gestão com controle direto, 1998-2001 (veja a Figura 7.3).

Além disso, o BNP Paribas[10] concluiu que essa metamorfose das empresas estatais suecas impulsionou o crescimento da economia ao longo do período, melhorando os retornos de corporações públicas, intensificando a concorrência no mercado, aumentando a produtividade e, em última análise, promovendo a desinflação. Na realidade, como visto em outros lugares na desregulamentação de empresas de serviços de utilidades públicas (como nas telecomunicações e na geração de energia), isso contribuiu para uma queda significativa de preços nesses setores a partir do final da década de 1990 e do início do milênio. Os métodos "revolucionários" introduzidos na operação das estatais significaram que o governo rompeu com as políticas do "velho estilo", entre elas, as regulamentações que refreavam a concorrência, a utilização ineficaz do capital e do trabalho, a má administração do inventário e a falta de transparência. Em vez disso, as estatais eram geridas da mesma maneira que corporações privadas, de acordo com o BNP Paribas.

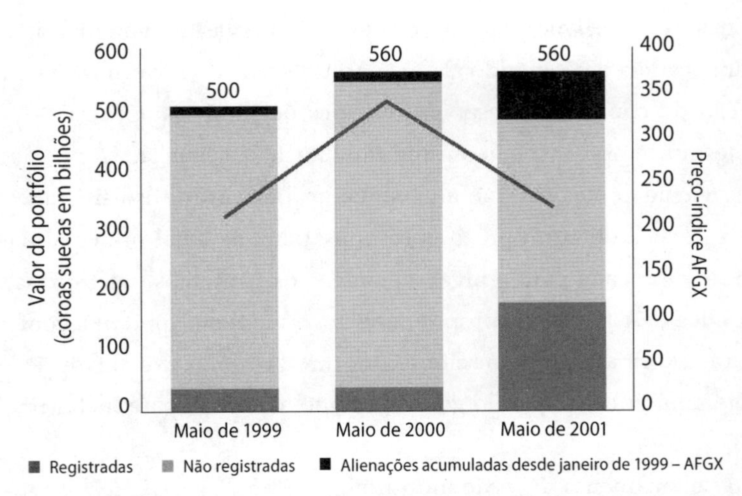

FIGURA **7.3.** Portfólio sueco supera o índice da bolsa de valores, inclusive o valor das alienações.
Fontes: Ministério da Indústria sueco; várias estimativas de corretores.

Isolamento político

A gestão unificada de um portfólio corporativo no setor privado em geral é alcançada confiando-se todos os ativos a uma *holding* incorporada. Todos os concorrentes do setor privado que possuem grandes portfólios têm o próprio veículo corporativo, inclusive a Investor de Wallenberg (em termos históricos, a família na área industrial mais influente da Suécia, o Handelsbanken com a Industrivärden, a família Stenbeck com a Kinnevik e Invik (hoje fundidas), os bens da família Söderberg na Ratos, e assim por diante. As reformas do governo sueco não foram tão longe. No entanto, um elemento-surpresa e a velocidade da implementação ajudaram a compensar a ausência de uma *holding* formal do tipo do setor privado que consolidasse o controle de todos os ativos nessa abordagem de controle firme sem precedente. Pelo menos, no início.

Em primeiro lugar, a consolidação da gestão da propriedade dentro de um único departamento do governo criou um ambiente de propriedade mais unificado e comercial, isolado de ministérios específicos com objetivos conflitantes. Na ausência de uma forte estrutura institucional, a gestão dinâmica do portfólio dependia como um todo das personalidades atuantes e de seus relacionamentos informais na implementação do processo de reestruturação.

A introdução de uma política de propriedade era fundamental para a criação de uma cadeia de comando clara a partir da sede do governo, disseminando a prestação de contas e as responsabilidades pelos níveis apropriados, tentando ao mesmo tempo inspirar aprimoramento na eficiência. Como não havia nenhum veículo protegido que atuasse como barreira de isolamento contra a influência política de curto prazo, a responsabilidade legal principal para cada empresa foi deslocada para o nível seguinte – os conselhos da empresa.

A política de controle de propriedade governamental ajudou a conferir uma verdadeira autoridade aos conselhos com diretores não executivos. A política, sem dúvida, limitou o papel do governo como acionista, para incluir:

- o delineamento da visão industrial;
- a definição de objetivos financeiros e metas de desempenho;
- concordância com relação à estrutura de capital e à política de dividendos para cada empresa do portfólio.

Os ministros também se beneficiaram desses limites transparentes à sua responsabilidade. Ao comunicar com clareza os limites de sua autoridade sobre as empresas do portfólio, enfrentaram menos pressão para intervir quando decisões comerciais difíceis eram tomadas. Isso só funcionaria desde que os políticos conseguissem respeitar o acordo e se abstivessem de intervir, ou mesmo de fazer comentários, mantendo estritamente a divisão da responsabilidade entre a responsabilidade da participação política e a do conselho. Qualquer desconfiança ou leve desvio desse contrato implícito arriscaria arruinar a confiança no acordo.

Objetivos claros

A meta da reestruturação era melhorar o desempenho do portfólio e fazer com que cada empresa do portfólio parecesse "pertencer a acionistas privados". Os sociais-democratas no governo, junto com os seus aliados dos sindicatos trabalhistas, haviam aceito que a globalização e o desenvolvimento tecnológico tinham mudado por completo as condições para as indústrias de rede como as de telecomunicações, energia elétrica e muitas indústrias do transporte. Por conseguinte, eles aceitaram a maximização do valor como o único objetivo da propriedade estatal. Eles concordaram com o lema para o projeto de três anos de reestruturação do portfólio: "Empresas de valor criam empregos valiosos".[11] A ideia por trás desse lema era que uma empresa internacionalmente competitiva tinha mais condições de oferecer empregos sustentáveis e, talvez, também empregos mais bem remunerados.

A introdução de uma cultura de participação acionária na gestão do portfólio estatal significava que, acima de tudo, o governo tinha que abdicar de qualquer tentativa de exercer uma influência política no curto prazo. Os conselhos das empresas tinham que ser profissionalizados e ter autonomia. Manter a credibilidade dessa nova política era fundamental para possibilitar o recrutamento dos profissionais adequados. Foram introduzidas avaliações internas dos conselhos para que se entendesse melhor o que cada empresa do portfólio efetivamente precisava. Apesar do ceticismo na comunidade empresarial com relação à gestão ativa dos ativos estatais, muitos profissionais experientes e qualificados se ofereceram para assumir cargos não executivos nos conselhos e outros tipos de funções consultivas, em um espírito singular de ação coletiva semelhante ao serviço militar.

Depois de três anos, mais de 85% dos cargos de diretoria não executivos estavam preenchidos por profissionais, dos quais mais de 40% eram do sexo feminino. Além disso, três em cada quatro dessas empresas haviam recrutado um novo CEO e a metade delas havia recrutado um novo CFO.

Várias medidas foram implementadas para aumentar a eficácia dos conselhos, entre elas níveis de remuneração baseados no mercado e um processo de recrutamento gerenciado por comitês de indicação formais baseados nas avaliações dos conselhos e nas exigências dos planos de negócios, e ocasionalmente respaldado por uma consultoria externa.[12] Em última análise, a unidade de gestão dentro do superministério responsável pela reestruturação do portfólio construía o seu próprio banco de dados e potencial de recursos humanos para esses fins.

Transparência

Apesar da ausência de uma *holding* formal para a totalidade do portfólio, o governo conseguiu publicar um relatório anual agregado para o portfólio. Isso melhorou ainda mais a transparência e ajudou a criar um espírito de coerência, alinhando metas entre os objetivos da propriedade e a gestão de cada empresa do portfólio.

Ao separar de modo claro os empreendimentos não comerciais ou empresas criadas para abordar objetivos de linhas de ação, e incluir somente empresas comerciais no portfólio comercial, como foi feito no seu primeiro relatório anual, o governo minoritário foi capaz de abraçar uma cultura de participação para o portfólio comercial, e buscar o valor do acionista como o único objetivo. Desse modo, ele também conseguiu obter apoio do outro lado do espectro político, até mesmo dos sindicatos.

O relatório trimestral aumentou ainda mais os padrões de transparência e atraiu um maior escrutínio público, em especial da imprensa, do setor financeiro e da comunidade empresarial, bem como de organizações não governamentais. As reuniões gerais anuais, abertas ao público, possibilitaram ainda a análise externa financeira e industrial de profissionais, da mídia e de cidadãos interessados. Eles podiam agora comparar as empresas comerciais estatais com concorrentes do mesmo setor ou indústria.[13] Os banqueiros dos bancos de investimento começaram até a incluir ativos públicos não registrados em bolsa na sua pesquisa de equidade para comparação e, em alguns casos, também publicaram uma pesquisa de equidade sobre eles como se estivessem registrados.

Estrutura de capital

A aceitação política da maximização do valor como único objetivo do portfólio comercial estatal foi crucial. Essa não foi impulsionada por uma ideologia, e sim pela compreensão relutante de que todas as outras opções haviam sido tentadas e tinham fracassado.

Em termos históricos, empresas estatais costumam basear suas decisões de investimento no seu baixo custo de capital em vez de no custo de capital do verdadeiro mercado. Os avanços tecnológicos fizeram com que essas empresas estatais de capital intensivo parecessem pesados dinossauros ao lado das novas protagonistas, muito mais ágeis, especializadas e focadas. Por que usar o serviço dos correios quando é possível enviar um e-mail? Por que esperar semanas pela instalação de uma linha de telefone fixo quando é possível usar um telefone celular? Por que sofrer a humilhação dos atrasos de ferrovias estatais quando é possível utilizar empresas aéreas de baixo custo que são ao mesmo tempo mais baratas e rápidas, ou até mesmo dirigir com todo conforto o próprio carro?

A obrigatoriedade de gerar um retorno sobre o capital criou uma revolução cultural interna em cada empresa do portfólio, resultando na contratação do profissional relevante dentro dos departamentos financeiros. Ainda assim, o habitualmente seco cabo de guerra técnico entre a administração e os proprietários com relação ao equilíbrio adequado entre os lucros e perdas podia, às vezes, se derramar na esfera política. Um ponto de discórdia típico era que as estatais com frequência tentavam se agarrar a grandes reservas, a um patrimônio excessivo e a um balanço patrimonial inflado como proteção contra tempos difíceis e uma fonte potencial de aluguel.

A introdução de uma política de dividendos competitiva se revelou uma mensagem eficaz para todos os *stakeholders*, enfatizando a intenção do governo de que essas empresas do portfólio operassem nas mesmas condições que o setor privado. Isso também se aplicou aos planos do governo de harmonizar sua estrutura de capital com o setor privado requerendo um único dividendo.[14] Complementando isso, empresas foram estimuladas a adotar programas de incentivo para os funcionários a fim de harmonizar suas organizações com o objetivo do proprietário de maximizar o valor.[15]

Ampliar a base de *stakeholders*, buscando em maior grau o financiamento das dívidas nos mercados de capital, também ajudou a inculcar a disciplina de mercado. O rigor financeiro imposto pela obtenção de uma classificação de crédito iria contrabalançar, com o tempo, custos de contratação de empréstimos mais elevados.[16] Ao privatizar sua dívida, as empresas com portfólios estatais acumularam muitos benefícios do setor privado sem renunciar ao controle de nenhuma empresa do portfólio ou ao seu controle acionário.

SAS: consolidação das ações da empresa virtual

O preço das ações dos três veículos registrados em bolsa por trás da marca registrada que constituía a Scandinavian Airlines (SAS) tem sido continuamente negociado com um desconto desnecessário. A marca era de propriedade de três empresas nacionais separadas, na Suécia, Dinamarca e Noruega. A SAS foi criada em 1946 como companhia aérea nacional pelos três governos, tendo o grupo Wallenberg para estabelecer serviços aéreos regionais viáveis. Ela foi então registrada como três ações diferentes nos mercados de ações nacionais em Estocolmo, Copenhagen e Oslo, com um complexo acordo operacional que envolvia todos os ativos de propriedade de cada companhia nacional. O acordo intraoperativo gerou uma camada tripla de burocracia (e também de custo) dentro da empresa, tendo também triplicado o número dos grupos de sindicatos trabalhistas com os quais os dirigentes tinham que lidar.

A estrutura de propriedade da SAS foi, por fim, fundida em 2001, sendo criada uma *holding* na qual a participação acionária dos governos mudou para a Suécia (21,4%), a Noruega (14,3%) e a Dinamarca (14%), e os restantes 50% se tornaram públicos, passando a ser negociados no mercado de ações. A reestruturação do controle acionário envolveu não apenas complexas questões operacionais e financeiras como também importantes desafios diplomáticos, entre eles os direitos de aterrissagem e de sobrevoo. Estes tiveram que ser renegociados em negociações multilaterais sem precedentes. Depois de meses de discussões, preparações, negociações e coordenação entre os diversos *stakeholders* em diferentes níveis dentro de um processo muito complexo, a companhia aérea foi fundida em uma única empresa com uma única ação, reduzindo décadas de complexidade a algo um pouco mais transparente.

A fusão das três empresas causou o desejado impacto positivo no preço das ações e preparou o terreno para melhoras significativas na eficiência operacional. Foi também um passo vital que possibilitou a participação na consolidação mais ampla do setor. Mas, no final, o governo norueguês, naquela ocasião, resistiu a esses convites para uma consolidação europeia mais ampla, bloqueando qualquer transação potencial, já que a participação dos governos permanece vinculada a um acordo de acionistas.

Como companhia aérea nacional, ela ainda está longe da estrutura e organização de custos econômicos das concorrentes de baixo custo, como a Norwegian Air, campeã regional, que modificou o panorama do setor. A capacidade excessiva do setor e sua estrutura de custos desfavorável impôs perdas a SAS, obrigando-a a retornar aos mercados de capital para injeções regulares de capital, e sempre prometendo uma redução ainda maior dos custos e uma reforma estrutural.

Os três governos proprietários atualmente concordam em participar da consolidação europeia das companhias aéreas, mas essa é hoje uma proposta muito mais difícil.

A modernização e o desenvolvimento de uma atividade principal em cada empresa do portfólio

As empresas com posição dominante no mercado podem gerar lucros significativos. Na ausência de um acionista ativo e profissional com rígidas exigências com relação ao retorno sobre o capital e os dividendos, os dirigentes ocultam, de modo instintivo, esses lucros por meio de uma contabilidade complexa, custos excessivos ou investimentos. A consequência lógica é a construção de um império por meio da integração vertical ou horizontal na empresa – em vez da renúncia aos dividendos.

Nas empresas estatais, esse instinto é reforçado pela complicação prática da obtenção de capital adicional. Ao contrário das empresas privadas, as estatais que precisam de recursos adicionais estão sujeitas a um processo político trabalhoso e demorado, que não raro envolve a atenção formal do parlamento. Nesse processo, os méritos comerciais do pedido de capital são comparados a outras utilizações para arrecadação fiscal. Sendo assim, o investimento é comparado com políticas como creches, escolas, estradas e defesa nacional. Além disso, a solicitação de recursos ao governo e ao parlamento precisa seguir o calendário político, processo que não é sensível às exigências do mercado ou ao simples valor temporal do dinheiro.

Sobretudo, a reforma sueca da governança de estatais ajudou a isolá-las da influência política de curto prazo e introduziu uma cultura acionária focada apenas em maximizar o valor. Isso possibilitou aos dirigentes concentrar-se nas operações em atividades com um alto valor agregado, abandonando as não lucrativas. As atividades não relacionadas com a atividade principal apenas distrairiam a atenção dos dirigentes do seu propósito, precisando ser alienadas. Como qualquer atleta talentoso sabe, os dirigentes compreenderam que não poderiam ser ao mesmo tempo um proeminente maratonista e, digamos, um boxeador. Os membros da diretoria executiva não poderiam afirmar que eram especialistas em uma gama de aspectos e oportunidades em atividades completamente desvinculadas das suas atividades básicas, de modo que, em última análise, tiveram que escolher.

Posten: a metamorfose de uma empresa de serviços de utilidade pública

A Suécia foi a nação europeia que levou mais longe a desregulamentação dos serviços postais quando liberalizou por completo seu mercado postal já em 1993. A desregulamentação desse mercado foi semelhante à do de telecomunicações, com mudanças radicais no mercado devido a rápidos avanços tecnológicos através de fronteiras nacionais e do ponto de vista de fixação dos preços, serviços oferecidos, eficiência e protagonistas do mercado.

A principal divisão da Posten AB sueca era uma das operadoras postais mais eficientes da Europa na época, superada apenas pela TPG, a empresa de correio holandesa. Mas suas oportunidades de exportar essa vantagem competitiva para outros países europeus eram limitadas.

Além disso, as operações relacionadas com as cartas estavam sob a ameaça da crescente concorrência e substituição por novas formas de comunicação, a saber, a internet. A baixa lucratividade e a elevada alavancagem operacional, aliadas ao fato de que a empresa operava em um mercado liberalizado, tornou-a vulnerável à "escolha seletiva" pelas novas protagonistas, em especial porque estas não eram obrigadas a oferecer um serviço universal.[17]

Pouco antes do Natal de 1998, os dirigentes da Posten exigiram uma substancial injeção de capital da parte do dono, caso contrário, afirmaram, a companhia iria à falência. Os donos reagiram rapidamente às ameaças com uma análise financeira e uma auditoria da empresa durante as festas natalinas. Essas medidas mostraram que os balanços patrimoniais da empresa não precisavam de um capital adicional, e sim de uma estrutura contábil simplificada, uma reestruturação financeira e um foco maior na sua atividade principal.

Um novo conselho de administração foi nomeado e encontrou um rumo através do desafiador território desconhecido. Depois de um conflito de menor importância com o dono com relação ao âmbito da atividade principal e da definição de "logística", a empresa foi capaz de se concentrar apenas em consolidar seus balanços patrimoniais e focalizar as operações, desfazendo-se de todos os ativos não essenciais. Isso começou com o sistema de compensação de pagamentos, o PostGirot, que foi reestruturado para se adaptar ao sistema bancário e vendido para o banco registrado em bolsa do mercado, o

Nordea (também parcialmente estatal), o que foi seguido pela venda da participação majoritária na ASG, transportadora rodoviária e provedora de logística de maior porte na Suécia, à subsidiária de logística Danzas do Deutsche Post (a Danzas mais tarde se fundiu com a DHL, adotando essa marca no mundo todo como seu nome). A Posten também vendeu bens de menor envergadura para diferentes compradores e um portfólio de bens imóveis para o Deutsche Bank Private Equity.

O mais importante foi que a Posten conseguiu fazer uma transformação estratégica épica num intervalo de tempo muito curto e com limitado atrito político. Ela deixou de ser dona de uma vasta rede de "agências de correio" comuns para hoje terceirizar quase todas as suas operações de varejo por meio de uma rede de franquias dos chamados "pontos de serviço" em supermercados, mercearias e postos de gasolina. O esforço político para apoiar essa transformação não foi menos impressionante, já que a agência do correio local era vista como um símbolo, em termos históricos, vital para ligar umas com as outras, e com o centro, as áreas rurais pouco povoadas dessa nação geograficamente grande, sendo portanto considerada um pilar fundamental da construção da moderna sociedade sueca do bem-estar social. Derrubar de maneira proativa esse poderoso símbolo, com seus numerosos funcionários sindicalizados, exigiu considerável vontade política, consenso, e perspicaz senso de união e liderança política. Os sindicatos foram apoiados pelo chamado "modelo da Telia", um programa de renovação de qualificações que oferece aos funcionários a oportunidade, durante o período do aviso-prévio (e, às vezes, por mais tempo), de se concentrar em tempo integral na busca de um novo emprego, com acesso a apoio profissional, treinamento no local de trabalho, dependências do escritório e ferramentas relacionadas.

Uma antiga ambição de consolidar as operações postais enfim se tornou realidade em 2009, quando ocorreu a fusão da Posten com a Post Danmark para a formação da PostNord, na qual o governo sueco tem uma participação de 60% e o governo dinamarquês, os 40% restantes.

Seguindo o conceito do "banco bom/banco mau" descoberto durante a crise bancária do início da década de 1990, os ativos não essenciais eram com frequência separados em uma *holding* discreta para reestruturação, tendo gestores e objetivos comerciais diferentes, especializados em reestruturações e alienações. Essa separação possibilitou que a gestão da atividade principal se concentrasse por completo no desenvolvimento dela sem qualquer preocupação com a reestruturação das partes não essenciais. As *holdings* não essenciais pertenciam de modo direto ao Estado, como no caso da empresa ferroviária monopolista

SJ, ou eram mantidas dentro do grupo, porém com um número adicional de acionistas privados levados para a empresa a fim de propiciar conhecimentos especializados, como no caso da operadora de telefonia Telia.

Mais de um terço de todo o portfólio de ativos comerciais foi alienado durante o programa de reestruturação de três anos, inclusive o IPO da Telia e uma participação acionária remanescente no grupo de produtos farmacêuticos com ações registradas na Bolsa de Valores de Nova York, o Pharmacia & Upjohn, que foi vendido por um valor máximo histórico. Várias das empresas registradas em bolsa, nas quais o governo tinha uma participação majoritária, passaram por uma significativa reestruturação durante o programa, entre elas, a SAS, o grupo Celsius e a AssiDomän.

De uma governança ativa para uma governança sem interferência

Embora a reestruturação ativa tenha sido, de modo surpreendente, bem-sucedida, ela também pode ter dado a impressão, para muitos políticos suecos, de ter sido um período de sorte. O sucesso dependeu bastante de uma ordem e intenção clara do primeiro-ministro, e de uma equipe competente. Não era possível confiar que essas coisas fossem durar para sempre. Talvez por essas razões o governo sueco tenha mudado aos poucos o rumo e abandonado o controle dinâmico em prol de uma abordagem sem interferência. Os acontecimentos na Telia ilustram essa mudança e suas consequências.

Telia: a pioneira da telefonia móvel com ambições internacionais interrompidas

No decorrer de 1998, Lars Berg, CEO da Telia (sucessora da Televerket, a empresa monopolista estatal de telefonia), havia assumido a responsabilidade de concordar em vender a participação acionária do governo, sem a aprovação prévia do proprietário, ou o conhecimento de seus altos executivos ou da diretoria. Ele conduziu sozinho as negociações a fim de manter o sigilo, sem nenhuma ordem do dono da empresa e nenhum dos processos convencionais que em geral envolvem transações comerciais dessa natureza – inclusive a diligência com que tudo se deu e a avaliação externa ou análise estratégica confirmando a legitimidade comercial e financeira da transação. O CEO simplesmente chegara a um acordo com o governo norueguês sobre a fusão da Telia com a empresa estatal norueguesa dominante do setor das telecomunicações, a Telenor, e determinou um preço arbitrário para as ações sem nenhuma avaliação externa ou interna. O acordo foi revelado nos primeiros dias da nova gestão ativa do portfólio do governo e surpreendeu todos no lado sueco, do presidente do conselho de administração e do CFO ao primeiro-ministro.

Para evitar uma situação embaraçosa para os dois governos, foram iniciadas discussões entre eles sob o maior sigilo. O governo sueco contratou consultores profissionais de expressão e introduziu um processo profissional completo para avaliar a viabilidade comercial da possível transação e obter uma avaliação correta das duas partes que formariam a fusão. Lars Berg deixou a empresa e foi substituído por um executivo da Ericsson, a provedora sueca de tecnologia e serviços de comunicação. Quando o processo de fusão não acompanhou as intenções norueguesas, inclusive o empenho deles em discutir avaliações com base financeira em vez de improvisadas, as discussões confidenciais fracassaram e quem estava bem informado começou a revelar o conteúdo das discussões para a imprensa, na provável tentativa de obrigar o governo sueco a ceder.

Uma vez que as discussões comerciais se tornaram públicas, o que se seguiu se tornou um processo politicamente motivado que envolveu quase um ano de difamações na mídia entre os dois governos. Mas foi somente bem no final que a ambição secreta norueguesa de ter em mãos o Departamento sueco de Pesquisa de Telefones Celulares (isso foi durante o *boom* das ações do setor tecnológico), considerado um dos mais fortes do mundo, foi revelada. Ficou óbvio que a força motriz básica para a fusão no lado norueguês era a possível transferência desse grupo de pesquisas pioneiro, considerado a autoridade máxima no assunto, para um parque tecnológico norueguês que estava sendo construído nos arredores de Oslo.

No final, a fusão degringolou em dezembro de 1999, e a Telia buscou então uma fusão com a Sonera, tradicional empresa de telefonia móvel finlandesa, também parcialmente estatal, cujas ações tinham sido registradas há pouco em bolsa. Como a Sonera já estava registrada na bolsa, a Telia também precisaria estar disposta a obter um valor justo de mercado antes de qualquer fusão e, em especial, para evitar possíveis críticas do público com relação ao valor de troca atribuído à empresa.

As ações da Sonera tinham disparado nas primeiras horas e dias depois de seu IPO, no ano anterior. A empresa se tornou favorita entre os investidores que buscavam investimentos no popular setor das telecomunicações. No entanto, a maciça transferência de riqueza do governo e de seus contribuintes para os novos acionistas foi vigorosamente criticada, causando uma crise no governo e a demissão do ministro responsável e do CEO da empresa.

O governo sueco, nervoso e não querendo repetir esse erro finlandês, determinou então uma precificação agressiva para o IPO da Telia para evitar acusações semelhantes de que os ativos estatais estariam sendo vendidos por um preço muito baixo. Além disso, o instinto político do governo social-democrata minoritário de combinar uma precificação agressiva do IPO com a comercialização da privatização dessa estatal como "ações do povo", quando o público em geral foi incentivado a participar de modo ativo da oferta de ações (com uma primeira opção de *buy and similar*), resultando em um percentual sem precedente de 10% da população comprando ações da companhia, conduziu a consequências políticas inesperadas.

A partir de uma perspectiva financeira, o IPO da Telia foi um absoluto sucesso para o governo e, por sinal, para os contribuintes também. Concluída em junho de 2000 na parte final da bolha das ações do setor tecnológico, a negociação das ações permaneceu estável mesmo durante a turbulência causada pelo subsequente colapso do mercado de ações, devido, em grande medida, à perspectiva positiva do mercado para a empresa.[18] Depois de um processo profissional e discussões comerciais, os conselhos administrativos das duas empresas dominantes no mercado, com ações registradas em bolsa, a Telia AB e a Sonera Oy anunciaram sua fusão planejada em março de 2002. Na ocasião, o governo sueco possuía 37% das ações da empresa e o governo finlandês, 13,2%. A participação restante estava de modo predominante nas mãos de investidores institucionais e de numerosos proprietários suecos individuais.

Com base na perspectiva política, os altos e baixos do mercado não conquistam votos. O estouro da bolha de ações do setor tecnológico também afetou com grande impacto o preço das ações da Telia, demonstrando a desvantagem de vender ações de uma empresa registrada em bolsa para o público em geral, como se as ações fossem um título do governo isento de riscos. Esse estigma permaneceu com o governo social-democrata durante o restante de seu mandato, com quase 10% do eleitorado sentindo as consequências financeiras das ações do governo como dono de ativos comerciais marcadas no preço das ações.

Com base na perspectiva comercial, a empresa resultante da fusão a princípio continuou no caminho de se concentrar em sua atividade principal e melhorar a eficiência operacional depois do projeto de controle dinâmico de três anos. No entanto, na ausência de uma estrutura institucional permanente que substituísse o projeto de controle dinâmico e de exigências mais rígidas sobre sua estrutura de capital, com o tempo, a empresa acabou adquirindo ativos em lugares remotos, distantes de suas competências e mercados básicos, sem nenhum discernimento com relação a essas operações ou ativos. Isso gerou repercussões financeiras, jurídicas e políticas que ainda afetam seu funcionamento.

Um exemplo dessas repercussões é o episódio que causou o pedido de demissão no dia 1º de fevereiro de 2013 do então CEO da TeliaSonera, Lars Nyberg. Isso aconteceu depois que o escritório de advocacia que o conselho de administração havia contratado para investigar acusações de suborno relatou que a empresa deveria ter sido muito mais cautelosa ao adquirir uma licença telefônica no Uzbequistão em 2007. A investigação foi requerida depois que promotores públicos suíços congelaram 900 milhões de dólares associados a Gulnara Karimova (filha de Islam Karimov, presidente do Uzbequistão) e a uma operadora de telefonia móvel. A TeliaSonera também divulgou que autoridades holandesas pediram a ela que transferisse entre 10 e 20 milhões de euros para possíveis pedidos de indenização financeira contra sua *holding* local. A investigação se expandiu e incluiu promotores públicos na Suíça e nos Estados Unidos, bem como na Suécia, que também estão examinando alegações de que a TeliaSonera teria pago, em 2007, 2,3 bilhões de coroas suecas (por volta de 358 milhões de dólares) por uma licença 3G no Uzbequistão para a Takilant, empresa registrada em Gibraltar, sabendo que a companhia era uma fachada para Karimova e sua família.

As alegações, feitas pela primeira vez num programa de televisão sueco em 2012, não apenas obrigaram Nyberg a deixar o cargo, mas forçaram também a renúncia da maior parte do conselho de administração da empresa e de vários altos executivos. A TeliaSonera ainda poderia receber pesadas multas caso fosse considerada culpada de violar leis norte-americanas e as regras da Securities and Exchange Commission (SEC).*

Além disso, uma análise à parte realizada pelo novo conselho de administração da TeliaSonera sobre as outras transações da empresa na sua unidade eurasiana (que inclui Moldova, Geórgia, Azerbaijão, Cazaquistão, Tajiquistão e Nepal) descobriu que a forma dessas negociações era semelhante à das transações no Uzbequistão. Johan Dennelind, o novo CEO (a partir de setembro de 2013), que foi contratado para colocar em ordem a operadora de telecomunicações, nomeou um novo diretor de conformidade e consultor jurídico geral, e introduziu na empresa um programa anticorrupção.

O elo perdido: a *holding* e o que aconteceu depois de 2001

Uma empresa que tenha o governo como acionista sempre será percebida como "estatal" independentemente do tamanho da participação acionária dele. Observamos que os políticos nunca podem ser acionistas ideais, já que os seus interesses são muito mais amplos do que a maximização do valor. A intromissão nos assuntos das estatais será, na melhor das hipóteses, desinformada e, na pior das hipóteses, oportunista. No entanto, o controle passivo ou sem interferência tampouco é adequado. Como ilustra o exemplo da Telia, isso deixa um vácuo na governança. Esse vácuo é com frequência preenchido por uma administração que então assume o papel tanto de dono quanto de gestor.

Nesse contexto, uma *holding* protegida, à qual tenha sido atribuído um único, simples e claro objetivo, tem o benefício de possibilitar que ela represente os contribuintes e os agentes (o governo) com uma opinião clara e definida – como um diretor corporativo profissional.

* Seria correspondente no Brasil à Comissão de Valores Mobiliários (CVM). (N. dos T.)

O espinhoso conflito de interesses entre o papel do governo como regulador e seu papel como proprietário de um negócio próspero num setor industrial desregulamentado e liberalizado também seria resolvido por meio desse tipo de veículo de controle protegido e separado, de acordo com relatório oficial do governo sueco sobre liberalização e regulamentação. O relatório enfatizou que essa *holding* também deveria ter um dono no governo apartado de qualquer ministério de algum setor específico envolvido com a regulamentação.[19]

Um relatório do governo sueco sobre a governança dos ativos do governo central chegou a conclusão semelhante. O relatório concluiu que deveria ser estabelecida uma organização profissional independente responsável pela administração operacional corporativa como elo de ligação entre a governança política e estratégica do parlamento e do governo em um lado, e as empresas de portfólio individuais no outro, com o objetivo de gerar valor e lidar com a governança operacional.[20]

De modo lamentável, os governos suecos deixaram de agir com base nesse discernimento. A governança das empresas estatais se deteriorou durante o novo milênio. Uma abordagem de não interferência sem a estrutura institucional que possibilitasse uma governança ativa permanente liberou excessos imprudentes. A Vattenfall é o exemplo mais irrefutável desse fato na Suécia.

Vattenfall: de empresa local a gigante europeia

Em outubro de 2014, a Vattenfall, uma das maiores produtoras de energia da Europa, anunciou um aumento na anteriormente prevista redução do valor contábil dos ativos, que agora equivalia a 53 bilhões de coroas suecas (por volta de 6,8 bilhões de dólares), o que é mais do que 10% do total dos ativos. Isso está, de modo essencial, relacionado com a aquisição em 2009 da companhia holandesa Nuon.[21] O valor da Vattenfall foi reduzido à metade nos últimos anos, de acordo com estimativas do Swedbank, de pelo menos 400 bilhões de coroas suecas (por volta de 51 bilhões de dólares) para cerca de 200 bilhões de coroas suecas.[22]

Essas enormes perdas tiveram repercussões políticas, especialmente devido ao tamanho da erosão total do valor, que excedeu 1% do PIB da Suécia. Até mesmo antes da redução de valor contábil dos ativos, a empresa se sentiu obrigada a se dividir em duas partes: uma para os países nórdicos e outra para a

Europa. Isso foi encarado como uma tentativa de suavizar as críticas antes das eleições, que seriam realizadas em setembro de 2014, e permitir que o (em última análise) responsável primeiro-ministro assinalasse a possibilidade da venda de uma participação minoritária na companhia.[23]

A Vattenfall, assim como muitas geradoras de energia europeias, foi enfraquecida por grandes dívidas acumuladas durante uma década de incorporações desencadeadas pela liberalização dos mercados de energia europeus na década de 1990, e estava mal preparada para a crise da zona do euro e o distúrbio no mercado de energia. Ela anunciou 2.500 demissões em 2013, em especial na Alemanha e na Holanda, com mais perdas de emprego e redução de investimentos nos próximos cinco anos para salvar as margens.

A desregulamentação na Suécia começou em 1996, e uma fase final foi introduzida em 1999. A introdução da disciplina do setor privado e da cultura acionária que acompanhou a reestruturação do portfólio do governo, que teve início em 1998, era um conceito estranho para a protagonista dominante no mercado de energia sueco. O recém-nomeado conselho de administração da Vattenfall naquela ocasião rapidamente inculcou uma perspectiva mais comercial tanto na estrutura de capital quanto no custo do capital, estimulando seu foco estratégico. O conselho também decidiu se desfazer de ativos não essenciais que não poderiam proporcionar um retorno aceitável, por exemplo, em áreas geográficas remotas como a América do Sul e o sudeste da Ásia. O novo foco envolvia fazer com que a companhia permanecesse estritamente comercial, com uma concentração geográfica nos países ao redor do Mar Báltico.

A introdução de um novo regime regulatório na Alemanha e na União Europeia deu origem a oportunidades de aquisição de importantes ativos no norte da Alemanha, como ações de empresas de capital aberto em Berlim e Hamburgo, e ativos na Polônia e na Finlândia. Em dois anos, a Vattenfall se tornara a terceira maior geradora de energia na Alemanha. No entanto, várias dessas aquisições envolveram a compra de usinas e minas de lignita, que são hoje fontes polêmicas de energia devido às elevadas emissões de CO_2 e outros poluentes.

O acordo de 2009 para a compra da Nuon, a empresa de serviços de utilidade pública holandesa, foi uma aquisição que custou quase 97 bilhões de coroas suecas (quase 14 bilhões de dólares na ocasião). Depois dessa aquisição, a Vattenfall começou a se desfazer de partes de empresas na Dinamarca e na Polônia para se concentrar em três mercados básicos: Suécia, Holanda e Alemanha.[24]

Depois, em 2013 e 2014, a Vattenfall anunciou as históricas reduções do valor contábil dos ativos, despertando um importante debate político na Suécia a respeito da propriedade do governo, e da gestão e viabilidade do conselho de administração. Foram levantadas questões a respeito dos detalhes internos por trás da maior transação já realizada por uma empresa estatal na Suécia, inclusive sobre como o CEO da Nuon se tornou o CEO da Vattenfall e sob que aspecto a natureza desse ajuste dizia respeito à transação.

Se o governo aprovou a aquisição, como preceituado pela política de propriedade, isso também levanta a questão de se essa foi uma utilização apropriada dos recursos públicos e se os ministros do governo são os que estão na melhor posição para determinar essas questões financeiras. Em decorrência, indagamos se a destruição de valor que essa transação acarretou poderia ter sido evitada se esses ativos do governo tivessem sido administrados por meio de uma *holding* independente que estivesse adequadamente incentivada a impor um controle dinâmico mais rígido, uma estrutura de capital comercial e uma política competitiva de dividendos. Além disso, havia alguma coisa errada na estrutura regulatória que fez com que os lucros do monopólio fossem usados para expansão em vez de para investimento?

No Capítulo 8, nós nos voltaremos para Cingapura, país que fez uma tentativa pioneira com uma *holding* para ativos públicos.

CAPÍTULO 8

GOVERNANÇA COM PARTICIPAÇÃO ATIVA, PORÉM INDEPENDENTE: O MÉTODO INOVADOR DE CINGAPURA

Antes de descrevermos em detalhes a experiência de Cingapura, vamos examinar primeiro uma série de fatores que contribuíram para o interesse em uma governança da riqueza pública com participação ativa, porém mais independente.

O sucesso inicial da Suécia com a gestão dinâmica esclarecida dos ativos públicos foi acompanhado com grande interesse por observadores internacionais. Em 2000, Lorde Sassoon, na época banqueiro de investimentos da UBS Warburg, predisse que a experiência sueca, ao que tudo indica, seria seguida por muitas outras à medida que a pressão por eficiência, prudência e transparência no setor governamental aumentasse. A abordagem sueca foi usada como modelo para o Shareholder Executive (Acionista Executivo) do governo britânico, que foi criado em setembro de 2003 como parte do Cabinet Office (Gabinete do Governo). Hoje, o Shareholder Executive faz parte do Departamento de Negócios, Inovação e Capacitação.* De imediato, a Noruega e a Finlândia alteraram a sua política com relação à propriedade estatal. A Noruega criou uma

* A Divisão Shareholder Executive considera o governo no papel de acionista. Ela faz parte do Department for Business, Innovation and Skills, que é a entidade do governo britânico que busca criar condições para o setor privado crescer por meio da promoção de um bom ambiente de negócios, ciência, pesquisa e inovação, e regulação econômica. (N. dos T.)

unidade semelhante à do governo sueco anterior, enquanto a Finlândia fundou a Solidium em 2008, uma *holding* para as suas empresas registradas em bolsa.[1, 2] Mais distante, a China iria imitar essa abordagem criando a estatal Comissão de Supervisão e Administração de Ativos do Conselho Estatal, um ministério especial para as suas estatais, e a Central Huijin Investment Ltd. como a *holding* para os seus bancos estatais.

A iniciativa também foi apresentada em um encontro da OCDE em Budapeste em 1999, sendo muito apoiada e elogiada pelo representante britânico como "algo que vale a pena ser imitado pelos outros países-membros", enquanto os representantes do sul da Europa praticamente descartaram a iniciativa, dizendo que "eu levaria um tiro se tentasse isso no meu país". Não obstante, a OCDE conseguiu reunir todos os países-membros em um acordo para imitar as lições da experiência sueca, inclusive a ideia de consolidar todos os ativos em uma única gestão de bens, e em 2005 criou as Diretrizes da OCDE sobre a Governança Corporativa das Empresas Estatais, com o FMI e o Banco Mundial como observadores.[3]

Esse tipo de reação à governança ativa de não interferência refletia uma importante metamorfose de como as corporações privadas eram administradas. Uma mudança profunda posterior colocou-se rumo a uma governança mais ativa e profissional das empresas privadas.

Como o setor privado reformou a governança

No entanto, a revolução administrativa do início do século XX avançou na direção oposta. Ela foi impulsionada por uma mudança em grande escala na propriedade, que deixou de ser de pessoas físicas e passou a ser de grandes instituições anônimas como os fundos de pensão e as companhias de seguros. Como estas eram predominantemente passivas, o verdadeiro poder em muitas das grandes corporações se deslocou dos proprietários para os dirigentes. As corporações se tornaram conglomerados, até mesmo impérios, com uma crescente parcela do retorno sobre os ativos sendo consumida pela ineficiência e pelos cofres organizacionais intumescidos em vez de ser creditada aos acionistas. E esses conglomerados e impérios tinham permissão para acumular a riqueza corporativa na forma de reservas monetárias e subsidiárias que podiam ser vendidas, caso necessário. Isso com frequência conduziu à baixa produtividade e ao baixo crescimento da produtividade.

No final da década de 1980 e na década de 1990, grandes acionistas reafirmaram, cada vez mais, seu controle.[4] O especulador corporativo, a participação privada e os acionistas ativistas eram favorecidos por balanços patrimoniais inflados e investidores institucionais complacentes. A propriedade cruzada de ações foi praticamente abolida em muitos países. Os executivos ainda recebiam pagamentos substanciais, mas, como a remuneração era com frequência aliada aos resultados, a pressão para obtenção do desempenho crescera e a rotatividade de executivos aumentara.

Importante para o nosso argumento é o fato de que os proprietários obrigavam, de modo sistemático, os dirigentes a renunciar à riqueza corporativa. Os conglomerados eram com frequência desmembrados, e as subsidiárias não essenciais, vendidas. As reservas monetárias eram distribuídas para os proprietários como dividendos mais altos. Os proprietários obrigavam as corporações a "explorar" seus ativos, na verdade distribuindo uma parte maior das reservas da corporação para os acionistas, correndo o risco de sofrer incorporações hostis. Os portfólios de bens imóveis corporativos eram consolidados e administrados sob uma estratégia de gestão única e coerente e, não raro, acabavam sendo vendidos. As corporações eram obrigadas a apresentar balanços patrimoniais mais enxutos com mais alavancagem. Tendo menos riqueza à sua disposição, os dirigentes não podiam ocultar com facilidade um desempenho fraco recorrendo às reservas. Oportunidades e incentivos para usar de maneira imprópria a riqueza corporativa para ganho pessoal ou influenciar os acionistas foram reduzidos.

Essa mudança drástica na governança corporativa se mostrou estreitamente associada à melhora no crescimento e na lucratividade em grande parte do mundo ocidental. Desse modo, achamos que seja útil examinar se o mesmo tipo de mudança funcionaria no caso dos ativos públicos. Os políticos com acesso menos fácil à riqueza pública poderiam governar melhor seu país para o bem comum. Na realidade, percebemos que isso já aconteceu em algumas áreas.

Bons exemplos do setor público

Em alguns aspectos, afastar a riqueza do acesso político direto não foi só um fato adotado em muitos países, como também se tornou bastante incontestável. Um excelente exemplo do afastamento dos ativos nacionais do controle político envolve a independência do banco central do controle político direto. Muitos países adotaram essa postura nas últimas décadas. Organizações internacionais, entre elas o Banco Mundial, o Banco de Compensações Internacionais e o FMI, apoiam vigorosamente a independência do banco central.

Em casos nos quais os governos usaram os bancos centrais como máquinas de fazer dinheiro, como no Zimbábue depois de 2000, criou-se com rapidez uma hiperinflação. No entanto, o problema mais comum e sutil é o fato de um banco central poder manter taxas de juros muito baixas, incentivando assim a inflação salarial ou uma bolha de crédito, quando eles estão suscetíveis demais à orientação ou pressão política. Os governos em geral têm certo grau de influência nos bancos centrais ostensivamente "independentes". Por exemplo, os membros da diretoria do Federal Reserve dos Estados Unidos são nomeados pelo presidente norte-americano e têm a sua nomeação confirmada pelo Senado, o que é sem dúvida um processo político.

Várias pesquisas[5] constataram que bancos centrais independentes têm mais habilidade em controlar a inflação. Nem todos os economistas concordam com isso, em particular com relação a se essas constatações apenas mostram uma correlação ou uma conexão causal efetiva. No entanto, pouquíssimos defenderiam que a independência é uma desvantagem.

Sistemas públicos de pensão capitalizados também foram beneficiados quando sua gestão foi afastada da influência política direta. Os fundos públicos de pensão têm sido com frequência mal administrados, e o desempenho, quando avaliado com base na maioria dos padrões razoáveis, foi sofrível. Em todo o mundo, reservas em programas públicos parcialmente capitalizados têm sido usadas para subsidiar moradia, empreendimentos estatais e vários tipos de investimentos de orientação econômica.[6] Têm sido usadas também para sustentar mercados de ações e como fonte cativa de crédito, e pelo jeito têm possibilitado aos governos terem déficits maiores do que em geral seria possível. As decisões de investimento são, na maioria das vezes, feitas em um sistema regulatório, com pouca prestação de contas ao público, acesso limitado às informações e processos de administração obscuros. Como exemplo, podemos recuar à grande drenagem de Hitler dos fundos públicos de pensão para financiar armamentos e estradas. De modo lamentável, existem exemplos muito mais recentes, como o da Argentina, em que o governo "atacou" os fundos públicos de pensão.

Na tentativa de melhorar a gestão dos fundos públicos de pensão, muitos países decidiram isolá-los do controle político direto e passaram a exigir mais transparência e controle. No Canadá, o ministro das Finanças agora nomeia os doze membros do Conselho de Investimentos do Plano de Pensão Canadense, depois de consultar previamente os governos das províncias. O processo de nomeação envolve um comitê de indicação que recomenda candidatos qualificados a serem considerados pelos governos federal e provinciais. O conselho e o processo de nomeação estão sujeitos a um cuidadoso escrutínio público, e os candidatos ao conselho, além de ter qualificações adequadas, precisam satisfazer a exigências quanto à sua capacidade e caráter.

A Nova Zelândia optou pela completa transparência das rotinas do governo. De acordo com a legislação neozelandesa, o ministro tem o poder explícito de comandar a diretoria do fundo público de pensão. No entanto, suas determinações precisam ser submetidas por escrito, apresentadas ao parlamento e publicadas no diário oficial.

Como esses exemplos podem ser aplicados à governança das empresas estatais? Na realidade, alguns países adotaram, com sucesso, abordagem semelhante. A Áustria reuniu muitas estatais sob a coordenação da ÖIAG, uma *holding* independente, com estatutos que proíbem explicitamente que políticos façam parte da diretoria. Entretanto, uma das primeiras tentativas foi feita na Ásia.

Temasek: a pioneira de Cingapura

Em 6 de fevereiro de 2009, foi anunciado que Charles "Chip" Goodyear, ex-CEO da BHP Billiton, a maior empresa de mineração do mundo, se tornaria o primeiro CEO estrangeiro da Temasek Holdings. Ele se tornou membro do conselho de administração em fevereiro e foi indicado para ser CEO em março, mas depois, em julho, foi confirmado que ele não seria o CEO. A nomeação (que logo malogrou) foi acolhida de imediato como uma medida destinada a injetar sangue novo na Temasek, a maior e mais proeminente empresa de investimentos asiática. Goodyear tinha anos de experiência no setor de *commodities*, o que causou especulações sobre a possibilidade de a nomeação ter tido a intenção de ajudar Temasek a ingressar nos setores de recursos naturais e energia bem no momento em que a crescente demanda da China apresentava oportunidades. Essa escolha era extraordinária, porque a Temasek é uma *holding* de Cingapura completamente estatal, e Goodyear não era nem natural de Cingapura nem político; era tão somente um famoso executivo norte-americano procedente de Louisiana.

A Temasek foi incorporada em 1974 a Cingapura para gerir a posse do governo em setores estratégicos que estavam antes sob o controle direto do Ministério das Finanças. Depois da independência, em 1965, como parte dos planos de industrialização para estimular a economia da nação, o governo assumira um papel proativo ao fundar empresas estatais em setores essenciais como o industrial, o das finanças, do comércio, dos transportes, da construção naval e dos serviços. As primeiras empresas foram a Keppel, a Sembawang e a Jurong Shipyards (estimulando o desenvolvimento de Cingapura em um importante centro de construção naval e reaparelhamento). A Neptune Orient Lines foi fundada como companhia de navegação para alavancar a localização estratégica da ilha em uma das rotas mais movimentadas do mundo entre a Europa/Oriente Médio e a África do Norte e a Ásia Oriental.

O objetivo da terceirização da governança desses ativos comerciais foi deixar o governo livre para se concentrar em centralizar as questões econômicas, encorajando ao mesmo tempo uma *holding* disciplinada e independente a alcançar retornos sustentáveis no longo prazo. Em 1972, Goh Keng Swee, o então primeiro-ministro substituto e reconhecido como fundador da Temasek e, com frequência, chamado de "arquiteto econômico" de Cingapura, declarou o seguinte num artigo sobre desenvolvimento econômico:

> "Uma das trágicas ilusões alimentadas pelos países do Terceiro Mundo é a ideia de que políticos e funcionários públicos podem exercer, com êxito, funções empresariais. O curioso é que essa crença persiste, mesmo diante de evidências esmagadoras do contrário".[7]

Duas outras *holdings*, a MND Holdings e a Sheng-Li Holdings (hoje Singapore Technologies), foram fundadas depois da independência. A última é responsável por bens relacionados com a defesa, mas ambas foram depois consolidadas na Temasek.

Hoje, a Temasek vê a si mesma como uma empresa de investimentos estabelecida em Cingapura. Em resposta à percepção internacional de que a Temasek é um fundo de riqueza soberana (FRS), o seu CEO indicado, Chip Goodyear, comentou em 2009:

> Não confundam a Temasek com os fundos de riqueza soberana. Esses caras trabalham com reservas monetárias. O exemplo local seria a GIC (Government of Singapore Investment Corporation), que foi criada para investir as reservas excedentes da nação. Como companhia de investimento, não gostamos de manter reservas excedentes... Fomos configurados para administrar um portfólio, investir os recursos financeiros dos acionistas e arrecadar fundos para aumentar o portfólio.[8]

A Temasek foi criada como uma *holding* concebida para separar as funções regulatórias e de elaboração de políticas do governo do seu papel como acionista de empresas comerciais.[9] Ela obteve êxito na consolidação de todos os ativos comerciais pertencentes ao governo, com exceção de casos de grande participação em propriedades. Isso torna a empresa um FRN com um foco singular em comparação com outros países asiáticos, que têm a propensão de criar múltiplos FRNs, como foi feito na Malásia e em Abu Dhabi.

Críticos afirmaram às vezes que por trás do objetivo comercial declarado existe um objetivo político camuflado. O governo pode estar usando a Temasek e o seu portfólio de estatais, ou, como eles preferem chamar em Cingapura, Empresas Vinculadas ao Governo (GLC, Government-Linked Company), entre elas as empresas de navegação, o DBS Bank, a Singapore Technologies Engineering e a Singapore Telecommunications (Singtel), como um instrumento para o crescimento econômico nacional.[10] O valor da Temasek representa mais da metade do PIB nacional, o que indica a posição de poder dominante que ela tem em Cingapura. Uma correspondência que vazou da Embaixada Americana em Cingapura comentava essa influência como sendo tão dominante a ponto de envolver uma dependência inversa – na qual o governo de Cingapura recebe instruções da Temasek.[11] O valor da Temasek e da GIC reunidas excede a economia inteira medida como PIB, o que as torna, por definição, muito importantes para o sucesso do país.

O crescimento da Temasek atrai críticas tanto internas quanto internacionais. O governo domina o mercado de ações local por meio da companhia, controlando quase vinte das maiores empresas registradas em bolsa. E trabalhar para a Temasek é com frequência ironicamente chamado de "prestar serviço militar". Embora as empresas estatais tenham sido de início criadas para atuar como catalisadoras para a industrialização nacional, elas se expandiram depois para todas as áreas da economia, inclusive as atendidas por empresas privadas. Internamente, muitas pessoas, até mesmo algumas que trabalham para o governo, questionam essa dominância e os riscos que ela acarreta ao impedir o ingresso de iniciativas do setor privado. Nesse sentido, Cingapura adotou uma abordagem diferente da dos outros tigres asiáticos (Taiwan, Coreia do Sul e Hong Kong), em que o sucesso econômico foi construído com base no empreendedorismo privado, e não no capitalismo estatal. O governo de Cingapura está agora tentando equilibrar ativamente esse problema com o estímulo do empreendedorismo.

No âmbito internacional, o governo de Cingapura talvez esteja mais ávido por demonstrar que a Temasek e suas estatais são geridas de maneira comercial, e não com base ideológica, ou seja, sem nenhuma interferência ou favores do Estado. Espera-se que as empresas sejam eficientes e lucrativas, e não recebam privilégios especiais nem subsídios ocultos. No entanto, surgem com frequência acusações de que as estatais recebem favoritismo em detrimento de empresas privadas. Uma pesquisa do FMI investigou os benefícios potenciais de ser uma GLC para explicar o prêmio pago sobre o preço das ações das GLCs, mas não encontrou nenhuma evidência de tratamento preferencial, a não ser a identificação da marca como sendo uma GLC.[12] Não obstante, ao considerar uma expansão internacional adicional, a questão da independência política permanece um assunto delicado para a Temasek.

No início da década de 1989, a Temasek e as GLCs foram moldadas de modo consciente em organizações lucrativas e internacionalmente competitivas, para que cada empresa do portfólio fosse capaz de investir e se expandir no mercado internacional. O valor do portfólio aumentou de 345 milhões de dólares de Cingapura em 1974 para 2,9 bilhões em 1983, cobrindo 58 empresas com mais de 490 subsidiárias. O crescimento internacional em investimentos essenciais propiciou à Temasek um crescente conhecimento dos mercados regionais junto com os seus investimentos. Isso preparou o terreno para uma maior expansão internacional do seu portfólio muitos anos depois.

Na segunda fase da Temasek, a partir de meados da década de 1990, o governo de Cingapura liberalizou alguns setores. A Temasek cresceu assumindo o controle de serviços essenciais recém-incorporados, empresas nacionais de serviços de utilidade pública, e ativos de infraestrutura, entre eles de telecomunicações, portos e de fornecimento de energia, registrando-os na Bolsa de Valores de Cingapura.

A terceira fase estratégica da Temasek teve início em 2002, com a nomeação de Ho Ching, na ocasião aclamada como primeira CEO profissional da Temasek. Antes, somente servidores públicos de alto nível haviam ocupado essa posição. No entanto, a nomeação foi muito criticada, porque Ho Ching era casada com Lee Hsien Loong, filho do primeiro-ministro fundador de Cingapura, Lee Kuan Yew, que depois veio a se tornar também primeiro-ministro em 2004. Outros defenderam a nomeação dela, afirmando que era necessária a fim de promover uma importante reorientação comercial e internacionalização da companhia, com foco mais intenso no valor do acionista e na alienação de ativos não essenciais. Ho Ching liderou uma expansão agressiva no exterior em vários setores, entre eles o de serviços financeiros, propriedade, e tecnologia, mídia e telecomunicações (TMT). Um motivo óbvio para a diversificação no exterior era que os monopólios anteriores haviam sido abertos para concorrência e propriedade estrangeira, o que, segundo se imaginava, fosse baixar a renda da Temasek.[13] Também é possível que um crescimento interno adicional fosse incompatível com as políticas do governo de promover o empreendedorismo do setor privado.

Antes da breve indicação de Chip Goodyear em 2009, a companhia havia tido alguns reveses. Os mais visíveis foram seus significativos investimentos em muitos dos maiores nomes do setor bancário internacional. Algumas dessas aplicações não estavam sequer relacionadas aos interesses essenciais da empresa no setor, nem eram consideradas como tendo uma natureza particularmente operacional ou sendo grandes o bastante para permitir uma gestão ativa. Durante a crise financeira de 2008-2009, a Temasek perdeu quase um terço do valor de seu portfólio – um enorme golpe para sua credibilidade como investidor ativo e profissional, embora isso tenha seguido em grande parte as tendências do mercado de ações internacional.

O outro revés foi uma reação política adversa com relação a vários investimentos internacionais. Apesar da sua respeitável governança, transparência e gestão profissional, a Temasek ainda era considerada por muitos como um veículo destinado a buscar os interesses nacionais do seu acionista soberano.[14] Uma tentativa do ex-primeiro-ministro Thaksin Shinawatra de comprar uma participação na Shin Corporation, dona de importantes direitos de *broadcasting* na Tailândia, causou um ressentimento popular na Tailândia. Autoridades antitruste na Indonésia acusaram a Temasek de monopolizar o mercado de telecomunicações, embora ela só tivesse investimentos minoritários indiretos e usasse um parceiro local (o governo da Indonésia). Além disso, um investimento na Optus, uma empresa de serviços de tecnologia com contratos de defesa australianos, alimentou a preocupação internacional de que a Temasek fosse um veículo político para o governo de Cingapura.

As intenções da Temasek nos Estados Unidos também foram questionadas, embora ela tenha sido um importante investidor no país durante anos, vertendo recursos em vários bancos (como um investimento de 4,4 bilhões de dólares na Merrill Lynch), em *startups* do Vale do Silício, e em vários fundos de *private equity* e *hedge funds*. Várias empresas do portfólio da Temasek também têm importantes operações nos Estados Unidos, por exemplo, a Singapore Technologies Telemedia, uma subsidiária que pertence à Temasek e é proprietária de dois terços da Global Crossing (e emprega mais de 2 mil pessoas nos Estados Unidos), e a American President Lines (APL), estabelecida na Califórnia, a sétima maior empresa de transporte e expedição de contêineres do mundo que pertence à Neptune Orient Lines (na qual a Temasek tem uma participação de dois terços). A APL opera em portos em três estados ocidentais, sendo a segunda maior transportadora de carga do Departamento de Defesa, empregando mais de 3.100 pessoas nos Estados Unidos. Outra empresa é a VT Systems, uma subsidiária que pertence à Singapore Technologies Engineering, com mais de 4 mil funcionários nos Estados Unidos, uma destacada fornecedora de tecnologia sofisticada e produtos indispensáveis para as forças armadas dos Estados Unidos.[15]

Neste caso, a principal questão é a independência política. A Temasek é formalmente controlada pelo Ministério das Finanças, enquanto a CEO, Ho Ching, é a esposa do primeiro-ministro Lee Hsien Loong. Sua nomeação foi de início criticada por não ter sido baseada no mérito, e sim voltada para motivos nepotistas – a promoção dos interesses da família Lee. O recrutamento de Goodyear se destinava a remediar essa ideia e proporcionar a tão perseguida independência política a fim de melhorar a credibilidade institucional da companhia. Mas Goodyear se demitiu depois de passar apenas seis meses no conselho. As razões da sua saída não são conhecidas, exceto pela declaração oficial de que houve "diferenças relacionadas com determinadas questões estratégicas". Consta que as mudanças que ele sugeriu ao conselho de administração e as iniciativas para uma nova orientação estratégica foram mal recebidas, com alguns membros chegando a argumentar que as propostas dele para uma nova estratégia eram arriscadas demais.[16]

Essas afirmações se basearam em teorias, que circularam na ocasião em que Goodyear deixou a empresa, de que ele fora incapaz de convencer o conselho a investir em sua área de competência – mineração e recursos naturais. Um avanço em direção à mineração poderia ter sido considerado prejudicial ao relacionamento mais próximo de Cingapura com a China, colocando o país em uma concorrência direta com a China por ativos no setor de recursos naturais – setor que é crucial para alimentar a expansão econômica chinesa.[17]

Fontes próximas do governo de Cingapura disseram que tinha havido "conflito de culturas" com Suppiah Dhanabalan, presidente do conselho de administração da Temasek, que, em julho de 2009, teria declarado o seguinte:

> Um futuro CEO precisa ser alguém que compreenda e compartilhe os nossos valores, que também seja um formador de pessoas, instituições e oportunidades. Lamentavelmente, nesta marca intermediária, tanto o conselho quanto Chip chegaram à conclusão de que é de nosso interesse mútuo não levar adiante a planejada mudança da liderança.[18]

A Temasek foi instituída como um veículo de investimento operacional para Cingapura – o seu FRN – para maximizar o valor no longo prazo como um acionista ativo de um determinado portfólio de ativos, enquanto a GIC foi formada como o FRS, ou o administrador do fundo das suas reservas monetárias. A diferença entre as duas não é distinta daquela entre os fundos de *private equity* e os *hedge funds*. As estratégias de investimento das empresas de fundos de *private equity* estão ajustadas na direção de investimentos no longo prazo, estratégias de investimento de vários anos em empresas, projetos em grande escala ou outros tangíveis que não são facilmente corvertidos em dinheiro vivo. Isso inclui um maior controle e influência sobre as operações ou a gestão dos ativos para influenciar retornos no longo prazo. Os *hedge funds* no geral se concentram em valores mobiliários líquidos de curto e médio prazos, que são convertidos com mais rapidez em dinheiro vivo, e onde eles não têm um controle direto sobre o negócio ou o ativo no qual estão investindo.

O governo de Cingapura é um credor líquido, com ativos líquidos de cerca de 127 bilhões de dólares, com os recursos combinados da Temasek e da GIC totalizando 497 bilhões de dólares – 177 bilhões de dólares e 320 bilhões de dólares respectivamente. Esse valor excede a dívida pública nacional de 370 bilhões de dólares, que hoje equivale a 111% do PIB. A dívida do governo tem uma classificação AAA e é emitida basicamente para ajudar a desenvolver o mercado de títulos do país. Em 2013, Cingapura foi classificada em segundo lugar no BlackRock Sovereign Risk Index (BSRI) depois da Noruega. Cingapura tende a ter um excedente fiscal nos seus balanços nacionais. As reservas do governo permitem que ele adote estímulos fiscais durante os ciclos de retração econômica sem precisar aumentar os impostos. Durante a crise financeira internacional de 2008-2009, as autoridades se apoiaram com todo vigor em uma política fiscal contracíclica para fortalecer o crescimento.

Para continuar a crescer, a Temasek se vê forçada a fazer investimentos internacionais, quer com aquisições adicionais por meio das empresas de seu portfólio, quer por meio de novos investimentos. As últimas aquisições indicam um afastamento estratégico das finanças, parecendo que ela está apostando, em vez disso, em bens de consumo e no crescimento da classe média asiática emergente. Entre os exemplos estão a aquisição de uma participação de 25% no AS

Watson Group, um dos maiores grupos asiáticos de produtos de saúde e beleza, e uma oferta de compra de 4,2 bilhões de dólares para a Olam International, a administradora de cadeia de suprimentos de *soft commodities* internacionalmente integrada, com ações registradas em bolsa.[19]

A Temasek também se diversificou em termos geográficos, incluindo investimentos mais amplos na África. Em 2014, ela se tornou a maior acionista da Seven Energy, um grupo de petróleo e gás estabelecido na Nigéria, pouco depois de comprar 20% de vários campos de gás controlados pela Ophir Energy com ações registradas na Bolsa de Londres. Em 2011, ela fundou a companhia de investimentos Tana Africa Capital em condições de igualdade com o veículo de investimento da família Oppenheimer, a E. Oppenheimer & Son International, com o foco em alimentos, varejo e investimentos em logística no continente.[20]

Ainda assim, mais da metade do portfólio da Temasek permanece em serviços financeiros e TMT (veja a Figura 8.1). As suas dez maiores companhias representam cerca de 60% dos seus investimentos, enquanto a maior, a Singtel, foi responsável por cerca de 13% do valor líquido do seu portfólio. Junto com o China Construction Bank e o DBS, com 6% e 5% respectivamente, essas três maiores empresas totalizaram 25%.

Esses investimentos abarcam países e regiões, com um grau de exposição de 55% para as economias maduras que vão de Cingapura, Japão, Coreia do Sul, Austrália e Nova Zelândia à América do Norte e Europa (veja a Figura 8.2).

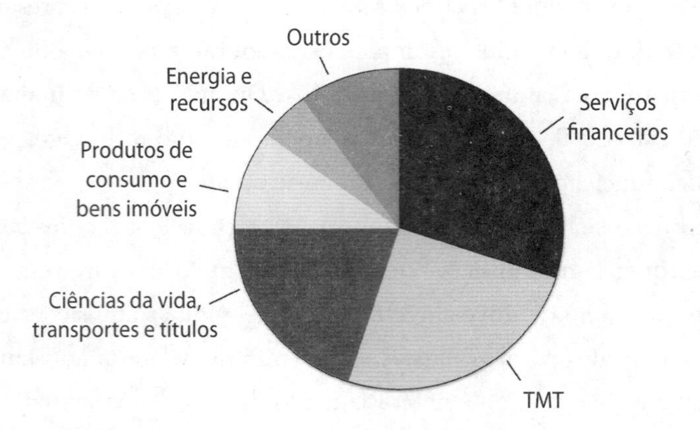

FIGURA 8.1. Portfólio da Temasek, por setor, 2014.

Nas economias desenvolvidas, Cingapura tem o maior grau de exposição, totalizando 31%, seguida pela Austrália com 10%. Os 45% restantes estão em regiões de crescimento, acima de tudo, na Ásia, onde a China (com 25% do total) é o maior destino individual, enquanto a América Latina, a África, a Ásia Central e o Oriente Médio constituem 3% do Valor Presente Líquido (VPL).

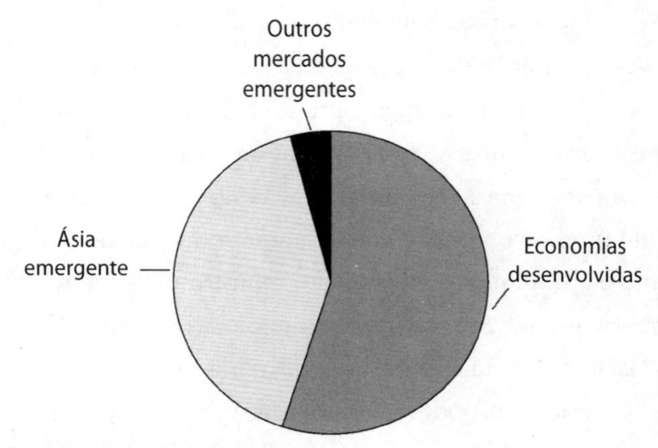

FIGURA 8.2. Portfólio da Temasek, por região, 2014.

O portfólio aumentou de 354 milhões de dólares de Cingapura (em torno de 280 milhões de dólares americanos) no seu início em 1974, com um retorno médio anual de 18% em dólares americanos, para 223 bilhões de dólares de Cingapura (em torno de 177 bilhões de dólares americanos) hoje.[21]

O histórico da Temasek como empresa de investimento é impressionante mesmo quando comparado ao de concorrentes do setor privado. Alguns críticos dizem que isso justifica o ceticismo, já que os retornos das ações de Cingapura foram, em média, inferiores a 8% a partir de 1974.[22] Outra pesquisa afirmou que esses retornos ainda derivam basicamente de investimentos da companhia em monopólios locais.[23] No entanto, sem a governança profissional da Temasek, a renda desses monopólios poderia ter sido dissipada na ineficiência organizacional.

Os pagamentos de dividendos para o governo de Cingapura como único acionista da Temasek são parte da renda de investimentos do governo. As contribuições de dividendos da Temasek são compartilhadas entre gerações presentes e futuras em uma fórmula na qual pelo menos metade da renda proveniente de reservas passadas precisa ser poupada para gerações futuras. O governo de Cingapura pode usar a renda remanescente em gastos anuais orçamentários.

A governança atual na Temasek

A Temasek foi incorporada em 1974 de acordo com a Lei das Empresas de Cingapura, o que a tornou totalmente estatal sob o controle do Ministério das Finanças. A constituição do país especifica uma estrutura para proteger reservas (ativos líquidos), permitindo que o presidente exerça certos poderes, entre eles o de nomear os diretores e o CEO da empresa, bem como o de reavaliar o orçamento e certas transações propostas. Essas decisões devem ser respaldadas por meio de uma recomendação transparente do Conselho de Assessores para o presidente e apresentadas ao primeiro-ministro e ao Parlamento. Freios e contrapesos também estão previstos; por exemplo, as decisões do presidente podem ser anuladas por dois terços de maioria parlamentar. A constituição também confere ao presidente o poder supremo de supervisão por meio de declarações financeiras auditadas e de um procedimento anual para aprovar se reservas do governo anterior são necessárias para apoiar a Temasek, tornando assim transparente qualquer subsídio do governo para a companhia[24] e também, ao que tudo indica, limitando o tamanho de qualquer subsídio.

A empresa também tem claramente definidas a delegação de responsabilidades e a prestação de contas entre níveis na cadeia de comando, sendo atribuída ao conselho a responsabilidade global pelos objetivos estratégicos de longo prazo, orçamentos anuais, contas estatutárias auditadas anuais, investimentos de grande porte e propostas de alienação, propostas de financiamento de vulto, nomeação do CEO e do planejamento sucessório, bem como mudanças no conselho.

Nesse meio-tempo, o Comitê Executivo da Temasek examina, avalia e aprova assuntos relacionados com supervisão e controle, propostas de financiamento, fusões e aquisições até certo limite estabelecido, mudanças na estrutura da participação acionária, política de dividendos e quaisquer outras importantes decisões operacionais delegadas pelo conselho. Ele também tem outros comitês especializados, entre eles um Comitê de Auditoria e um Comitê de Desenvolvimento de Liderança e Compensação.[25]

O estatuto da *holding* declara com clareza seu único objetivo – maximizar o valor. O estatuto é um documento elaborado de modo profissional que delineia a gestão de investimentos para criar e maximizar o valor do acionista, equilibrando os riscos por meio de uma estrutura de gerenciamento de riscos que abrange riscos estratégicos, operacionais e de desempenho, entre eles riscos financeiros como taxas de juros, exposição cambial e risco de crédito da contraparte. É usado um modelo estatístico de valor de risco (VaR) para a avaliação do risco de mercado do portfólio, e crivos e análises de cenário mensais avaliam o efeito de eventos de baixa probabilidade e alto impacto para complementar o modelo VaR.

A Temasek começou com uma estrutura de gestão básica, formada, acima de tudo, por ex-funcionários públicos, para lidar com a participação acionária da empresa no portfólio de companhias de início bastante eclético. A empresa a partir de então melhorou seu profissionalismo, em particular ao abrir a economia no início da década de 1990, estando hoje estabelecida como atrativo participante do setor comercial. No que diz respeito aos profissionais de alto nível, hoje mais de 40% dos executivos têm formação internacional, entre eles Simon Israel (ex-presidente do conselho de administração, no Pacífico Asiático, da Danone, a maior fabricante de iogurte do mundo, e da Sara Lee Corp., na Ásia), diretor executivo e presidente, que se afastou da Temasek em 2011, e Gregory Curl, ex-executivo do Bank of America, que hoje supervisiona os investimentos da empresa nos Estados Unidos e de serviços financeiros. Quatro em treze diretores não executivos são executivos internacionais, entre eles Marcus Wallenberg, industrial sueco, Robert Zoellick, ex-presidente do Banco Mundial e Peter Voser, ex-CEO da Royal Dutch Shell. A empresa tem cerca de 490 funcionários, com 29 diferentes nacionalidades, em mais de onze cidades pelo mundo afora.

Como acionista ativo, ela declara não participar da administração cotidiana das empresas de seu portfólio, afirmação que é em termos jurídicos enfatizada pela declaração de que ela não assume nenhuma responsabilidade pelos seus riscos financeiros, mas responsabiliza os conselhos dessas empresas pelo desempenho financeiro e por seus processos de gerenciamento de riscos.[26]

Os funcionários recebem incentivos por meio de um sistema de bonificação com base em desempenho individual, de equipes e dentro da empresa como um todo. Retornos acima ou abaixo de um limite ajustado em função do risco determinam o *pool* de incentivos no longo prazo, que são pagos além dos bônus anuais em dinheiro e dos incentivos de médio prazo.

A transparência é importante

A Temasek é uma empresa privada isenta de acordo com a Lei das Companhias e, portanto, não tem a obrigação legal de submeter suas demonstrações financeiras ao cartório público de Cingapura. No entanto, a empresa optou por publicar um Resumo Financeiro de Grupo e o desempenho do portfólio na Avaliação da Temasek a partir de 2004. E a empresa publica demonstrações financeiras consolidadas preparadas de acordo com os Padrões de Informes Financeiros de Cingapura, que diferem um pouco dos Padrões de Informes Financeiros Internacionais, e de acordo com princípios contábeis geralmente aceitos nos Estados Unidos. Além disso, essas demonstrações são auditadas por firmas de auditoria internacionais.

Graças ao seu sucesso e à governança bem organizada, a Temasek tem atualmente uma classificação de crédito corporativa, independente do governo de Cingapura, de Aaa (na Moody's) e AAA (na Standard & Poor). A empresa também emitiu vários prospectos de títulos, aumentando ainda mais a transparência e, ao mesmo tempo, ampliando a base de *stakeholders* de investidores profissionais que investigam a Temasek como investimento.

A Temasek como exemplo a ser seguido

Como fundo de riqueza pioneiro com mais de quarenta anos de um desempenho financeiro excepcional, a Temasek se tornou um exemplo a ser seguido por uma série de países que imitaram o seu sucesso, entre eles a Malásia, o Vietnã, Abu Dhabi e Dubai, além de tentativas europeias, como a da Finlândia.

A China tem proclamado oficialmente que pretende melhorar seus mecanismos de propriedade estatal e criar uma *holding* como a Temasek. Talvez parte da sedução para o governo chinês de aprender com o exemplo da Temasek seja a sua expansão internacional bem-sucedida. Críticos diriam que uma coisa é administrar um país insular com 5 milhões de habitantes e outra muito diferente é fazer o mesmo no país mais populoso do mundo, que tem uma população de mais de 1,35 bilhão de pessoas. Xi Jinping, o atual presidente da China, ao que tudo indica, foi incentivado por Sun Tzu, o lendário estrategista militar e autor de *A Arte da Guerra*, que, parafraseando, disse que comandar um pequeno ou grande exército é exatamente a mesma coisa; tudo diz respeito à organização.

Para a China, copiar a Temasek poderia ser uma vantagem. As empresas estatais ainda são responsáveis por um terço a um quarto do PIB, e, quando expressas como parcela da fabricação, as estatais correspondem a 20% da produção. No entanto, o desempenho delas é deplorável.[27] O retorno das empresas estatais sobre os ativos com relação ao custo do capital é muito baixo (cerca de 3,7% em 2013), menos da metade do custo do capital. Existe uma enorme oportunidade de impulsionar o crescimento econômico na China por meio da estruturação do portfólio de ativos públicos, como parte das reformas estruturais e também para reprimir a corrupção e a insatisfatória alocação de ativos. A experiência da Temasek indica que a consolidação de todo o portfólio em uma *holding* independente protegida da interferência do governo e com gestão profissional seria com certeza o que a China precisa.

No Capítulo 9, vamos examinar com mais rigor como dar o primeiro passo crucial nessa direção, tornando os ativos públicos transparentes e justificáveis.

Capítulo 9

A MONETIZAÇÃO DO VALOR MELHORA A DEMOCRACIA E OS RENDIMENTOS

Jamais poderíamos esperar que um político responsável pelo sistema de saúde, ou aqueles por ele nomeados nos ministérios, administre um hospital ou decida qual equipamento de raios X deva ser comprado. No entanto, enquanto a governança dos ativos comerciais públicos for mantida dentro do governo, como em uma economia de planejamento central, os políticos e burocratas do governo sempre serão suspeitos de interferência. Se o receio das acusações de interferência conduzir a um controle totalmente passivo, as estatais órfãs também poderão malograr.

Neste capítulo, vamos discutir como a governança das empresas estatais pode se tornar transparente, possibilitando assim a criação de valor e, no final, promovendo também sólidos princípios democráticos.

A questão mais fundamental em qualquer empresa envolve a maximização do valor econômico, o que requer experiência e qualificações bem diferentes daquelas necessárias para altercações e concessões políticas. Desse modo, como assinalamos, o mundo das estratégias comerciais e o das táticas políticas são inteiramente incompatíveis, motivo pelo qual, com pouca frequência, os políticos podem ser donos de empresas ideais. Os interesses políticos são muito mais amplos do que a maximização do valor, mas, por outro lado, às vezes muito mais restritos. Na melhor das hipóteses, o governo busca promover metas sociais mais vastas. No entanto, um político também precisa formar coalizões, as quais podem requerer ambiguidade e promessas obscuras. Na pior das hipóteses, predominam os objetivos egoístas, o clientelismo ou a mera ignorância.

Em contrapartida, gestores e investidores, com sua competência em operações comerciais, vicejam em metas quantificáveis que todos devem apoiar para garantir que sejam bem-sucedidas. Eles fazem o possível para ter uma cultura coerente, bem compreendida e, sem dúvida, comunicável, com iniciativas individuais dentro de uma estrutura definida. Além disso, os mercados de ações e quase todos os *stakeholders* financeiros externos dependem da apresentação de promessas ou objetivos quantificáveis bem definidos.

A linha divisória entre competências políticas e empresariais e a cultura deixam um vácuo nas empresas estatais. Do nosso ponto de vista, enquanto o governo estiver envolvido com qualquer ativo comercial, essa linha divisória precisa ser transposta pela governança profissional independentemente desses ativos públicos.

Diretivas políticas para as estatais visando maximizar os lucros não darão conta do recado. Em muitos casos, as estatais são monopólios, campeãs nacionais, ou companhias favorecidas que podem usar sua vantagem para recolher os lucros excedentes – em detrimento do país. Mais exatamente, em muitas economias emergentes com mercados menos desenvolvidos, os investimentos do governo são encarados como o deus hindu Ganesh – o deus elefante e removedor de obstáculos em um ambiente sob outros aspectos impenetrável –, capaz de colher lucros maiores. Como exemplo, podemos citar as instituições petrolíferas e financeiras controladas pelo Estado chinês, que foram responsáveis por três a quatro quintos de todos os lucros obtidos pelas empresas registradas no mercado de ações chinês a partir de 2005.[1]

Além disso, a propriedade pública de ativos comerciais é semelhante a um vício, um hábito reconfortante e conveniente capaz de satisfazer muitos grupos de interesses especiais. Embora operar a companhia seja um estorvo para o orçamento público e a economia, o governo e seus codependentes tendem a se recusar a admitir a realidade. Para eles, evitar a transparência, a qual imporia um exame mais atento dos fatos e da realidade da situação, é com frequência o que há de mais fundamental nos negócios.

A eliminação desse vício começa com a formulação de três perguntas: Qual é o valor dos ativos? Quanto esses ativos custam aos contribuintes? Como eles podem ser usados para a obtenção de rendimentos mais razoáveis?

Combinando gestão ativa com controle político

Um proprietário que deseje assumir ativamente o controle de um portfólio pode contratar "dirigentes corporativos" profissionais para obter uma utilização mais eficiente do capital que investiram em um esforço de criar retornos mais elevados desenvolvendo ativamente os ativos do portfólio. O "controle dinâmico" é o que os proprietários, empresários e profissionais de fundos de *private equity* fazem todos os dias no setor privado. E os governos podem contratar profissionais para administrar o seu portfólio de ativos comerciais da mesma maneira como fazem os fundos de pensão quando contratam "sócios solidários" quando investem em um fundo de *private equity*.

Governança ativa não é apenas questão de evitar o desperdício, a corrupção, os interesses de grupos especiais e o capitalismo clientelista. Governança ativa também significa desenvolver os negócios e otimizar a estrutura de capital com estratégia operacional competitiva para maximizar o valor. Fazer isso com a riqueza pública deveria visar a obtenção de retornos financeiros semelhantes a ativos comparáveis no setor privado – para beneficiar todos os contribuintes. A lacuna entre os rendimentos de uma empresa estatal e os da sua concorrente no setor privado é, na realidade, uma perda de renda para os contribuintes. A perda beneficia os interesses de um grupo especial – pagos pelos contribuintes.

Um melhor foco no valor da riqueza pública é particularmente importante à medida que a população envelhece. Os países precisam ter balanços patrimoniais mais fortes, com bons retornos sobre os ativos, para que possam cumprir as promessas feitas pelo Estado do bem-estar social – para pensões, assistência médica e educação, entre outras coisas.

Nos melhores lugares, os governos atuam como árbitros, independentes de todos os participantes, visando reduzir os lucros e a ineficiência dos monopólios, reduzindo preços para os usuários finais, aumentando investimentos e a produtividade, e incentivando a concorrência no setor. Essa posição é irreconciliável com o envolvimento direto nas empresas estatais. Desde que esses papéis sejam de responsabilidade dos mesmos departamentos do governo, eles onerarão esse governo, bem como sua economia.

Em um de seus livros, Francis Fukuyama discutiu os três elementos básicos necessários para uma sociedade bem organizada: um Estado forte, o primado da lei e a responsabilidade democrática. Ele afirma que os três são essenciais. Além disso, afirma ele, o que mais importa é seguir de maneira correta a sequência. A democracia não vem em primeiro lugar, e sim o Estado forte. Os Estados que tentam fazer uma democratização antes de adquirir a capacidade de governar com eficiência sempre fracassam.[2]

Em um espírito semelhante, argumentamos que gerir os ativos públicos em um processo político sem dar atenção aos princípios está fadado ao fracasso. Os princípios mais importantes são os seguintes:

1. *Transparência*: o que inclui tanto a gestão transparente dos ativos e a contabilidade adequada, bem como a busca transparente de metas sociais.
2. *Objetivo claro*: ter em mente que a maximização do valor é o único objetivo.
3. *Independência política*: com um veículo de controle independente operando a distância de qualquer função governamental.

Esses três princípios estão entrelaçados. Independência política sem transparência ou um objetivo claro criará um monstro sem nenhuma orientação, freios e contrapesos. Manter um objetivo claro é impossível sem a transparência promovida por avaliações independentes e contabilidade apropriada.

Transparência

A transparência é o pré-requisito essencial. Sem transparência, não existe nenhum mapa, nenhuma maneira de encontrar os ativos ou capacidade de consolidar o portfólio, removendo os ativos não comerciais. A transparência é o princípio orientador para mensurar e atribuir a responsabilidade de desenvolver eficiência operacional, estrutura de capital e um modelo empresarial competitivo. Sem transparência, os grupos de interesses especiais inventam com facilidade argumentos para manter o *status quo*. Enquanto informações relevantes a respeito de ativos comerciais públicos, inclusive tamanho, valor e rendimento deles, não forem divulgadas para o público em geral, mais provável será que esses ativos deixem de ter prioridade na agenda política. A monetização dos ativos públicos torna transparente a riqueza pública oculta e também fortalece a capacidade do governo de adotar metas sociais além da maximização do valor.

A transparência e a divulgação são componentes essenciais em qualquer estrutura moderna de governança corporativa. Elas respaldam os esforços de melhorar a qualidade e a eficácia da supervisão. Incluem a aplicação de padrões internacionais nos relatórios contábeis e financeiros, bem como a sujeição a auditorias externas anuais. Todos esses componentes expõem o desempenho a maior escrutínio público e, por sua vez, oferecem um forte incentivo para melhorar a administração, o monitoramento e o exercício do controle de maneira mais eficaz.

No caso dos bens imóveis, a transparência iria além de criar um cadastro público, e de usar a contabilidade de exercício e um balanço patrimonial, como sugerido por Buiter[3] e Tanzi e Prakash.[4] Utilizar uma *holding* incorporaria todas as ferramentas e estruturas relacionadas do setor privado usadas regularmente para ativos semelhantes, como criar um inventário profissional adequado de todos os ativos imobiliários, com avaliações independentes e estruturas contábeis e jurídicas que as acompanhem. Com a plataforma institucional, poderíamos abolir por completo muitas das soluções improvisadas que a governança pública em geral traz consigo.

O conceito da transparência de um portfólio de ativos estatais comerciais também inclui avaliar de maneira transparente o crescimento (ou pelo menos a mudança) e atribuir responsabilidade, ou seja, uma transparência igual a de uma corporação cujas ações estejam registradas nos mercados de ações, bem como a identificação transparente de quaisquer objetivos sociais que estejam sendo buscados. Quando os governos querem que as estatais busquem metas sociais (além de maximizar o valor), essas metas precisam se tornar transparentes sem ser confundidas com o objetivo da maximização do valor. Isso significa que as estatais devam ser explicitamente pagas por buscar metas sociais, ou multadas por externalidades negativas, como a precificação de monopólio ou encargos ambientais adicionais.

A implementação de uma política de transparência abrangente, como as Diretrizes para a Divulgação Externa de Informações do Governo Sueco,[5] deveria obrigar o governo a publicar um relatório anual consolidado para todos os ativos estatais, inclusive para os bens imóveis. Essas declarações financeiras também deveriam ser auditadas por uma empresa de auditoria internacionalmente reconhecida. Esse relatório deveria consolidar os relatórios anuais de ativos estatais individuais, bem como ativos ainda não incorporados, como todos os bens imóveis e propriedades, inclusive terras e recursos florestais. Cada relatório anual, portanto, apresentaria uma descrição satisfatória do desenvolvimento do portfólio público, de cada uma das principais empresas do portfólio, de suas atividades comerciais, posição financeira e resultado final, de acordo com as leis e práticas aceitas. Um bom exemplo dessa transparência pode ser encontrado na Solidium, o FRN da Finlândia, fundado em 2008.[6] Além disso, os subsídios deveriam ser identificados separadamente.

Os fluxos de caixa entre governo e empresas públicas do portfólio também devem ser transparentes, para garantir a utilização eficiente de recursos do governo e possibilitar a avaliação do risco fiscal total do portfólio. Como sabemos que o impacto fiscal dos ativos públicos pode corresponder a um percentual significativo do PIB, isso deveria incluir pagamentos de dividendos, subsídios ou injeções de capital em operações que tenham malogrado (como com bancos ou outras entidades).

O potencial para a privatização também sofre devido à administração insatisfatória do risco financeiro, como quando as entidades cuja privatização é planejada estão muito endividadas, o que faz o valor cair de tal maneira, que só possam ser privatizadas para os credores.

Um objetivo claro

O segundo princípio orientador, seguir um objetivo claro, significa abarcar, implementar e comunicar a maximização do valor como único objetivo do portfólio público. Um único objetivo é o pré-requisito para qualquer proprietário, para que ele possa harmonizar seus interesses com os da empresa, o que inclui interesses do conselho de administração, dos executivos e de cada funcionário. Quando o objetivo não está claro, os resultados tendem a ser também incertos, e a empresa com toda a probabilidade perderá o rumo. Vemos isso em *Alice no País das Maravilhas*, quando Alice pergunta ao Gato de Cheshire: "Você poderia me dizer, por favor, que caminho devo tomar?", e ouve a seguinte resposta: "Isso depende muito de aonde você quer chegar". A resposta de Alice: "Qualquer lugar está bem" evoca a resposta totalmente razoável do Gato: "Então você pode tomar qualquer caminho".

No entanto, sabemos que "aonde você quer chegar" é muito importante nos negócios. Além disso, quem chega lá primeiro também é muito importante – assim como quem chega lá da maneira mais eficiente. No caso das empresas estatais, não basta chegar "a algum lugar", como explica o Gato de Cheshire: "se você apenas caminhar por um tempo suficiente". Como vimos nos capítulos anteriores, isso pode ser um enorme desperdício do dinheiro dos contribuintes e, na realidade, da riqueza nacional.

Ao se esforçar por alcançar a maximização do valor, a empresa também tem a opção de introduzir incentivos para todos os funcionários, como fizeram algumas das empresas estatais suecas (o que foi examinado no Capítulo 8).[7]

Um objetivo claro também é fundamental para a transparência e a supervisão. Metas facilmente quantificáveis possibilitam que os dirigentes corporativos avaliem o desempenho. Os ativos comerciais também encarregados de levar a cabo um objetivo de política pública deveriam publicar uma clara descrição desse objetivo e quantificar o custo total de alcançar essa política, quer eles estejam cobertos por subsídios ou de outra maneira, como sugerido pelas Diretrizes sobre a Governança de Empresas Estatais da OCDE de 2005.[8]

As instituições estatais têm uma vantagem inerente sobre as empresas privadas em alguns mercados, em especial nos serviços financeiros. Algumas vezes, os governos lidaram de modo eficaz com isso, como quando o governo do Reino Unido publicou um código de conduta para demonstrar que ele não usaria o seu *status* de controle acionário no Northern Rock (o "banco bom" remanescente da Northern Rock Building Society nacionalizada no início da crise financeira mundial) para obter uma vantagem competitiva injusta na arrecadação de depósitos. Em outros casos, como no resgate financeiro norte-americano da AIG – American International Group, essas restrições não vigoraram. Os concorrentes, portanto, sentiram que a AIG era capaz de usar o seu controle acionário do governo como uma arma competitiva injusta.

A União Europeia tem regulamentações detalhadas e complexas que restringem a ajuda estatal. No entanto, elas parecem ser de igual modo violadas e respeitadas, pelo visto com base no país em questão e no número de empregos nacionais que estão em risco. O resultado preciso das negociações de ajuda estatal dependerá dos prós e contras econômicos envolvidos em cada circunstância e, sem dúvida, da barganha política. A concorrência justa e aberta, com o governo agindo como um regulador imparcial (defendendo a perspectiva do consumidor), é a base sobre a qual qualquer setor pode prosperar. Além disso, qualquer ativo precisa divulgar com transparência todo o apoio que recebe do seu proprietário.

Independência política

A independência política é necessária para garantir condições iguais para todos e evitar distorções no mercado quando estatais comerciais e empresas do setor privado concorrem umas com as outras. Mas a independência política funciona em ambas as direções. Ela também protege os políticos, evitando que eles se envolvam em problemas corporativos e afastando-os da tentação do clientelismo ou até mesmo da corrupção.

A estrutura jurídica e regulatória para os ativos estatais deveria incluir uma clara separação entre a função de governança do controle do governo e outras funções estratégicas, em particular no que diz respeito às regulamentações do mercado. Esse tipo de reforma institucional possibilita uma separação transparente entre os objetivos comerciais e os objetivos não comerciais, e cria uma nítida separação entre os ativos comerciais e os ativos não comerciais com base em uma perspectiva operacional e organizacional.

A implementação desse tipo de separação é uma decisão política importante e fundamental, já que os dois diferentes tipos de ativos requerem modos de governança e recursos de gestão distintos. Os ativos não comerciais, usados para pôr em prática a política do governo, devem, portanto, ser administrados pela mesma estrutura que qualquer política do governo. Eles podem ser administrados por funcionários públicos dentro da estrutura governamental, e requerem a experiência relevante. Nesse meio-tempo, os ativos comerciais, como indica o nome, devem ser administrados dentro de um sistema de referência e estrutura de gestão semelhante aos dos concorrentes do setor privado.

Uma vez separados do controle político, os gestores de um portfólio de ativos comerciais devem procurar adotar uma abordagem mais profissional, a qual deve, por sua vez, possibilitar que preencham qualquer lacuna de desempenho com seus colegas do setor privado. O desafio pode ser delineado na publicação de um relatório financeiro de todo o portfólio. Este deverá mostrar o valor total, os rendimentos e as principais informações financeiras para o portfólio como um todo, e incluir um desmembramento de seus principais setores para declarar publicamente o caráter do portfólio e os desafios ou ambiente que cada ativo enfrenta.

As empresas podem ser geridas comercialmente mesmo quando recebem subsídios do governo, como quando os serviços de trem ou de ônibus têm tarifas gratuitas ou reduzidas para pensionistas, ou para serviços postais relacionados a áreas rurais ou pouco povoadas. Estes deveriam estar sujeitos a processos de licitação pública a fim de garantir a eficiência de custos. Os fatores relevantes aqui envolvem garantir um entendimento transparente e formalizado da natureza e do custo de qualquer subsídio, de preferência expondo a realização de metas sociais à concorrência por meio de algum tipo de aquisição pública.

A independência política nem sempre é alcançada por meio da criação de uma *holding* formalmente independente. Na maioria dos países, existem vínculos e dependências informais que criam problemas. Várias medidas podem fortalecer a independência política.

A ampliação da base de *stakeholders* por meio de um aumento da dívida com base em uma classificação de crédito independente para a *holding* proporciona um nível de independência política adicional, já que isso mede o risco de crédito específico. Cerca de um terço dos FRNs têm uma classificação de crédito. Por exemplo, a Temasek em Cingapura tem uma classificação independente do governo, enquanto a classificação de crédito de Mubadala, em Abu Dhabi, é respaldada pelo governo. Esse tipo de independência ainda é discutível e permanecerá assim até que seja testada de maneira adequada. Não obstante, os procedimentos envolvidos na obtenção de uma classificação de crédito proporcionam um teste para a empresa, bem como informações valiosas para o mercado. Além disso, o esforço constante para manter ou melhorar uma classificação com toda certeza fortalecerá ainda mais a independência da *holding*.

É claro que registrar a *holding* em um mercado de ações é a maneira mais eficiente de expandir a base de *stakeholders*, aumentando a transparência e a pressão do mercado sobre o ativo. Até esta data, somente a CITIC na China ainda é um veículo registrado (em Hong Kong). A *holding* do Estado romeno, a Fondul Proprietatea, criada para compensar os cidadãos pelas propriedades confiscadas durante a ex-ditadura comunista, foi registrada em 2011. Nesse caso, contudo, o governo foi vendendo aos poucos todas as suas ações, de modo que a companhia é hoje, como um todo, privada. Antes de privatizá-la, o governo romeno introduziu outra inovação na gestão da riqueza pública ao terceirizar a gestão da *holding* e seu portfólio para a administradora de ativos estabelecida nos Estados Unidos, a Franklin Templeton Investments. Esta é, sem dúvida, uma boa maneira de demonstrar um controle distante do governo ao obter a gestão do portfólio por meio de um processo público competitivo.

Eliminação do vício

É tão difícil alcançar independência quanto conquistar confiança. É preciso autodisciplina até mesmo para estabelecer uma imagem de independência com relação ao controle político. E, mesmo depois de muito esforço, um pequeno passo em falso pode fazer com que o público e os *stakeholders* percam, em um curto espaço de tempo, toda a confiança de que o governo ou seus representantes tenham de fato abandonado a interferência política no curto prazo.

Tanto as economias desenvolvidas quanto as emergentes precisam lidar com o seu vício da participação estatal de ativos substanciais. Os países ocidentais desenvolvidos precisam mudar porque estão indo à falência e não podem se dar ao luxo de desconsiderar esse recurso ocioso em seus balanços patrimoniais. A economia do mundo emergente precisa reavaliar a sua opinião sobre os ativos públicos a fim de melhorar o crescimento econômico, como argumentam Micklethwait e Wooldridge no seu recente livro, *The Fourth Revolution: The Global Race to Reinvent the State.*[9] A era do governo inteligente começou e parece que o Ocidente está sendo deixado para trás nessa corrida. Os governos mais avançados na área da gestão da riqueza pública não incluem os Estados Unidos, mas são encontrados na Ásia e, em um certo grau, na Europa. O fator propulsor neste caso é que esses países, talvez em virtude do seu tamanho, tenham reconhecido que se trata de uma corrida.

Migrar para a gestão profissional dos ativos públicos significa tomar uma decisão ativa. Mas isso é com frequência acionado por um desagradável despertar no meio de uma crise que possibilita a mobilização de considerável vontade política, preparada para enfrentar com determinação grupos de interesses especiais, que se beneficiam diretamente dos ativos. Ao discutir os efeitos perniciosos da política dos grupos de interesses especiais sobre o crescimento econômico e a democracia, o economista Mancur Olson argumentou que seria necessária uma guerra ou uma revolução para interromper a caça à renda improdutiva e dispendiosa por parte de grupos de interesses especiais.[10]

Esse talvez seja o motivo pelo qual, quando o governo Thatcher iniciou reformas em 1979 em resposta à prolongada crise no Reino Unido da década de 1970, ele tenha sido considerado o indiscutível campeão nessa área – daí o termo "thatcherismo". Sem dúvida, o Reino Unido teve êxito na revitalização de sua economia graças à enorme onda de reformas estruturais e privatizações realizadas nas décadas de 1980 e 1990. No entanto, o mérito também deve ser atribuído à existência de um Estado forte, a mercados que ainda estavam em funcionamento (inclusive os mercados financeiros), e a uma sociedade civil bem desenvolvida, capaz de digerir uma transformação tão grandiosa.

Argumentamos que até mesmo economias bem desenvolvidas, como a do Reino Unido, podem se beneficiar muito ao institucionalizar essa transição de uma forma ainda mais transparente, separando com mais clareza a propriedade da responsabilidade regulatória do governo. As instituições independentes com um objetivo bem definido ajudam a concentrar o debate nos resultados, como o serviço e o produto efetivamente proporcionados.

Tendo em vista que a maior parte da riqueza pertence aos governos locais, um país se beneficiaria se confiasse os seus ativos comerciais públicos a um FRN não apenas no nível do governo central, mas também como uma *holding* à parte ou fundo de riqueza "local" para o nível do governo local.

As *holdings* estatais na Ásia são, não raro, instrumentos do capitalismo estatal – não inteiramente diferentes da antiga Companhia das Índias Orientais – entusiásticas globalizadoras, aventurando-se no exterior em parte como organizações lucrativas e em parte como agentes quase oficiais do seu governo natal. Muitas estão interessadas, de modo excepcional, não apenas em conseguir que seu governo conceda empréstimos em condições favoráveis e força diplomática, mas também em construir infraestrutura – estradas, hospitais e escolas – em troca do acesso garantido a matérias-primas.[11]

Os FRNs europeus na Áustria e na Finlândia adotaram o modelo da *holding* profissional com propósitos mais defensivos para fazer com que seu portfólio se tornasse um melhor veículo de desenvolvimento, impedindo que instrumentos estrangeiros do estado ou do capitalismo clientelista se apoderassem de ativos estatais essenciais.

Nos Capítulos 10 a 13, examinaremos mais de perto como os FRNs atuais operam e como poderiam operar em muitos outros países.

Capítulo 10

TRANSIÇÃO PARA OS FUNDOS DE RIQUEZA NACIONAL

Em termos históricos, os países administraram os seus ativos públicos de uma maneira fragmentada, dependendo da natureza dos ativos e da história deles. Comumente, as estradas de ferro, as telecomunicações e outros ativos semelhantes eram controlados, por exemplo, por meio dos ministérios dos Transportes/das Comunicações, e os ativos de eletricidade por meio do ministério da Energia e assim por diante. Essa estrutura era natural em uma economia de planejamento central e em uma economia de mercado quando a regulamentação de um setor e a participação dos ativos do monopólio estatal no mesmo setor estavam integrados sob o mesmo ministério específico do setor.

Abandonar essa estrutura e adotar uma governança terceirizada com uma estrutura institucional independente, uma *holding* que opere a distância da política – o fundo de riqueza nacional (FRN) – possibilita a utilização do *kit* de ferramentas apropriado do setor privado. No entanto, no caso da maioria dos governos, o caminho em direção a essa meta não é simples e direto, e sim repleto de desafios e de escolhas entre a sobrevivência política e a sagacidade econômica.

Definimos fundo de riqueza nacional como uma *holding* protegida e afastada da influência política de curto prazo do governo, enquanto um fundo de riqueza regional ou fundo de riqueza urbano opera no nível regional e local (veja a Figura 10.1).

FIGURA **10.1.** Fundos de riqueza ilustrados.

Esses fundos são constituídos para alcançar exigências operacionais, que Buiter (1983) e Tanzi e Prakash (2000) defenderam, necessárias para a gestão mais eficiente desses ativos. Eles se sujeitariam à estrutura jurídica à qual todos os ativos comerciais do setor privado estão sujeitos, inclusive um registro nacional/cadastro e Padrões de Relatórios Financeiros Internacionais, que exibiriam os valores de mercado do portfólio, o que poderia ajudar a determinar a utilização alternativa de cada ativo e, com isso, uma gestão eficiente.

A princípio, analisamos como os ativos públicos têm sido com frequência administrados. Isso prepara o terreno para nossa descrição detalhada da transição para os FRNs.

A governança tradicional descentralizada

A estrutura descentralizada que integra a função regulatória e a governança das empresas estatais nos ministérios do governo seguiu um precedente histórico. A perspectiva financeira da governança dos ativos comerciais estava ausente, em parte porque os ativos não eram vistos nem definidos como comerciais. A governança corporativa e a gestão da propriedade estatal dos ativos comerciais deveriam ser interpretadas segundo a definição clássica: "as maneiras pelas quais aqueles que fornecem recursos às corporações garantem que irão receber um retorno sobre o seu investimento".[1] Nos últimos tempos, a definição se tornou mais ampla, como enunciada pelo Fórum Internacional de Governança

Corporativa: "A governança corporativa se refere às estruturas e processos para a direção e o controle das empresas. A governança corporativa diz respeito aos relacionamentos entre a gestão, a Diretoria, os acionistas majoritários, os acionistas minoritários e outros *stakeholders*", o que é uma adaptação da definição do Cadbury Code do Reino Unido de 1992.[2]

Depois de ondas de desregulamentação, o aspecto comercial dos ativos públicos se tornou mais visível, mas isso também expôs conflitos inerentes. A ideia da autorregulamentação dentro de um ministério, combinando dois objetivos irreconciliáveis como a regulamentação e a propriedade debaixo do mesmo teto, não raro é comparada a um sistema judicial no qual o presidente do tribunal e o chefe de polícia estariam sob a jurisdição do mesmo órgão do governo, ou a um jogo de futebol no qual o árbitro também estaria jogando em um dos times. Esse conflito de interesses, não raro, com uma complexa rede de leis parcialmente coincidentes e, às vezes, contraditórias, cria um vácuo de governança não transparente, e vastas oportunidades para os grupos de interesses especiais.

O modelo completamente descentralizado foi em grande medida abandonado no mundo ocidental, prevalecendo apenas em algumas economias, como a da Ucrânia e a da Grécia.

O desenvolvimento tecnológico, como internet, telefonia móvel e logística, bem como uma economia mundial cada vez mais globalizada, tornou obsoletos muitos modelos empresariais. O aprimoramento das eficiências operacional e financeira exigiu reestruturações radicais, com risco agregado, que seriam mais bem administradas pelo setor privado, caso tivessem sido privatizadas. Nesse ambiente, os ativos estatais comerciais são uma faca de dois gumes. Independentemente do tamanho da participação acionária do governo em uma empresa, ela sempre será considerada estatal nas ocasiões de crise. Mais cedo ou mais tarde, um político responsável pelo controle de um ativo comercial se vê entre a cruz e a espada. Em algum momento, uma escolha difícil terá que ser feita, como entre maximizar o número de funcionários e os níveis salariais ou maximizar os lucros e o valor na empresa. Os políticos poderão evitar tomar decisões estritamente comerciais, como fechar fábricas ou reduzir oportunidades de emprego, se isso colocar em risco seu apelo popular.

Uma dupla estrutura de comando era às vezes introduzida como uma meia medida para aplacar as crescentes exigências dos investidores internacionais e dos mercados de capital, pela qual o ministério das Finanças entra como um ministério participante, junto com o ministério do setor específico. O objetivo do ministério das Finanças era ter um foco especial no monitoramento financeiro e fiscal, quase como um CFO público. Ele era visto como um passo na direção da modernização da estrutura institucional que estava gerindo os ativos estatais, introduzindo uma abordagem mais financeira, inclusive um objetivo único de maximização de valor e, desse modo, uma função de supervisão um tanto melhor.

É essencial que os governos sejam capazes de avaliar o risco fiscal associado à posse dos ativos comerciais, como é delineado pelo Banco Mundial na sua estrutura para avaliação do risco dos órgãos estatais.[3] Isso inclui o risco de pedidos inesperados de financiamento orçamentário para resolver questões de liquidez ou de solvência, ou para compensar déficits em dividendos prometidos que foram orçados no lado da receita. Além disso, o governo precisa entender os níveis de débito e os níveis de garantias em aberto. Isso pode corresponder a quantias substanciais, como no caso da explosão de contratações de empréstimos pelas empresas estatais e pelos governos que empurrou o coeficiente da dívida com relação ao PIB da China para 251% em meados de 2014, coeficiente esse que era de 147% antes da crise financeira.[4]

O ministério das Finanças é, em última análise, responsável pela gestão financeira e fiscal. Por conseguinte, um ministério de setor específico teria que compartilhar as informações necessárias com o ministério das Finanças. No entanto, um duplo comando nunca é ideal. A relutância em evitar a atribuição de uma clara responsabilidade e prestação de contas possibilita que grupos de interesses especiais preencham a lacuna e controlem toda a cadeia de valor — como no provérbio que diz que, quando duas pessoas brigam, a terceira vence (e fica com toda a pilhagem).

Este também é o caso em que uma agência de privatização governamental especializada é formada, ao que tudo indica, para administrar a privatização dos ativos. Essa agência pode agir como uma espécie de consultor financeiro corporativo interno, como ocorreu na Grécia e na Ucrânia. No entanto, sem a transferência legal dos direitos de propriedade, isso só adiciona outra camada de supervisão governamental, repleta de oportunidades para que interesses conflitantes assumam o controle em vez de uma abordagem focada na qual a responsabilidade seja, sem dúvida, atribuída a uma única instituição corporativa, ao seu conselho de administração, a um único presidente do conselho e a um só CEO.

As dificuldades em persuadir os ministérios de setores específicos a renunciar ao controle dos ativos estatais são com frequência citadas como a principal razão pela qual os governos e/ou primeiros-ministros bem-intencionados deixam de consolidar por completo um portfólio público sob uma única unidade. Em países com um Estado mais forte, menos dependente de grupos de interesses especiais, pode surgir uma oportunidade específica em uma crise ou quando uma nomeação ministerial dependa da remoção de ativos comerciais antes da nomeação. Entretanto, uma vez que a nomeação tenha sido feita, resta pouco poder de barganha ao líder do governo para buscar a consolidação.

Como foi discutido no Capítulo 8, a consolidação na Suécia se tornou possível quando vários ministérios com grandes investimentos comerciais foram combinados em um único superministério, o que foi acordado entre os sociais-democratas de alto escalão antes das eleições de 1998. Em contrapartida, uma consolidação semelhante de empresas estatais na Finlândia requereu mais de cinco anos de deliberações políticas e relatórios parlamentares. Outros países nem mesmo contemplam esse tipo de transição enquanto não ocorre uma crise financeira, a qual requer uma melhora imediata na utilização dos recursos estatais.

Um modelo consolidado: a criação de uma *holding*

Apesar dos desafios, mais governos estão avançando de modo gradativo em direção à consolidação da gestão dos direitos de propriedade e do monitoramento financeiro das empresas estatais em uma única entidade de proprietário/gestão, como recomendado pela OCDE.[5]

Os veículos consolidados dessa maneira foram constituídos como uma entidade governamental separada ou como uma *holding* protegida que mantém um relacionamento a distância com o governo – um FRN. Até agora, esses FRNs foram constituídos principalmente para administrar ativos corporativos no nível do governo central, enquanto alguns países também consolidaram a governança de alguns dos seus ativos imobiliários em *holdings* independentes protegidas, como a Bundesimmobiliengesellschaft na Áustria. Por outro lado, a Suécia e outros países optaram por uma abordagem segmentada e criaram uma série de empresas especializadas em bens imóveis, como a Vasakronan (propriedades de escritório e comerciais), a Jernhusen (propriedades relacionadas com ferrovias) e a Akademiska Hus (propriedades relacionadas com universidades e educação superior).

A *holding* já é o modelo preferido de programas de reestruturação temporária para outros ativos estatais. Quando se veem diante de uma crise financeira, quase todos os governos tendem a reconhecer os benefícios da terceirização da gestão de ativos comerciais para uma *holding* do setor privado a fim de desenvolver plenamente o valor desses ativos.

Isso é exemplificado pelo conceito do banco mau, no qual os ativos que não estão tendo um bom desempenho são arrebatados de um banco ou sistema bancário com problemas – que foi usado pela primeira vez nos Estados Unidos durante a crise da poupança e empréstimo do final da década de 1970 e da década de 1980 (veja o Capítulo 3), e usado na Europa e na Ásia nas décadas seguintes. Vários programas de reestruturação e privatização de grandes ativos públicos também foram levados a cabo usando o modelo da *holding* independente, inclusive na Alemanha pós-reunificação, que formou a Treuhandanstalt para privatizar o vasto portfólio dos ativos estatais da antiga Alemanha Oriental.

O governo italiano usou uma versão da *holding* durante a Depressão, em 1933. Ele criou o Istituto per la Ricosstruzione Industriale, ou Instituto Italiano de Reconstrução Industrial (IRI) como uma combinação de um banco mau com um veículo de desenvolvimento. No entanto, no desenvolvimento econômico que ocorreu após a Segunda Guerra Mundial, a falta de independência política rapidamente a transformou em uma ferramenta para a intervenção do Estado e o capitalismo estatal, e ela logo se tornou um dos maiores conglomerados estatais do mundo. Por fim, seus ativos foram privatizados, e a *holding* foi dissolvida. Hoje, a Fintecna, uma *holding* controlada pelo Ministério da Economia e das Finanças por intermédio da Cassa Depositi e Prestiti, administra os poucos ativos que restaram da IRI, como a Fincantieri, com o poder remanescente de apoiar privatizações e reestruturações do governo.

Em tempos menos turbulentos, os políticos, não raro, optam pela entidade governamental interna em vez de entregar o controle direto a uma *holding* independente. Isso é explicado, em parte, pelo desejo de reter a capacidade de criar ou consolidar alianças por meio da nomeação de amigos como diretores dessas empresas. Isso também acontece no setor privado, o que é notoriamente exemplificado pelo conselho de administração da Disney durante a gestão do CEO Michael Eisner (que permaneceu no cargo de 1984 a 2005), do qual faziam parte a ex-diretora da escola de seus filhos e o projetista de sua casa.

Outro argumento frequente contra a consolidação dos ativos, da maneira como propomos, é o medo profundamente arraigado em algumas culturas de delegar tanto poder econômico a uma única entidade ou pessoa. Os contra-argumentos incluem observar a concentração de poder que a maioria dos países conferiu a seus sistemas de defesa, policial e judiciário, e também a um banco central independente.

Em países com um governo central mais fraco e um capitalismo clientelista significativo, o medo de consolidar ativos estatais comerciais sob uma única *holding*, com um único CEO, é que ela poderia ser controlada por oligarcas locais ou ser levada para fora do país. No entanto, a possibilidade de que um portfólio fragmentado, que careça de transparência e de uma governança de última geração, venha a ser controlado por vários oligarcas é, ao que tudo indica, ainda maior. Como exemplo, devido à sua natureza fragmentada e à falta de transparência, os bens imóveis estatais têm a tendência de "desaparecer" em muitos países que careçam de um sistema contábil adequado e de um registro central que possibilite a gestão profissional dos bens imóveis comerciais.

Além disso, o próprio ato da consolidação e a imposição de um objetivo claro e maior transparência são os passos mais importantes de muitos outros necessários para fortalecer a influência do governo central na sociedade contra essas forças. É bem provável que os grupos de interesses especiais não desistirão sem resistência de sua fonte de poder e receitas.

A abordagem da entidade governamental

A consolidação pode melhorar ainda mais a capacidade do governo para a governança dos ativos se os ativos forem administrados por uma entidade separada dentro do governo. Isso representaria uma melhora significativa na transparência. Essa abordagem significa estabelecer uma unidade dedicada, com frequência dentro do ministério das Finanças ou do ministério da Indústria, como na Suécia, na Noruega e no Reino Unido. De modo alternativo, isso poderia ser configurado como uma unidade ou ministério especial diretamente subordinado ao gabinete do primeiro-ministro, como na Finlândia e na China.

Em última análise, os ativos comerciais nunca podem ser desenvolvidos por completo dentro da burocracia do governo, devido às numerosas contradições e objetivos irreconciliáveis entre os negócios e a política. Os ativos estatais comerciais devem estar sujeitos à mesma estrutura legal que seus equivalentes do setor privado, funcionando sob as mesmas condições. Isso possibilita que os ativos públicos concorram com o setor privado de maneira mais equitativa. Como foi discutido antes, a transferência dos ativos imobiliários para um veículo do setor privado daria ao governo as ferramentas para utilizar de maneira ideal ativos, com base em informações completas e com os incentivos para tomar boas decisões.

Um claro mandato mercantil e uma instituição profissional de controle da propriedade contribuem ainda mais para a independência política. Em termos históricos, em muitos casos bem documentados, os conselhos de administração de empresas estatais têm sido fracos, e a interferência política nas questões de gestão cotidianas é mais regra do que exceção.[6]

Do ponto de vista cultural e organizacional, a diferença entre a política e os negócios não pode ser subestimada. O processo político aplica uma abordagem de cima para baixo, com o parlamento ou o governo publicando decisões que são implementadas por meio de um mecanismo burocrático. O ministro do Governo tem exclusiva responsabilidade, usando seu ministério, em grande medida, como pessoal de apoio. Decisões comerciais bem-sucedidas são o resultado da delegação de responsabilidade e da prestação de contas, a fim de possibilitar respostas rápidas. No mundo comercial e nos mercados maduros com produtos estabelecidos, a pessoa da linha de frente é, na realidade, o profissional de vendas, e não o CEO, com a organização presente para apoiar o esforço de vendas. Essas abordagens opostas inevitavelmente entram em conflito.

Por fim, a capacidade do governo de pagar a taxa de mercado para o setor necessário e a qualificação comercial é um fator limitante no desenvolvimento de uma unidade de controle da propriedade completamente profissional dentro dos limites das repartições do governo. Restrições legais atreladas impedem os governos de assumir a plena responsabilidade comercial da gestão dos ativos comerciais.

A abordagem do fundo de riqueza nacional

Colocar os ativos comerciais em uma *holding* protegida afastada da interferência política de curto prazo e com uma gestão profissional confere um *know-how* estratégico e financeiro e vantagens para as operações, além de benefícios econômicos para o país.

No entanto, em geral, a gestão profissional dos ativos públicos enfrenta resistência. Fazendo outra analogia com o esporte, esse tipo de resistência ao profissionalismo demonstra semelhanças com a histórica resistência presenciada contra o esporte profissional. As classes mais abastadas sempre consideraram o amadorismo nos esportes como ideal. Mas esse ideal enfrentou uma erosão constante no século XX, com o crescimento e a aceitação entusiástica de muitas ligas esportivas profissionais. E, enfim, no início do século XXI, até mesmo os Jogos Olímpicos já haviam aceitado como concorrentes diversas equipes esportivas profissionais. Em termos históricos, os homens das classes média e alta que dominavam a comunidade esportiva tinham interesse pessoal em bloquear a profissionalização em seu esporte, já que isso ameaçava tornar possível que as classes trabalhadoras competissem com sucesso. Além disso, homens (e as poucas mulheres) das classes operárias trabalhavam normalmente seis dias por semana, e, com os domingos restritos por motivos religiosos como dia de descanso, tinham pouco tempo para praticar. Esportes, clubes e competições profissionais de hoje levaram a maioria dos esportes a um novo patamar de realização, criando novos setores e também possibilitando que um sem-número de jovens tenham um meio de vida no esporte ou em torno dele, algo com que jamais poderiam ter sonhado antes.

O FRN usa todas as ferramentas apropriadas do setor privado e estruturas institucionais que possibilitam ao governo considerar o portfólio de ativos comerciais como um todo a partir da perspectiva de operação da renda e dos encargos sem as restrições de uma burocracia do setor público. A consolidação sob um veículo do setor privado permite que o governo estabeleça estratégias para lidar com ativos que dão prejuízo, enquanto a prioridade de melhorar o desempenho oferece maiores oportunidades para aumentar o financiamento e escolher circunstâncias ideais para alienações, assim como faz um proprietário do setor privado.

A ideia de um governo administrar os ativos à parte da burocracia do governo não é inteiramente nova. Talvez, a primeira companhia de ativos públicos externa ou "terceirizada" que o mundo viu tenha sido a CDC (Caisse des Dépôts et Consignations, o Fundo de Depósitos e Consignações) na França, criada em 1816 para restabelecer a confiança depois das Guerras Napoleônicas. A sua missão primordial era, e ainda é, o investimento a longo prazo para promover o desenvolvimento econômico na França, a administração da poupança, pensões de aposentadoria e financiamento para a habitação popular, educação e previdência social.

Um antigo exemplo nos Estados Unidos foi a Corporação de Reconstrução das Finanças (RFC, Reconstruction Finance Corporation) da época da depressão, que foi criada em 1933 para impulsionar a confiança nacional e ajudar os bancos a voltar a fazer empréstimos no meio da Grande Depressão. Ela se inspirou na Corporação de Finanças da Guerra, que fora criada para fornecer apoio financeiro às indústrias e aos bancos essenciais para a operação americana na Primeira Guerra Mundial. Depois da Segunda Guerra Mundial, governos de toda a Europa criaram entidades especiais para administrar ativos estatais e/ou cumprir objetivos de desenvolvimento econômico. Um dos primeiros exemplos é a instituição de desenvolvimento alemã KfW (inicialmente KfW Bankengruppen), fundada em 1948.

Os diversos tipos de ativos com os quais os gestores precisam lidar têm vários problemas específicos, como ineficiências do mercado de capitais, incapacidade de apoio de setores econômicos importantes, como as empresas de pequeno e médio porte, ou apoio de um setor bancário que esteja em situação difícil. O vasto leque de funções, estilos e objetivos torna difícil uma categorização precisa, mas, a fim de fornecer o contexto no qual o FRN se encaixa nesse ecossistema de gestores externos, identificamos quatro categorias amplas, que são definidas aqui de maneira breve:

1. *Desenvolvimento econômico*: inclui os bancos de desenvolvimento e instituições semelhantes que propiciam liquidez a economias nacionais, que estão envolvidas com empréstimos a longo prazo e investimentos para projetos e companhias importantes para o desenvolvimento econômico e social nacional. Essas instituições com frequência se tornaram proprietárias de peso de ativos internos, não raro com um foco nas pequenas e médias empresas, na promoção da exportação ou no desenvolvimento de setores promissores, como o FSI (Fonds Stratégique d'Investissement ou Fundo Estratégico de Investimento) na França. Elas às vezes têm um papel no financiamento municipal, como, por exemplo, a KfW na Alemanha, a CDP na Itália, a VEB na Rússia e o Bpifrance (o banco de investimento público que, em 2013, foi a fusão da Oséo, das CDC Enterprises e da FSI) na França.
2. *Ativos em situação difícil*: várias agências foram criadas na sequência das crises financeiras ao longo dos anos com o propósito expresso de controlar os ativos em situação difícil, acima de tudo, do setor bancário. Nos Estados Unidos a RFC foi criada durante a Grande Depressão da década de 1930, seguida pela Resolution Trust Corporation na década de 1980 depois da crise da poupança e empréstimo (como discutido antes) e, bem recentemente, o Troubled Asset Relief Program (TARP) foi criado em 2008 durante a crise financeira internacional. Na Europa, a IRI foi constituída na Itália durante a Grande Depressão, a Securum na Suécia em 1992 durante a sua crise financeira no início da década de 1990, e a Danaharta na Malásia depois da crise financeira asiática de 1997. Mais recentemente, a National Asset Management Agency foi instituída na Irlanda em 2009, a UK Financial Investments no Reino Unido em 2008, o Hellenic Financial Stability Fund foi fundado na Gré-

cia em 2010 e a Bank Assets Management Company na Eslovênia em 2013, todos em resposta à crise financeira internacional.

3. *Privatização*: algumas agências são criadas, acima de tudo, com a finalidade de privatizar ativos estatais a fim de otimizar a administração pública; um dos exemplos mais ambiciosos é a Treuhandanstalt, instituída para administrar a privatização dos ativos da Alemanha Oriental depois da unificação da Alemanha em 1990. Outras prestam serviços financeiros corporativos centrais, além de oferecer o *know-how* de reestruturação e privatização. Com pouca frequência a propriedade é transferida para a agência, com esta limitando-se, na essência, a um papel de supervisão, concentrando-se em ativos que estão para ser privatizados, e raramente no desenvolvimento dos ativos do portfólio. Entre os exemplos estão o Shareholder Executive no Reino Unido, o Hellenic Republic Asset Development Fund na Grécia e o State Property Fund na Ucrânia. A Fintecna na Itália, criada para gerir as últimas partes da IRI, tem poderes um tanto mais amplos, porém com o objetivo último da privatização ou da liquidação.
4. *Administração da riqueza*: a administração da riqueza terceirizada para veículos externos pode ser dividida em duas amplas categorias: a administração da liquidez, ou seja, as suas reservas monetárias, e a administração dos ativos operacionais do governo como os bens imóveis e as corporações.

A administração tradicional das reservas de liquidez (tendo em vista otimizar o equilíbrio entre o risco e o retorno de um excedente orçamentário do governo dentro de uma entidade exclusiva) existe há mais de um século. A expressão "fundo de riqueza soberana" (FRS) foi criada em 2005.[7] No entanto, os primeiros exemplos do que hoje conhecemos como FRS foram constituídos nos Estados Unidos em meados do século XIX, projetados para financiar serviços públicos específicos.[8] O primeiro estado soberano a constituir o seu próprio fundo de investimento foi o Kuwait em 1953, que criou a Kuwait Investment Authority para as suas vastas receitas de petróleo. A partir de 2000, o número de FRSs aumentou de maneira substancial, alcançando um valor de mercado combinado de quase 7 trilhões de dólares em 2014.[9]

A diferença entre os conceitos do FRN e do FRS é semelhante à diferença entre os fundos de *private equity* e *hedge funds*. As estratégias de investimento nas empresas de *private equity* estão ajustadas para estratégias de investimento consolidadas de muitos anos em empresas operantes e projetos em grande escala, ou outros tangíveis que não são convertidos em dinheiro com facilidade. Neste caso, os gestores dos fundos assumem um controle maior e influenciam ativamente as operações e o desenvolvimento dos ativos ou a gestão dos ativos para gerar maiores retornos no longo prazo. Os *hedge funds*, por outro lado, em geral se concentram em títulos com liquidez de curto ou médio prazos, que podem ser rapidamente convertidos em dinheiro, e os seus gestores não têm um controle direto do negócio ou ativo no qual estão investindo. Enquanto a Temasek é um exemplo de um FRN, a GIC em Cingapura, que atua como o gestor do fundo de liquidez da reserva, é um claro exemplo de um FRS.

Fundo de riqueza nacional versus fundo de riqueza soberana

Um *fundo de riqueza soberana* (FRS) é, em essência, um gestor de fundo que se preocupa em administrar a liquidez da reserva, investindo comumente em títulos negociados em grandes mercados maduros. Os FRSs são projetados para otimizar um portfólio por meio de contínua negociação dos títulos para alcançar um equilíbrio entre o risco e retornos. Um exemplo é a GIC de Cingapura.

Um *fundo de riqueza nacional* (FRN) é um gestor de ativos que se preocupa com a administração dinâmica de ativos operacionais como portfólio. O objetivo nesse caso é maximizar o valor do portfólio por meio da administração dinâmica, o que inclui o desenvolvimento, a reestruturação e a monetização dos ativos individuais. Um exemplo é a Temasek de Cingapura.

A Tabela 10.1 ilustra a diversidade dos FRNs. A nossa seleção não tem a intenção de ser abrangente, e alguns foram desconsiderados ou deliberadamente excluídos. Existem várias instituições semelhantes à *private equity* no setor público, como a Commonwealth Development Corporation no Reino Unido, que nós excluímos porque elas têm características relacionadas com a promoção da ajuda no exterior em vez da gestão de ativos internos. Há também uma série de ex-agências do setor público, que se transferiram para o setor privado, como a Industrial and Commercial Finance Corporation do Reino Unido, que se tornou a 3i, grande empresa de fundos *evergreen* de *private equity* com ações registradas em bolsa. De acordo com Musacchio *et al.* (2015), na América do Sul, três países – Peru, Chile e Bolívia – têm o que são consideradas *holdings* que administram um conjunto diversificado de empresas estatais para o governo. No entanto, somente a Fonafe, no Peru, seria descrita como uma *holding* protegida incorporada afastada da influência política de curto prazo. Esperamos que esses exemplos forneçam uma amostra representativa do ponto de vista de estilos e funções que essas instituições podem ter.

TABELA **10.1.** Fundos de riqueza nacional

Nome	País	Operações	Fundada	Ativos (bilhões de dólares)	Setores
Europa				**52**	
ÖIAG (Österreichische Industrieholding)	Áustria	*Holding* e veículo de privatização. Recua a 1946, com o propósito de evitar que a indústria austríaca fosse tomada pelas forças soviéticas de ocupação. Sem classificação de crédito	1967	7	Energia, telecomunicações, correios, mineração e aço etc.
Solidium	Finlândia	*Holding* para ações do governo em empresas registradas em bolsa de interesse nacional. Faz empréstimos no mercado de capitais mas não tem classificação	2008	11	Bens imóveis, administração florestal, telecomunicações, aço etc.
The Hungarian National Asset Management Inc.	Hungria	*Holding* para ativos do governo central. O papel de privatização anterior foi substituído por uma supervisão no longo prazo. Sem classificação de crédito	1991	3	Transporte/infraestrutura, eletricidade, abastecimento de água, serviços postais, agricultura, loteria
Parbublica	Portugal	*Holding* para um número limitado de ativos com poder de também administrar e reestruturar ativos que estão para ser privatizados, bem como de atuar como consultora para o Ministério das Finanças sobre o portfólio remanescente de ativos públicos de controle direto do Estado. Classificação de longo prazo Ba3 da Moody's	2000	18	Bens imóveis, construção, água, transporte (aeroporto, companhia aérea), agricultura/ administração florestal, energia
Rostec Corporation	Rússia	*Holding* para mais de 600 entidades controladas por meio de 13 empresas sub-*holding*, 8 na defesa e 5 nos setores civis, inclusive a Kalishnikov, produtora da onipresente metralhadora. Sem classificação de crédito	2007	Não está disponível	Automotivo, aeronáutica, material bélico, eletrônica, telecomunicações, tecnologia médica etc.
SEPI (Sociedad Estatal de Participaciones Industriales)	Espanha	*Holding* criada para reestruturar ativos anteriormente controlados pelo Instituto Nacional de Indústria e pelo Instituto Nacional de Hidrocarburos, inclusive 19 empresas das quais o governo é o acionista majoritário e 7 das quais é o acionista minoritário, bem como algumas participações acionárias indiretas em cerca de 100 outras empresas. Sem classificação de crédito	1995	13	Transporte, mineração, defesa, energia, alimentos, demonstrações financeiras

TABELA **10.1.** continuação

Nome	País	Operações	Fundada	Ativos (bilhões de dólares)	Setores
Américas				**24**	
Fonafe	Peru	*Holding* estatal, atuando como proprietária, gestora e privatizadora/liquidadora de vários bancos e empresas estatais. Os ativos recuperados dos bancos ainda estão sob administração. Sem classificação de crédito	1999	24	Eletricidade, finanças, petróleo/gás, infraestrutura, esgoto, outros
Ásia Oriental				**764**	
CITIC	China	Potencialmente uma *holding* estatal registrada em bolsa. Criada, de início, para introduzir tecnologias e negócios internacionais na China. Classificação de longo prazo de Ba2 e BB da Moody's e da S&P, respectivamente.	1979	48	Bens imóveis, construção, serviços financeiros, energia, recursos, TI etc.
Central Huijin Investment	China	*Holding* estatal que pertence totalmente ao governo por meio do fundo CIC (Corporação de Investimentos da China), o FRS, para administrar os bens do governo (junto com o Ministério das Finanças) nos principais bancos e outras instituições estatais. Sem classificação de crédito	2002	397	Instituições financeiras
SIG (Shanghai International Group)	China	*Holding* municipal com três funções principais: controle de investimentos, operação de capital e gestão de ativos estatais. Sem classificação de crédito	2000	22	Demonstrações financeiras, infraestrutura, bens imóveis, setor da hotelaria etc.
Samruk-Kazyna	Cazaquistão	*Holding* criada para administrar ações de instituições de desenvolvimento, companhias e outras entidades jurídicas. Classificação de longo prazo de BBB + da Fitch e da S&P	2008	78	Energia de petróleo/gás, demonstrações financeiras, energia, metalurgia, química, infraestrutura
Khazanah Nasional	Malásia	*Holding* para administrar cerca de 50 ativos comerciais na Malásia e no exterior, subordinada ao Ministério das Finanças. Classificação de longo prazo A3 da Moody's	1965	41	Finanças, telecomunicações, serviços de utilidade pública, serviços de comunicação, TI, transporte

TABELA **10.1.** continuação

Nome	País	Operações	Fundada	Ativos (bilhões de dólares)	Setores
Temasek	Cingapura	*Holding* fundada, de início, para administrar os ativos estatais comerciais internos, que hoje se expandiu por várias nações com cerca de 30% de seus ativos em Cingapura e o restante internacionalmente. Classificação de longo prazo da S&P e da Moody's de AAA e Aaa	1974	177	Serviços financeiros, telecomunicações, mídia/tecnologia, transporte, títulos e ações de empresas industriais, ciências da vida, mercado de consumo e bens imóveis, energia, recursos
SCIC (State Capital Investment Corporation)	Vietnã	*Holding* que administra um portfólio com mais de 500 empresas e atua como o veículo de privatização do governo. Sem classificação de crédito	2005	1	Serviços financeiros, energia, setor industrial, telecomunicações, transporte, produtos de consumo, sistema de saúde, TI
Oriente Médio e África do Norte				**232**	
Mubadala	Abu Dhabi	*Holding* com o objetivo de desenvolver e diversificar a economia, por meio da gestão dinâmica de sua participação majoritária e de projetos. Classificações de longo prazo da Moody's, da Fitch e da S&P de Aa3/AA/AA, respectivamente	2002	61	Energia, aeronáutica, bens imóveis, sistema de saúde, tecnologia, outros
Senaat	Abu Dhabi	*Holding* concentrada em ativos de capital intensivo. Inicialmente conhecida como General Holding Company. Sem classificação de crédito	1979	7	Metais, serviços de petróleo/gás, construção/materiais de construção, produção de alimentos e bebidas
Mumtalakat	Bahrain	*Holding* para as companhias de setores não ligados ao gás, com o objetivo de criar um portfólio bem diversificado e equilibrado nas classes de ativos e localizações geográficas. Classificações de longo prazo BBB da Fitch e da S&P	2006	11	Demonstrações financeiras, telecomunicações, bens imóveis, turismo, transporte, companhias aéreas, produção de alimentos

TABELA **10.1.** continuação

Nome	País	Operações	Fundada	Ativos (bilhões de dólares)	Setores
Investment Corporation of Dubai	Dubai	*Holding* que administra um portfólio de empresas comerciais estatais, entre elas, Emirates Airline, ENOC, Borse Dubai, Emaar Properties etc. Sem classificação de crédito	2006	70	Demonstrações financeiras, transporte, energia, títulos e ações de empresas industriais, bens imóveis
Dubai World	Dubai	*Holding* com o objetivo de tornar Dubai o principal centro de negociações e comércio. Entre as empresas do portfólio estão Dubai Ports, Drydocks World e Istithmar World. Sem classificação de crédito	2003	10	Expedição, títulos e ações de empresas industriais, bens imóveis, entretenimento e outros
Dubai Holding	Dubai	*Holding* criada para consolidar a gestão da infraestrutura em grande escala e projetos de investimento. Classificação anterior de longo prazo da Fitch e da Moody's de B e B1, mas não renovou seus contratos para 2014	2004	31	Empresas de telecomunicações, bens imóveis, serviços financeiros, setor de hotelaria, sistemas de saúde, energia etc.
Qatari Diar	Catar	*Holding* controlada pela Qatar Investment Authority, com ativos locais e internacionais. Classificação de longo prazo de Aa2 e AA da Moody's e de S&P, respectivamente	2005	42	Bens imóveis, infraestrutura

Até esta data, encontramos 16 países com 21 FRNs, com um valor agregado de cerca de 1,1 trilhão de dólares. Do ponto de vista do valor, esta é apenas uma pequena fração dos ativos comerciais públicos possuídos no nível do governo central, e uma fração ainda menor dos ativos públicos totais. A maioria, mais de 90%, dos FRNs estão na Ásia, divididos entre o Oriente Médio e a África do Norte e a Ásia Oriental, e somente 7%, do ponto de vista do valor, estão na Europa e nas Américas (veja a Figura 10.2). De modo específico, apenas 5 de 34 países da OCDE têm um FRN para administrar os seus ativos comerciais, sendo que todos estão na Europa e nenhum nos Estados Unidos ou no Canadá. Na América do Sul, o Peru é considerado como tendo uma *holding* que poderia ser vista como um FRN.

Somente a Ásia tem algo que poderia ser comparado a um FRN em um nível local – "um fundo de riqueza urbano" – o Shanghai International Group (SIG), com Xangai, o que tudo indica, sendo uma das primeiras cidades a ter criado uma *holding* protegida para os seus ativos comerciais. Muitas cidades do mundo têm corporações públicas que são proprietárias de atividades comerciais como a distribuição de água, mas, em geral, elas não têm nenhuma ambição de ser politicamente independentes ou transparentes. Não raro, elas são configuradas como entidades separadas apenas por razões tributárias.

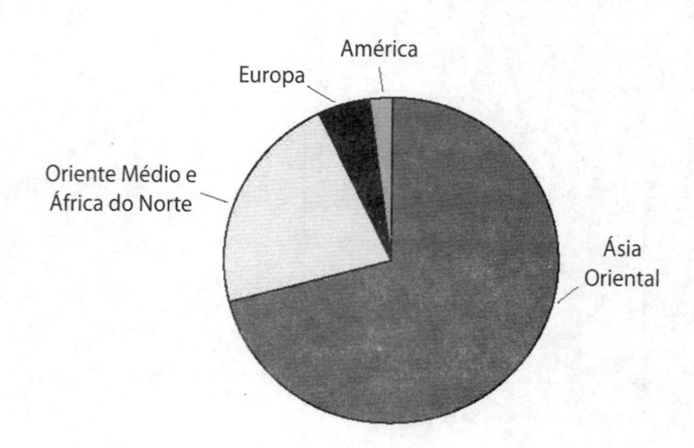

FIGURA **10.2.** Distribuição geográfica dos FRNs, do ponto de vista do valor.

A CITIC, na China, é especial, sendo o único FRN potencialmente registrado no mercado de ações e com uma classificação de crédito internacional. Antes, a Romênia tinha um FRN registrado em bolsa, mas que agora está privatizado. Fora isso, o ÖIAG, na Áustria, e o Solidium, na Finlândia, se destacam como sendo, em termos relativos, mais independentes, com conselhos de administração e gestão independentes.[10] No caso da Solidium, contudo, houve alegações de que as decisões comerciais são influenciadas por considerações políticas. Na realidade, alguns dos partidos políticos da Finlândia trabalham para conseguir um controle maior da Solidium, o que levou Alexander Stubb, primeiro-ministro da Finlândia, a declarar o seguinte:

> Acredito que seria mais proveitoso para os políticos permanecer afastados da Solidium. Não faz sentido interferir em uma empresa cujo objetivo é proteger o controle estratégico dos ativos finlandeses e aumentar os lucros – de modo que os políticos estão envolvidos de alguma maneira.[11]

A ideia geral de um governo terceirizar a gestão dos seus ativos comerciais para uma estrutura de gestão de ativos externa é ter acesso a todo o registro de ferramentas e sistemas de incentivo disponíveis para o setor privado, de maneira a ser capaz de obter rendimentos semelhantes, como se fosse uma empresa privada, porém sem abrir mão do controle. Por conseguinte, o FRN copiou o modelo da *holding* incorporada como a sua estrutura institucional predileta.

Quase todos os FRNs expressaram com maior ou menor clareza a otimização do valor como o seu principal objetivo. Um terço de todos os FRNs tem uma classificação de crédito de uma das três principais agências de classificação, tomando empréstimos com base no seu balanço patrimonial, embora a maioria dos FRNs faça isso com a garantia explícita ou implícita do governo. Poucos fizeram o esforço da Temasek e do governo de Cingapura de expressar de modo claro a independência da sua emissão de dívida.

Além da Solidium, da ÖIAG e, em certa medida, da Temasek, apenas pouquíssimas atingiram um nível relevante de transparência como, por exemplo, a publicação de um relatório anual consolidado.

A maioria dos FRNs não faz um esforço adicional para fortalecer a independência política além de criar uma *holding*, como um processo transparente e profissional da nomeação do conselho de administração e assim por diante, com exceção da Solidium, da ÖIAG e, em certa medida, da Temasek e da CITIC (que se destaca como o único FRN registrado em bolsa).

Com a vasta maioria dos ativos públicos ocultos debaixo da superfície, existe um enorme potencial para o crescimento econômico no desenvolvimento desses ativos em um ambiente mais comercial, se ao menos mais países criassem FRNs e transferissem para eles todos os ativos comerciais estatais, inclusive os bens imóveis. Por exemplo, um FRN que incorporasse todos os ativos comerciais pertencentes apenas ao governo federal norte-americano, ao que tudo indica, teria várias vezes o tamanho (do ponto de vista do valor) de todos os FRNs do mundo reunidos. Melhorar o rendimento desses ativos não apenas economizaria uma grande quantidade de dinheiro como também geraria uma receita para o governo que poderia ser usada para diminuir os impostos, reduzir o endividamento ou financiar investimentos muito necessários em infraestrutura.

Consolidação de todos os ativos em um único FRN: estratégia, risco e recompensa

O FRN poderia ser o administrador profissional dos ativos públicos de uma nação, encarregado de desenvolver e administrar todos esses ativos de uma maneira que maximize o valor econômico no longo prazo compatível com os princípios da governança corporativa. A classe de ativo ausente em todos os FRNs existentes nos dias de hoje são os bens imóveis estatais. Este é, com frequência, o maior segmento de todos os ativos públicos. Além disso, a maior parte dos ativos comerciais públicos constituem-se como posses em níveis local e regional. A consolidação desses ativos comerciais públicos, que, ao que tudo indica, têm várias vezes o tamanho das propriedades do governo central, em um nível local e regional exigiria um FRN separado nesses respectivos níveis ou, mais exatamente, um fundo de riqueza regional/estadual e urbano.

Os benefícios econômicos de consolidar todos os ativos comerciais em uma única empresa são provenientes da capacidade de estruturar um plano de negócios integrado para todo o portfólio, sem restrições sobre as medidas necessárias para maximizar o valor. Isso tem um importante efeito de escala, com custos operacionais e de transação mais baixos, possibilitando ao portfólio ser desenvolvido e privatizado de maneira mais eficiente, o que envolve a capacidade de criar uma abordagem segmentada com um perfil de risco identificável bem como a oportunidade de fundir ativos relacionados para criar perfis de investimento atraentes.

Os benefícios financeiros de consolidar todos os ativos em uma única empresa são a criação de um único veículo com genuína diversidade e escala, possibilitando a propagação do fluxo de caixa ao longo do tempo e, desse modo, o financiamento mais eficiente desses ativos. Esse também poderia ser um veículo para melhorar o acesso ou o custo de fazer empréstimos nos mercados de capital internacionais para financiar projetos de infraestrutura ou outros empreendimentos ou ativos comerciais.

Embora seja difícil comparar o desempenho, tendo em vista todos os fatores existentes em segundo plano, alguns dos FRNs possuem um desempenho surpreendente. A Temasek tem um histórico como banco de investimento que seria impressionante em comparação com qualquer concorrente do setor privado, tendo em vista o seu retorno médio anual de 18% ao longo dos 35 anos que se seguiram à sua criação.

Na Áustria, a ÖIAG é uma *holding* estatal para sete grandes empresas que abrangem um quarto da Bolsa de Valores da Áustria. A *holding* tem o poder de privatizar partes de todas essas empresas, ou criar outras transações estruturais. Por exemplo, ações da companhia telefônica Telekon Austria foram registradas em bolsa e apenas 28% permanecem em poder do governo. A ÖIAG foi fundada em 1946 a fim de nacionalizar com rapidez grande parte da indústria austríaca para impedir a tentativa (fracassada) de tomada de controle pelas forças de ocupação soviéticas. Na década de 1970, o portfólio teve perdas crescentes, com frequência devido à interferência política. Isso fez com que ela se convertesse em uma sociedade anônima, sem nenhum político em seu conselho de administração. A ÖIAG hoje recebe retornos saudáveis e tem sido capaz de pagar os grandes empréstimos que se acumularam em períodos anteriores.

Quando contemplam a ideia de criar um FRN, os políticos quase sempre são tentados a fundar várias *holdings* em nível nacional em vez de apenas uma, como pode ser visto nos Estados do Golfo e, em certa medida, na China. Com base em uma perspectiva operacional e de mercado, é preferível resistir a essa fragmentação a fim de minimizar os custos operacionais e de transição, bem como para obter credibilidade essencial no mercado financeiro internacional. A perspectiva consolidada, e o poder que a acompanha, com clara responsabilidade e escala suficiente, é necessária para acumular uma base de conhecimento competitiva e ser capaz de pagar uma remuneração também competitiva, embora não líder no mercado. A escala dessa campeã nacional possibilita-lhe ser um empregador profissional atraente e obter o respeito de todos os *stakeholders*.

A abordagem consolidada também promove um entendimento mais completo dos riscos financeiros e fiscais de possuir ativos públicos, como o relacionamento íntimo que com frequência prevalece entre os bancos comerciais estatais e as empresas estatais, como na China, onde os bancos estatais ainda parecem ter uma preferência por conceder crédito às suas irmãs estatais. A ineficiência do sistema bancário causa um enorme impacto na economia da China. Os bancos do país incorrem em custos mais elevados do que os bancos do Chile, da Malásia, de Cingapura, da Coreia do Sul e dos Estados Unidos, onde a diferença entre empréstimos e depósitos é de 3,1%. Na China, depois que o dinheiro gasto em injeções de capital nos bancos é incluído, a margem é de 4,3%, o que custa aos clientes dos bancos 25 bilhões de dólares adicionais por ano, de acordo com um estudo de McKinsey.[12] Ainda mais dispendiosa é a sofrível alocação de capital do país, que sustenta empresas ineficientes à custa de outras, mais produtivas. Se a China lidasse com essa deficiência, ela aumentaria seu PIB em 259 bilhões de dólares, ou 13%.

Tanto Abu Dhabi quanto a China começaram a lidar com essa questão criando *holdings* separadas para os numerosos bancos estatais. O Abu Dhabi Investment Council, criado em 2007, é a *holding* para instituições financeiras de propriedade do governo, estando diretamente subordinada ao Executive Council, inclusive o National Bank of Abu Dhabi, o Abu Dhabi Commercial Bank, o Union National Bank, o Al Hilal Bank e a Abu Dhabi National Insurance Company.

A Central Huijin Investment é a *holding* do governo chinês responsável, ao lado do Ministério das Finanças, pelos "quatro grandes" bancos comerciais estatais (alguns dos maiores bancos do mundo) – o Industrial and Commercial Bank of China, o China Construction Bank, o Bank of China e o Agricultural Bank of China – bem como o China Development Bank, o China Everbright Bank Co. e uma série de outras instituições financeiras.[13] A Huijin foi fundada em 2003 como subsidiária da SAFE dentro do banco central como o veículo bancário bom depois da reestruturação e recapitalização do setor bancário. Ela foi transferida da SAFE para se tornar uma subsidiária de total propriedade do CIC, o FRN chinês, em 2008.

A Huijin tem autoridade limitada com relação às instituições que está incumbida de monitorar. Ela também concorre com outros *stakeholders* pela influência dos ativos que está incumbida de administrar, e sua estrutura de governança está cercada pela ambiguidade e pela falta de responsabilidade e prestação de contas. Como exemplo, a Huijin não tem o direito de nomear, avaliar ou rejeitar os membros do conselho de administração de instituições financeiras de seu portfólio. O Departamento de Organização do PCC conserva o privilégio de nomear os membros executivos do conselho de administração e os principais dirigentes das empresas de portfólio. A Huijin só compartilha a responsabilidade nominal de nomear membros do conselho com o Ministério das Finanças, com o PCC atuando como dono efetivo, diluindo a responsabilidade e a autoridade dos proprietários nominais.

Com o governo sendo o supremo responsável pelos resultados, ele requer melhor entendimento do risco fiscal e financeiro total. Essa é outra razão pela qual os governos na China e em Abu Dhabi têm considerado uma consolidação e profissionalização adicional do controle de seus ativos industriais.

Em Abu Dhabi, o Conselho Executivo, a autoridade executiva do Emirado de Abu Dhabi, criou o Departamento de Empresas Estatais dentro do Conselho Executivo. Este é um primeiro passo em direção à consolidação da gestão antes fragmentada de seus ativos comerciais, administrados por meio de três FRNs, Mubadala, Senaat e International Petroleum Investment Company, bem como de uma série de outros ativos diretamente controlados, como aeroportos, portos, energia nuclear e outros ativos de infraestrutura, acrescidos da Bolsa de Valores, de companhias aéreas e bens imóveis. A National Oil Company (NOC), o principal ativo industrial do país, ainda é controlada diretamente pelo Conselho

Executivo. Como ocorre em outros países ricos, em termos de recursos, nesse estágio de desenvolvimento econômico, é provável que uma parte da NOC permaneça separada do portfólio até que o tamanho do setor de petróleo e gás decline com relação ao restante da economia, ou seja, até que o país tenha se diversificado com sucesso de sua dependência de petróleo e gás. A evolução do setor de petróleo e gás terá implicações para o controle estatal continuado e para como o modelo de governança corporativa evolui. Com o aprimoramento da governança corporativa e da transparência na NOC, será importante lidar com o crescimento nas operações internas e internacionais.

As lições da crise financeira que atingiu com toda força Dubai também demonstraram a importância da consolidação dos ativos comerciais a partir de uma perspectiva fiscal e financeira. Com uma abordagem fragmentada, o governo não apenas está perdendo a oportunidade de ter uma abordagem estratégica do portfólio de todos os ativos sob seu controle, como também corre o perigo de uma alocação de capital abaixo do ideal e de um risco financeiro e fiscal potencialmente substancial.

Na China, a Comissão de Supervisão e Administração de Ativos Estatais do Conselho Estatal (SASAC, State-owned Assets Supervision and Administration Comission of the State Council), um ministério especial diretamente subordinado ao Conselho Estatal, foi fundada em 2003 e é responsável pela gestão de cerca de 117 grandes empresas de propriedade do governo central, entre elas algumas das maiores corporações do mundo, como a Sinopec, a State Grid e a China National Petroleum.[14] Há também SASAC regionais e locais nos níveis provinciais e das cidades que controlam ativos locais, como corporações e bens imóveis.

Devido aos objetivos conflitantes da SASAC (um legislador do governo que controla os bens dentro do governo, porém com o verdadeiro controle sobre esses ativos e os seus gestores estando nas mãos do PCC), ela se revelou menos eficiente na gestão de suas gigantes corporativas. Com rendimentos decrescentes para o governo mas com a remuneração total dos dirigentes aumentando, a atual liderança do PCC deixou de exercer qualquer gestão dinâmica e está tentando, em vez disso, recuperar o controle lançando uma campanha anticorrupção aliada a um esforço de colocar um limite na remuneração dos executivos. Por estar bastante consciente do vácuo na governança, o governo quer fortalecer sua governança e tem considerado a experiência da Temasek e da própria CITIC.

A CITIC (anteriormente conhecida por China International Trust and Investment Corporation) é a companhia de investimentos estatal chinesa, fundada em 1979 por Rong Yiren, um dos poucos industriais pré-1949 que permaneceram e sobreviveram à revolução comunista, amparado pela iniciativa de Deng Xiaoping. A CITIC foi providencial para abrir a economia chinesa para os investimentos ocidentais. O propósito original da CITIC era atrair e usar o capital estrangeiro para modernizar a indústria e os negócios chineses. Em 2014, ela fez um *reverse listing* com a sua subsidiária registrada em bolsa em Hong Kong. A injeção de 37 bilhões de dólares em ativos de grupo transformou não apenas a subsidiária registrada em bolsa de Hong Kong cm 6 bilhões de dólares em uma empresa de 48 bilhões de dólares, como também os limites de como o Estado possui e administra seus ativos comerciais. Embora representando apenas uma pequena parcela da riqueza pública da China, isso poderá uma vez mais mostrar o caminho para uma transformação revolucionária da economia chinesa. Talvez até mesmo os governos ocidentais pudessem aprender alguma coisa com a CITIC, criação de Deng Xiaoping, e registrar seus FRNS nos mercados de ações locais. "Não importa se o gato é preto ou branco, desde que ele pegue o rato", teria dito Deng.

O principal argumento para registrar um FRN seria semelhante ao de obter uma classificação de crédito: o registro aumenta o número e expande o espectro de *stakeholders* interessados no desenvolvimento de ativos, junto com o fortalecimento adicional de independência política, objetivos claros e transparência. Os contra-argumentos seriam o medo de perder o controle e a fonte de clientelismo. Com base na perspectiva econômica, a perda marginal do controle seria mais do que amplamente recompensada pelo aumento nos rendimentos e pelo crescimento econômico gerado por uma *performance* mais eficiente dos ativos do portfólio. Esses benefícios financeiros e econômicos poderiam até compensar a perda marginal de influência política.

Capítulo 11

ESTRATÉGIAS PARA CRIAR VALOR

A maior parte deste livro trata de instituições que os países criam para administrar a riqueza pública. Neste capítulo, no entanto, vamos examinar mais de perto como um FRN poderia atuar com relação às empresas que ele administra a fim de aumentar seu rendimento.

Sem dúvida, melhorar a governança pode fazer uma grande diferença. Margaret Thatcher, aclamada por muitos como a mãe da privatização, começou seu caminho, na época revolucionário, quando foi eleita em face de uma economia decadente, com partes significativas dos ativos públicos em um lamaçal de malversação. Sua revolução de privatização não apenas afetou o mundo ocidental como também se espalhou pelo mundo todo, enquanto ela se esforçava para vender a "prata da família" – para salvar a economia e o país da ruína. As indústrias nacionalizadas no Reino Unido na época compunham 10% da economia britânica e consumiam 14% do investimento de capital total. Mas as taxas de retorno pairavam em algum ponto entre zero e 2%.[1]

A gestão nessas indústrias era indiferente, o serviço de atendimento ao cliente era inexistente e as relações de trabalho eram sofríveis. Os interesses de grupos especiais controlavam a economia, tanto do ponto de vista econômico quanto cultural. Esses itens eram candidatos óbvios a uma reforma radical, e, ao longo das duas décadas seguintes, a onda de privatizações transformou a vida pública, as finanças públicas, o mercado de ações e o mundo do consumo, tornando-o diferente de como era conhecido.

Essas privatizações sem dúvida ajudaram a recuperar o Reino Unido na época, tendo o mesmo acontecido em muitas outras economias desenvolvidas. Críticos disseram que a privatização apenas transferiu a riqueza pública para mãos privadas, e apontam para desastrosas consequências em países governados por oligarquias. Outros criticam a ineficiente desregulamentação de setores onde as empresas públicas foram privatizadas. Na realidade, com um Estado forte, mercados bem desenvolvidos (comercial e de capitais) e uma sociedade civil madura, muitas economias desenvolvidas foram capazes de transformar grandes segmentos de sua economia e ainda assim beneficiar contribuintes, poupadores, investidores e, sobretudo, consumidores.

A incompetência com que a riqueza pública é administrada com frequência só é descoberta quando uma crise financeira estoura, como no caso da Grécia quando o mundo teve mais informações a respeito de como a economia grega era uma das menos abertas na Europa e portanto uma das menos competitivas e mais desiguais, de acordo com Pavlos Eleftheriadis. A Grécia deixara de lidar com seus profundos problemas estruturais porque as próprias oligarquias do país tinham um interesse especial em manter as coisas como estavam.[2] Essa elite, um punhado de famílias e seus políticos, preservavam sua posição por meio do controle dos ativos públicos, da mídia e do sistema bancário com um favoritismo antiquado.

Um exemplo muito citado eram as ferrovias gregas, que gastavam 40% mais em salários do que recebiam em receitas totais. Os salários custavam 246 milhões de euros (em torno de 350 milhões de dólares), enquanto as receitas eram de 174 milhões de euros (em torno de 250 milhões de dólares), sendo que as perdas anuais totais de 937 milhões de euros (em torno de 1,4 bilhão de dólares) equivaliam a cinco vezes os rendimentos em 2009. Este, ao que tudo indica, não é o primeiro exemplo de um portfólio de valor que destrói empresas estatais e impede a entrada de possibilidades ou iniciativas do setor privado, o que, em última análise, contribuiu para derrubar toda a economia.

Em um momento em que as economias estão novamente enfrentando enormes desafios, os governos poderiam se beneficiar pensando mais como um atleta e aprendendo a usar da melhor maneira possível cada músculo que têm – melhorando a rentabilidade de cada ativo. Uma vez mais, o Reino Unido parece estar na vanguarda de uma possível revolução, fazendo um esforço para delinear quantas propriedades o governo central e os governos locais possuem, bem como propondo ideias sobre como cultivar esses ativos.

O que é criação de valor?

Três diferentes estratégias convergem para maximizar o valor de um ativo/negócio: a operacional, a do desenvolvimento dos negócios e a da estrutura do capital.

A estratégia operacional tem por meta a maior eficiência possível ao moldar os recursos e métodos de produção de mercadorias ou serviços oferecidos ao mercado para obter lucro. Isso significa aumentar a produtividade, embora com frequência envolva decisões politicamente sensíveis, como lidar com funcionários desnecessários, deslocar a produção e dependências, ou mesmo encerrar as atividades e vender tudo a fim de aumentar a eficiência. No caso dos bens imóveis, isso incluiria examinar a utilização por metro quadrado, a energia e a eficiência da manutenção. Adotar uma perspectiva mais consolidada do gerenciamento dos ativos também possibilitaria a aquisição centralizada de serviços e produtos, o que causaria um efeito substancial no resultado final. A transparência adequada possibilita a comparação com o "melhor da turma" em cada setor. Essa é uma boa maneira de evitar que grupos de interesses especiais explorem os ativos e mantenham a competitividade em um negócio.

O desenvolvimento dos negócios se concentra em aumentar a eficiência moldando a organização para criar valor a partir de clientes, mercados e relacionamentos. Essa parte da criação de valor é menos visível de imediato, de modo que pode parecer politicamente menos sensível. No entanto, quando empreendida da maneira correta, ela tem por meta fazer com que a organização se concentre em sua atividade essencial e encerre as atividades ou se desfaça das operações que não contribuem para a atividade essencial. Com o desenvolvimento tecnológico e as mudanças no ambiente competitivo, os modelos de negócios mudam e precisam ser constantemente desafiados. Quando bem administrado, isso pode gerar receitas substanciais. Quando mal administrado, poderia empregar mal os recursos financeiros do proprietário (os impostos pagos por todas as pessoas) por meio da fragmentação, ou o oposto, criando um conglomerado de negócios incompatíveis.

A estratégia de estrutura do capital reflete como uma empresa financia seus ativos, operações em geral e seu crescimento. Isso se dá por meio de uma combinação de financiamento por emissão de ações, dívidas ou títulos híbridos. A estratégia de estrutura do capital é a ferramenta de financiamento que ajuda as operações e o desenvolvimento dos negócios a alcançar as metas declaradas por meio de um financiamento ideal, ajudando desse modo a maximizar a rentabilidade e os valores do negócio e dos ativos. No caso de bens imóveis, isso pode ter profundas consequências no valor, já que muitos ativos públicos são simplesmente esquecidos, usados por clientes, pelo governo ou por alguma entidade do governo que não tenha necessidade de usar esse espaço particular em uma área nobre da cidade. Os portfólios do governo quase sempre contêm terras que não são usadas, sendo computadas com um valor zero nas contas, ou cujo propósito original há muito ultrapassou sua utilidade para um departamento do governo. O lugar mais óbvio para procurar é quase sempre nas forças armadas, cujo desenvolvimento tecnológico pode rapidamente tornar irrelevantes instalações que um dia foram imprescindíveis. Existem inúmeros exemplos, como locais nobres à beira-mar na Nova Zelândia, ilhas inteiras no arquipélago grego e conjuntos habitacionais em Annington, no Reino Unido.

Annington foi formado em 1996 para ser uma Vila Militar do Ministério da Defesa, com cerca de 57 mil residências para casais. Ela pertence ao fundo de *private equity* do Reino Unido Terra Firma, que arrenda de volta a maioria de suas propriedades para o Ministério da Defesa, acomodando nelas seus soldados casados e sendo responsável pela manutenção e conservação dessas propriedades. As propriedades que são liberadas pelo Ministério da Defesa são remodeladas e se tornam disponíveis para venda e aluguel privado a preços de mercado. Até esta data, somente um terço dos ativos do portfólio foram vendidos no mercado aberto.[3]

O saldo entre o financiamento da dívida e o *equity financing** precisa estar alinhado com a estratégia operacional e considerar níveis esperados de dispên-

* Tipo de investimento que combina apólices de seguro de vida com fundo mútuo. As ações do fundo são usadas como garantia para empréstimo destinado ao pagamento de prêmios de

dio de capital e retornos, liquidez e saldos em caixa, gerenciamento de riscos e a política de dividendos esperada (ou exigida). A dívida, sendo a fonte mais barata de financiamento, não raro é o maior componente. No entanto, uma dívida excessiva (ou seja, uma alavancagem exagerada) pode conduzir à inadimplência e à falência, enquanto uma dívida muito pequena pode resultar em custos financeiros não competitivos, ocasionando desse modo um valor abaixo do ideal.

Em termos históricos, não era incomum os governos usarem ativos públicos como veículos não incluídos no balanço patrimonial para arrecadar recursos adicionais para os gastos públicos, como ocorreu com a empresa ferroviária grega. A Hellenic Railways Organisation tinha uma dívida de 13 bilhões de dólares em 2010, vendas de menos de 250 milhões de dólares e mais de 1 bilhão de dólares em perdas anuais. Essa dívida sozinha representava 5% do PIB de um total de 33 bilhões de dívidas de todas as empresas estatais gregas. Quando essa dívida "não incluída no balanço" foi descoberta pela chamada *troika* de financiadores internacionais (FMI, BCE e União Europeia), foi imediatamente incluída na dívida pública oficial do país.

O controle e a gestão profissional de ativos comerciais requer, como sugerimos, uma estrutura institucional protegida que possibilite uma operação afastada da interferência do governo, bem como de uma perspectiva exclusivamente financeira. Isso permite o aprimoramento da gestão e da contabilidade financeira, facilitando o empréstimo com taxas mais eficientes, com a utilização da classificação de títulos e um gerenciamento de riscos muito mais eficiente.

No restante deste capítulo, vamos discutir as estratégias financeiras disponíveis para os proprietários de portfólios – usando a dívida, os recursos próprios, ou ambos, e como eles podem ajudar a melhorar o valor do portfólio.

O caminho da dívida

Usar a dívida para financiar um empreendimento comercial ou a aquisição de ativos pode ter várias vantagens com relação ao *equity financing*. O custo do financiamento da dívida pode ser menor do que o do *equity financing* porque os

---

seguro, dando ao investidor as vantagens da proteção do seguro e do potencial de valorização do investimento.

juros pagos àqueles que investem em dívidas (um banco ou detentor de títulos) são mais baixos do que o rendimento exigido por aqueles que investem em ações.[4] Por conseguinte, o financiamento se preocupa em aumentar os níveis da dívida o máximo possível, sem ultrapassar o ponto crítico no qual os ativos/operações corram o risco de perder a capacidade de pagar os juros.

O financiamento da dívida possibilita aos gestores usarem uma base patrimonial maior. Usar a dívida também introduz a opção para a gestão, se esta estiver adequadamente consolidada em uma gestão profissional, de talvez desenvolver um ativo antes da venda e assim evitar uma venda com preços de liquidação.

A maximização do valor dos ativos públicos não é apenas uma questão financeira. Ela também é importante para a economia mais ampla, e dá ao governo a oportunidade de mostrar que ele mantém condições iguais para todos os concorrentes, inclusive os do setor privado. A otimização da alavancagem promove a utilização eficiente dos recursos públicos, o que permite ao escasso capital próprio ser usado para outros propósitos – entre eles, devolvê-lo ao governo como proprietário nominal, o que deve, em última análise, beneficiar os contribuintes. A otimização da alavancagem antes de potenciais alienações também limita o risco de que o ativo seja vendido por um valor muito baixo.

A governança ativa exige muito do governo como dono. No entanto, a venda ou a privatização dos ativos também exige muito do governo no sentido de ele atuar como vendedor profissional.

O emprego do financiamento da dívida requer que o governo administre os ativos públicos como um portfólio consolidado, e também requer que o governo instale a gestão profissional do portfólio de ativos por várias razões, sobretudo para evitar correr riscos exagerados e a alavancagem excessiva. Muitas autoridades do governo foram esmagadas pelo desafio dos ativos públicos com excesso de alavancagem, devido à sua falta de discernimento, transparência e coordenação entre os administradores dos ativos, ou seja, devido à ausência de gestão profissional.

Os ativos estatais sujeitos ao capitalismo clientelista são regularmente impedidos de ser administrados com eficiência ou privatizados, por causa de suas grandes dívidas com grupos industriais ou bancários relacionados com a oligarquia local. Isso é comum nos casos de diversas privatizações fracassadas em antigos Estados soviéticos e no sul da Europa.

Além disso, muitos países ricos em recursos, com abundância de capital, acabam vertendo enormes quantidades de capital nas empresas que adquirem, acabando depois com as enormes dívidas que essas empresas acumularam. Isso acontece com frequência quando governantes ou governos carecem de uma estratégia de portfólio consolidada, do entendimento da alocação de capital e de transparência adequada quanto aos retornos financeiros. Além da alavancagem excessiva ou da contínua necessidade de injeções de capital, também é comum que o financiamento de dívidas não incluídas no balanço patrimonial seja usado – ostensivamente, para preservar os ativos de propriedade pública, mas isso apenas aumenta ainda mais o risco financeiro e fiscal.

Com um portfólio consolidado e uma gestão profissional, o principal benefício derivado do financiamento pré-privatização repousa na capacidade de aumentar o valor de um ativo monetizado de uma maneira que produza benefícios líquidos. Isso também possibilita a flexibilidade no *timing* da venda por meio da remoção de pressões orçamentárias que poderiam forçar a baixa prematura, em vez de esperar para alcançar o valor máximo, ou seja, o *timing* pode ser escolhido para garantir que o ativo não seja simplesmente vendido a preço de liquidação.

Como exemplo, os governos locais no Reino Unido desenvolveram um modelo para a regeneração local denominado veículo amparado por ativos locais (LABV, Local Asset Backed Vehicle), um empreendimento conjunto ao qual o conselho atribui propriedades e terras essenciais que o setor privado pode usar como garantia de empréstimos. O risco e a remuneração são compartilhados por meio de uma sociedade de responsabilidade limitada e podem ajudar a evitar os longos períodos de aquisição e custos de *start-up* de parcerias público-privadas anteriores. Em geral, um financiamento de projetos é fornecido para o desenvolvimento do centro urbano, como a parceria de 450 milhões de libras esterlinas de 25 anos entre o Croydon Borough Council e o incorporador John Laing. Os LABVs oferecem uma chance de alavancagem dos ativos do conselho sem que seja preciso descartá-los.[5] O governo da Grécia considerou uma estrutura semelhante, depois de enfrentar dificuldades na privatização dos seus ativos.

Nessa estrutura, os ativos devem ser transferidos para uma entidade corporativa profissionalmente administrada, de propriedade do governo, capaz de aumentar o financiamento pré-privatização amparado por futuros fluxos de caixa ou pelo valor intrínseco de cada ativo subjacente. No vencimento dessa negociação, a entidade poderia vender os ativos no mercado para pagar o financiamento, ou transferir o ativo para a instituição financeira como liquidação da dívida. No exemplo grego, o Estado poderia desse modo ganhar tempo para implementar as necessárias reformas estruturais, as quais aumentariam o valor do ativo.

O governo reteria o controle do ativo e, o que é mais importante, ainda poderia vender livremente o ativo quando, e se, conseguisse obter um valor justo. Isso geraria uma liquidez bastante necessária do setor privado para a nação, que poderia ser usada para pagar a dívida vigente ou desenvolver outros ativos em seu portfólio. Ao mesmo tempo, o governo também reteria uma vantagem parcial na recuperação das avaliações dos ativos com o tempo, enquanto teria começado de modo irrevogável o processo de privatização.

Um FRN criado por meio deste modelo também seria capaz de emitir valores mobiliários em seu nome com base na própria classificação de crédito como entidade corporativa à parte. Ele talvez tivesse que estabelecer primeiro um histórico e construir sua credibilidade como proprietário, desenvolvedor e operador de ativos, como a Temasek, a Kazahnah, a Mubadala e a SIG.

Como a propriedade é a classe de ativo menos transparente, mas com frequência a maior na maioria dos portfólios dos governos, isso requereria uma atenção especial logo no início de qualquer processo de monetização. Proteger, em separado, um portfólio de propriedades e criar uma estratégia estruturada de desenvolvimento de propriedades coerente e viável possibilitaria várias alternativas de criação de valor. O financiamento poderia então ser adaptado à natureza geradora de caixa das propriedades, ou seja, propriedades que produzem aluguel, venda e arrendamento com cláusula de recompra, propriedades que precisam ser desenvolvidas/reestruturadas, propriedades de utilização especial, ou outras desprovidas de valor comercial.

Aplicar a perspectiva de criação de valor às propriedades nas quais o governo é ao mesmo tempo dono e arrendatário tem o benefício adicional de definir um preço de mercado sobre o custo do aluguel desses locais. Isso cria incentivos para o Estado sair de propriedades alugadas desnecessariamente dispendiosas. O efeito eficiente que isso produz pode reduzir de maneira significativa os dispêndios do Estado. Os incentivos seriam alinhados tanto para aumentar o valor da propriedade quanto para reduzir os custos do governo, por meio da otimização do uso eficiente da área ocupada e do aumento do número de inquilinos do setor privado que alugam propriedades do portfólio.

O caminho da participação acionária

O caminho da participação acionária pode envolver todo o espectro de transações, como vender apenas algumas ações da empresa principal, todas as ações de uma subsidiária ou uma parte de uma empresa comercial que tenha sido separada de outra. Isso pode ser feito por meio de um IPO ou da venda convencional a uma empresa do mesmo setor. Um IPO pode ajudar a expandir a base de *stakeholders* e, desse modo, aumentar a pressão para a reforma, por meio de uma maior transparência, de uma melhor governança e de uma gestão profissional. A venda para uma empresa do mesmo setor pode melhorar a vantagem competitiva por meio de benefícios operacionais, financeiros e estratégicos geralmente encontrados em um comprador do setor, alavancando a atenção, o foco e as habilidades de gestão oferecidas por um comprador financeiro.

Em muitas cidades do mundo, existe uma grande quantidade de terras esperando para ser desenvolvida, como Hellenikon, o velho aeroporto de Atenas, situado na praia do local conhecido como Riviera Grega. Em Istambul, zonas de segurança militar ocupam mais de 20 mil hectares, cuja maioria está situada em áreas verdes e grande parte em locais próximos do Estreito de Bósforo e do Estuário do Chifre de Ouro, inclusive o velho distrito comercial grego de Gálata. Esse é o local de um projeto de 700 milhões de dólares para construir um novo complexo portuário, enquanto um enorme estaleiro abandonado no Chifre de Ouro, ocupado pelo exército, será transformado em um complexo que inclui duas marinas, dois hotéis cinco estrelas, um centro comercial e uma mesquita com espaço para mil fiéis, em um projeto oferecido por 1,3 bilhão de dólares. O governo fez um arrendamento de sessenta anos para a Dogus, o conglomerado de propriedade de uma família turca que representa o consórcio vencedor, para que ela desenvolva o porto e a propriedade imobiliária. Esse é um exemplo no qual um governo absorve capital e *know-how* do setor privado para desenvolver seus ativos de maneira mais comercial.

Do ponto de vista tático, a privatização das operações comerciais pode ser encarada com base em duas perspectivas: uma delas é a venda de um negócio que já está em operação, e a outra é a venda de um antigo monopólio.

O principal interesse de um governo que está vendendo um negócio competitivo é o de um "vendedor". O governo pode então se concentrar em representar os acionistas existentes, geralmente conhecidos como contribuintes. O dever fiduciário do governo é ter como objetivo principal a maximização do valor e, desse modo, vender pelo maior preço possível, como faria qualquer investidor privado. O fato de uma IPO ou uma venda a uma empresa do mesmo setor conseguir o melhor preço depende das circunstâncias vigentes no mercado e de quanto os ativos estão desenvolvidos.

Um exemplo recente é a privatização do Royal Mail no Reino Unido, no final de 2013. Esse antigo serviço de utilidade pública hoje atua em um mercado competitivo e bem desenvolvido. O governo do Reino Unido foi muito criticado pelo preço das ações e considerado como responsável por ter alcançado um valor ainda mais baixo pelo dinheiro aos contribuintes do que nas liquidações do Estado nas décadas de 1980 e 1990. O governo vendeu 60% da empresa, arrecadando quase 2 bilhões de libras (em torno de 3,4 bilhões de dólares). Mas as ações subiram 38% no primeiro dia de negociações, resultando no comentário de que os contribuintes teriam chegado a perder 1 bilhão de libras (em torno de 1,7 bilhão de dólares). Isso pode ser comparado aos IPOs das décadas de 1980 e 1990, nas quais a alta do primeiro dia no preço das ações variou de 14% na British Aerospace a 86% na British Telecom.[6]

Talvez esse seja simplesmente o preço que os políticos precisam pagar para enfraquecer a resistência dos grupos de interesses especiais à venda, convidando um grande número de funcionários a comprar ações por um preço baixo ao lado de compradores institucionais. Em comparação, na Suécia, o preço no IPO da Telia foi fixado no máximo que ele poderia alcançar naquele momento. Isso atraiu críticas do grande número de pequenos investidores que tinham apoiado a venda pelo fato de o investimento não ser, de imediato, proveitoso.

Com relação à venda de um antigo monopólio, as considerações táticas do governo não são apenas as de os contribuintes obterem um preço máximo nas vendas, mas também a perspectiva no longo prazo do consumidor. A fim de privatizar de maneira adequada uma empresa de serviços de utilidade pública, o governo também precisa considerar a estrutura regulatória e a instituição supervisora. Isso requer criar transparência tanto em termos de serviço quanto de precificação, e também estabelecer condições iguais para os novos protagonistas seguidas de uma sólida regulamentação para garantir um jogo limpo.

Nesse contexto, o insucesso de construir um mecanismo de mercado eficaz gera, em vez disso, o risco da criação de oligopólios do setor privado e de subsídios estatais ocultos. A necessidade de intervenção no preço ilustra os riscos da privatização das empresas estatais de serviços de utilidade pública.

Na realidade, quase todas as privatizações se encontram em algum ponto entre essas duas perspectivas. No entanto, a questão importante para o governo é sempre fazer de maneira correta a sequenciação. Preparar o terreno para a privatização com uma regulamentação adequada é fundamental. Se o equilíbrio regulatório estiver errado ou a estrutura competitiva for ineficaz, o consumidor acaba pagando demais, os lucros corporativos se tornam altos "demais", e os acionistas do setor privado são beneficiados à custa dos contribuintes – como os críticos esclarecem sempre.[7] Mas a regulamentação não é o destino final, e sim um processo complexo sujeito a considerável incerteza.

No final, é mais provável que o consumidor se beneficie de uma empresa privada individual que "saia no braço" com uma poderosa agência regulatória do governo, em vez de um proprietário leviatânico do governo que lute consigo mesmo por causa de questões regulatórias. Os ativos nacionalizados estão protegidos da concorrência, da pressão financeira e, com frequência, de exigências regulatórias comparadas às operações do setor privado. Sujeitos ao controle nacional, esses ativos tendem a se tornar conglomerados ou até mesmo impérios comerciais. A venda de ativos não essenciais gerará recursos substanciais e ao mesmo tempo melhorará o foco no negócio essencial original, o que deverá aumentar o valor do ativo.

Separar empreendimentos que não tenham visível relevância uns com os outros, ou transferir ativos e serviços não essenciais para uma empresa especializada na administração de ativos, pode ser uma maneira vantajosa de tornar o empreendimento principal, sem perda de tempo, livre para se especializar e alcançar o foco necessário, aumentando desse modo com rapidez a eficiência operacional e o valor dos ativos. Em empresas privadas, essas estratégias são continuamente consideradas, em toda parte, por proprietários e gestores para manter ou melhorar a eficiência e permanecer à frente da concorrência.

Os governos europeus passaram as três últimas décadas desmembrando e privatizando suas operações postais gerais integradas nas três óbvias partes componentes: redes de telefonia, o sistema postal e uma rede de agências de correio. Isso começou em 1981 com os planos de privatização da British Telecom de Margaret Thatcher, que foram consumados em 1984. Mas ela hesitou diante da privatização do Royal Mail, dizendo que "não estava preparada para ter a cabeça da rainha privatizada". Passados mais de trinta anos, o Royal Mail agora está privatizado, mas essa privatização não incluiu a rede de agências dos correios, que o governo planeja converter em uma instituição mútua depois de verter mais de 3 bilhões de libras (em torno de 4,7 bilhões de dólares) nas suas 11.500 agências antiquadas.

Nesse meio-tempo, na Holanda, a KPN foi registrada em bolsa e, logo em seguida, dividida em duas empresas, uma na área de telecomunicações e a outra na área de correspondência, entregas urgentes e logística (passando a chamar-se TNT Post Group), que depois se desvinculou da rede de agências dos correios. Na Alemanha, a Deutsche Post foi registrada em bolsa em 2000 e, a partir de então, tem tido margens de lucro que são o dobro das do Royal Mail. Concorrentes internacionais também estabeleceram operações no Reino Unido, inclusive o FedEx, operadora norte-americana, e a DHL (que pertence ao Deutsche Post), favorecendo tanto consumidores quanto empresas. Em separado, a Suécia e outros países geraram um valor considerável ao tornar ainda mais eficientes suas operações de telecomunicações, correspondência e agências de correios.

A extraordinária história do maior serviço postal do mundo

Entre 1947 e 1995, o Deutsche Bundespost foi um monopólio responsável pelos serviços postais e de telecomunicações. Em 1995, seus três serviços foram transformados em três sociedades anônimas: a Deutsche Post, a Deutsche Telekom e a Deutsche Postbank. Hoje, a Deutsche Post é a maior empresa postal do mundo. Como isso aconteceu?

De início, o Estado tinha todas as ações, mas acionistas privados eram aceitos. O Estado conservou a maioria das ações durante cinco anos.

Nos anos seguintes, a eficiência e o serviço da postagem melhoraram devido a investimentos. A partir de 1998, 90% das cartas são automaticamente classificadas (enquanto esse percentual era de 25% no início da década de 1990). Depois de uma reestruturação dos serviços e da organização dentro do país, a Deutsche Post investiu em serviços e aquisições no exterior. Em 1998, ela adquiriu 10% das ações da DHL e, junto com ela, criou o Euro Express para cartas e encomendas em vinte países europeus. Ela também comprou a Global Mail (Estados Unidos), o maior prestador de serviços privado de correspondência nos Estados Unidos.

Em 1999, a Deutsche Post adquiriu a empresa de logística suíça Danzas e também a Air Express International, a maior prestadora de serviços de carga aérea internacional nos Estados Unidos. Além disso, a Deutsche Post comprou as ações do Deutsche Postbank do Estado alemão. No final de 2000, a Deutsche Post abriu o capital e foi registrada no mercado de ações. Em 2002, a participação acionária na DHL foi aumentada para 100%, e a Deutsche Post também adquiriu uma participação de 25% da Lufthansa Cargo, que pertence à DHL. Em 2004, a Deutsche Postbank foi a público. Em 2005, a Deutsche Post adquiriu a Exel, empresa de logística britânica. Além disso, depois que a Reconstruction Loan Cooperation vendeu sua participação na Deutsche Post, o Estado deixou de controlar a maioria das ações dela.

Em 2008, a Deutsche Post lançou seu programa GoGreen de proteção ao clima e inaugurou seu terminal de carga aérea no Aeroporto Leipzig/Halle. Em 2009, agora denominada Deutsche Post DHL, ela começou a vender o Postbank para o Deutsche Bank, operação que foi concluída em 2012. Em 2012, a DHL Express North Asia Hub foi ampliada no Shanghai Pudong International Airport. Investimentos adicionais foram feitos em 2013. Na Alemanha, a Deutsche Post começou a cuidar do transporte entre cidades. Nos Estados Unidos, no Cincinnati/Northern Kentucky International Airport, o terminal de carga aérea para o continente norte-americano foi ampliado.

Hoje, a Deutsche Post atua em 220 países, emprega 480 mil pessoas e é confortavelmente lucrativa. O volume de negócios em 2013 correspondeu a 55 bilhões de euros (em torno de 71 bilhões de dólares). Isso pode ser encarado como uma espécie de sucesso, mas também é um jogo que usa os contribuintes alemães como capitalistas de risco.

Quando os países consolidam seus bens públicos em um portfólio, esse é, com frequência, o primeiro passo no aprimoramento da transparência. Os governos não raro acabam compreendendo que controlam milhares de ativos de menor porte, com a China sendo o exemplo extremo – em meados da década de 1990, ela descobriu que possuía mais de 120 mil "empreendimentos". A consolidação assume um significado diferente nessas situações. Os chineses chamaram isso de "agarrar o grande e largar o pequeno".[8] A ideia era se concentrar nos maiores ativos nos quais a participação acionária do governo era considerada relevante naquele estágio de desenvolvimento do ativo, e abandonar o resto. Isso com frequência envolvia primeiro a tentativa de incorporar completamente a atividade, e anexar apenas os ativos físicos que pertencem de maneira razoável à produção/serviço, criando assim uma entidade legítima que pode ser vendida, suspendendo ao mesmo tempo as atividades que estão inativas ou que não são mais viáveis. O esforço de vender empresas menores de propriedade do Estado – com frequência para administradores e funcionários – não raro proporciona uma base para o desenvolvimento do setor privado no país.

Na sua política de "agarrar o grande e largar o pequeno", a China empreendeu a maior iniciativa de reestruturação desse tipo realizada por qualquer governo. A política foi adotada em 1997 e lançou a base para as iniciativas do governo central de consolidar e administrar os ativos públicos.[9] As privatizações em massa das pequenas empresas para gestores e funcionários consolidaram o portfólio do governo central em cerca de 37 mil entidades menores e 169 empreendimentos maiores já em 2004.[10]

Condições para criação de valor

O primeiro passo para qualquer governo em direção a possibilitar melhor valor de portfólio é consolidar o controle e a gestão de todos os ativos públicos do portfólio – reunindo todos os ativos sob uma única gestão –, corporações, infraestrutura e instituições financeiras, junto com os portfólios de ativos de propriedades.

Algumas culturas baseadas em tribos ou economias estatais fracas têm, não raro, a tendência de seguir uma mentalidade de "separar e conquistar", o que requer que qualquer portfólio seja repartido entre várias *holdings* em vez de estabelecer uma única interface voltada aos mercados. Os argumentos a favor da consolidação sob uma única gestão são consideráveis, tanto a partir da perspectiva dos mercados quanto do ponto de vista organizacional.

A perspectiva de mercado defende uma abordagem concentrada em investidores potenciais, sejam eles de dívida ou de participação acionária. Isso garante uma apresentação coerente e oportuna de ativos projetados para obter a precificação mais atrativa. Esse foco permite uma apresentação segmentada com perfis de risco identificáveis, possibilitando uma fusão com ativos relacionados (públicos ou privados) para criar um perfil de investimento ainda mais atraente quando apropriado. Além do mais, isso contribuirá para custos operacionais e transacionais mais baixos.

Com base na perspectiva operacional, uma única *holding* estabelece uma clara responsabilidade com uma hierarquia consolidada e linhas transparentes de autoridade. A consolidação também criará uma massa crítica suficiente para possibilitar a acumulação de uma base de conhecimento competitiva e o pagamento de uma remuneração competitiva (embora não necessariamente líder no mercado), para que essa *holding* se torne um empregador atraente.

Capítulo 12

LIÇÕES PARA FUTUROS FUNDOS DE RIQUEZA NACIONAL

Os capítulos anteriores descreveram as tentativas de vários países de reformar a governança dos ativos públicos ou até mesmo de implementar fundos de riqueza nacional. Neste capítulo, resumiremos as lições que podem ser extraídas dessas tentativas e o caminho a seguir.

Uma *holding* incorporada, um fundo de riqueza nacional (FRN), é uma administradora profissional de ativos públicos, que pode então ser encarregada de desenvolver e administrar esses ativos e alcançar seu melhor valor por meio de vendas potenciais que maximizam o valor econômico no longo prazo compatível com os princípios de racionalidade, interesse público e transparência. A *holding* também seria um veículo preferível para melhorar o acesso ao financiamento da dívida e, com toda a probabilidade, reduzir o custo dos empréstimos nos mercados de capital internacionais – para o financiamento de projetos de infraestrutura ou de outros empreendimentos comerciais.

A independência profissional de um FRN é favorecida por objetivos claros e pela certeza de que ele está atuando de maneira franca e transparente. Essa independência profissional funciona de duas maneiras, sendo, em particular, importante para a instituição política com relação a qualquer reestruturação anterior à privatização de uma empresa específica do portfólio. A gestão de um FRN necessita de modo decisivo de independência profissional para adquirir credibilidade nos mercados internacionais, como muitos bancos centrais fizeram depois de se tornar "independentes" da interferência de curto prazo do governo. Esses argumentos foram realçados pela primeira vez por Walter Bagehot, que defendeu a independência dos bancos centrais no século XIX no seu livro *Lombard Street*, mas cujas ideias levaram quase cem anos para ser aceitas.[1] Os FRNs devem ser organizados nos seguintes moldes.

Governança corporativa

Para solidificar sua independência, o FRN deve operar com estrutura de governança corporativa baseada nos mais elevados padrões internacionais, na qual diretores e gestores seriam inteiramente responsáveis por garantir a otimização do desempenho, da criação do valor e do rendimento do portfólio.

Estabelecer e publicar uma clara cadeia de comando que identifique com clareza a responsabilidade em cada nível é um primeiro passo fundamental. Isso poderia ser declarado em uma política de controle transparente com uma série de regras de procedimento para a diretoria, as quais seriam então publicadas e aplicadas pelo FRN a todas as empresas de seu portfólio, especificamente para evitar a coincidência de responsabilidades ou a possibilidade de uma interferência política inadequada.

Uma vez que estamos falando a respeito de ativos comerciais, não existe nenhuma razão pela qual os ativos estatais não devessem estar sujeitos à mesma estrutura e exigências legais que os proprietários do setor privado e seus diretores. Em muitos países, as funções e responsabilidades dos conselhos são definidas de modo claro por lei, com as empresas estatais tendo a mesma responsabilidade que os conselhos de sociedades anônimas, e tendo que prestar, de igual modo, contas.

Estabelecer as mesmas condições para empresas privadas e estatais garante que os dois tipos de empresa estejam sujeitos a uma única estrutura legal e que os ativos públicos possam usar todas as ferramentas do setor privado. Além disso, alguns países, como a Nova Zelândia, publicam uma política de controle formal, que é uma declaração central da responsabilidade de todos os envolvidos. Nessa política, o governo delineia com clareza o papel do conselho com especificações estratégicas amplas, que incluem preparação, finalização e implementação de uma declaração de intenção corporativa.[2]

A eficiência do conselho e a independência política dependem da força, da qualidade e da estrutura do ambiente institucional. Todos os componentes e funções, como "conselho" e "diretor", variam entre diferentes jurisdições, motivo pelo qual qualquer solução precisa estar ajustada à situação individual de cada país. A divisão de responsabilidades para os conselhos competentes varia dependendo da jurisdição bem como das regulamentações locais. No entanto, três principais funções da governança permanecem relativamente universais. São as seguintes:

1. *Supervisão*: em especial, o gerenciamento do risco e a auditoria.
2. *Tomada de decisões*: estratégia e remuneração, bem como recursos humanos.
3. *Execução*: gestão no dia a dia e contabilidade.

Essas funções são atribuídas de diversas maneiras, variando entre o sistema unitário anglo-saxão baseado no mercado e o sistema mais amplo "de dois níveis" baseado no controle do sistema continental ou germânico, com o modelo nórdico combinando características de ambos.[3]

Para melhorar a governança e fortalecer a independência política, a delegação adequada de responsabilidade combinada com alguma forma de freios e contrapesos de um modo geral é preferível. Isso poderia incluir a supervisão, que é de certa maneira coberta e separada da função executiva, como a separação do papel do presidente do conselho de administração daquele do CEO. Um presidente de conselho de administração não executivo, com conhecimento e experiência comercial adequados para ser compatível com a gestão da empresa, e que mantenha ao mesmo tempo a confiança dos seus mestres políticos, adiciona credibilidade informal à independência política com relação a todos os *stakeholders*.

Em contrapartida, a ausência de uma estrutura institucional significativa pode tornar toda a estrutura do conselho mais ou menos irrelevante. Em uma economia com um governo central fraco, a capacidade de indicar amigos e familiares para os conselhos das empresas estatais lembra de vez em quando os dias dos legados reais de terras usados para criar alianças e uma fonte de renda adicional para um aliado. Seria difícil abordar esse comportamento feudalista como uma questão isolada, mas ele deve ser examinado no contexto mais amplo de reformas para fortalecer o governo central. Por outro lado, nos países com um forte governo central, dominado por um único partido político, a função de indicação se torna uma ferramenta para estender a influência do partido. Como exemplo, o Departamento de Organização do Comitê Central do PCC retém o privilégio de nomear os membros executivos do conselho e os principais dirigentes de empresas e bancos estatais, com o presidente do conselho de administração e o secretário do partido não raro sendo a mesma pessoa, reportando-se diretamente ao partido em vez de ao proprietário nominal (o Ministério do Governo ou a *holding*), enquanto o conselho supervisor se reporta diretamente ao Conselho do Estado.[4] Em decorrência, esses conselhos de administração são fracos, e o poder combinado do presidente do conselho, do CEO e do presidente do partido torna qualquer veículo de controle de gestão em grande medida irrelevante, inclusive uma *holding*.

Com a introdução de uma política de controle, como foi feito na Suécia, os governos podem definir de modo claro os limites do envolvimento, como estabelecer a visão da empresa, designar auditores externos e nomear diretores não executivos. O conselho de administração, por meio do seu presidente, deve coordenar as suas opiniões com representantes do proprietário sobre questões de importância fundamental e, se necessário, propor uma resolução na reunião de acionistas. Destacam-se nessas questões mudanças importantes nas operações da empresa (aquisições, fusões ou alienações) e decisões que acarretem mudanças substanciais no perfil de risco ou no balanço patrimonial da empresa.[5]

O relacionamento contratual entre o proprietário (o governo) e o FRN deve se limitar ao governo ou ao parlamento, indicando os membros do conselho de administração e auditores para o FRN, estabelecendo seu propósito e estratégia globais, bem como chegando a um acordo com relação a uma política de dividendos.

O FRN deve ser autossuficiente no gerenciamento do risco, embora com controles internos adequados e competência interna em vez de depender, ou ser visto como dependente, do governo como supremo fiador do risco. Além disso, comitês especializados como de remuneração e auditoria seriam requeridos dentro de um conselho supervisor, para demonstrar ainda mais sua capacidade de permanecer independentes do proprietário. A seleção independente de auditores externos deve continuar sendo uma função dos donos ou, quando aplicável, do conselho de supervisão. A auditoria e os controles internos, e depois talvez, em especial, o gerenciamento do risco, seriam uma base de apoio de independência política dentro do FRN.

Talvez o êxito do desenvolvimento dos bancos centrais independentes possa oferecer uma orientação. Questões levantadas (até mesmo por Walter Bagehot) com relação a essa independência são familiares até hoje, por exemplo, as seguintes:

- preservar a responsabilidade e ao mesmo tempo isolar os banqueiros da interferência política;
- garantir que esses banqueiros dediquem atenção às suas obrigações;
- calcular o tamanho ideal para comitês de tomada de decisões;
- obter representação do setor financeiro na tomada de decisões do Banco Central e ao mesmo tempo impedir que o setor financeiro se apodere do Banco Central.

O grau de independência do Banco Central em geral se concentra em quatro aspectos:

1. a gestão está isolada da pressão política por meio da estabilidade no cargo e nomeação independente;
2. liberdade com relação à interferência do governo nas decisões políticas;
3. objetivos de política monetária claramente definidos;
4. restrições que limitem os empréstimos para o governo.[6]

Aliadas à transparência, as condições citadas anteriormente são necessárias para a gestão adequada de ativos públicos, ajudando também a respaldar a credibilidade e a independência até mesmo de um FRN.

Nomeação e avaliação do conselho

A fim de apoiar – e também de ser visto prestando apoio a – uma transferência da responsabilidade de supervisão para o conselho de administração do FRN, é preciso que haja um processo de nomeação profissional e institucional para ocupar o conselho que possa conquistar a confiança de todos os *stakeholders*. Isso garantiria que os supremos critérios de seleção sejam justificáveis já que são baseados na competência relevante. A combinação ideal de competência mudará com o tempo. Um processo adequado de nomeação do conselho precisa, portanto, não apenas se basear em uma avaliação do conselho, mas também estar radicado no plano vigente de negócios e ajustar a mistura de competência/habilidade requerida nessa ocasião.

Uma delegação de responsabilidade e prestação de contas profissional semelhante deve ser então introduzida no conselho de administração de cada empresa do portfólio, inclusive o processo de nomeação profissional e institucional administrado pelo FRN para ocupar os conselhos de cada empresa do portfólio de acordo com o mérito.

A confiança na estrutura de governança do FRN repousa em grande parte na independência e credibilidade da função de supervisão de um conselho, independentemente do modelo legislativo. É crucial para o funcionamento de uma estrutura de governança que esse conselho seja estabelecido com clareza como o principal organismo responsável pelo portfólio. Se essa responsabilidade não for completamente estabelecida e compreendida e comunicada com mais clareza, o governo não será capaz de transferir sua responsabilidade pelos ativos e continuará sendo o culpado pelo sucesso ou pelo fracasso.

Como exemplo, o Riksbank, o Banco Central Sueco, tem um Conselho Geral de onze membros, nomeados pelo parlamento sueco, com o presidente e o vice-presidente do conselho nomeados pelos próprios membros entre si. As atividades do dia a dia do Riksbank são administradas por um conselho executivo, composto por seis membros nomeados pelo Conselho Geral por um período de cinco ou seis anos. O Conselho Geral nomeia o presidente do conselho executivo, o qual, ao mesmo tempo, será o presidente do Riksbank, e pelo menos um vice-presidente do conselho executivo, que também atuará como presidente-adjunto do Riksbank.[7] Um membro do Conselho Geral não pode, de acordo com a lei, ser ministro do Governo, membro do conselho executivo do Riksbank, membro ou substituto de um conselho de diretores de um banco ou de qualquer outra empresa sujeita à supervisão da Autoridade de Supervisão Financeira, ou ter qualquer outro emprego ou posto que o torne inadequado como membro do Conselho Geral.

Em sociedades que parecem dinastias (baseadas em família, religião ou afiliação de partido), as empresas estatais são às vezes encaradas como parte de uma segurança nacional e "dinástica", na qual os cargos mais elevados só podem ser confiados a pessoas que fazem parte "da família" ou do partido. Outra perspectiva seria agir como dinastias familiares bem-sucedidas como a dos otomanos, a dinastia familiar que governou por mais tempo na história, terceirizando as partes mais essenciais dos governos como a defesa e a administração do governo para uma elite profissional independente — o sistema devşirme (o notório "imposto do sangue"). A intenção do sistema era manter um equilíbrio na sociedade ao mesmo tempo que continuava a assegurar um desenvolvimento extremamente profissional. Isso era feito por intermédio de uma elite de administradores e soldados não turcos como um equilíbrio de poder entre a dinastia governante e outras famílias aristocráticas. Desse modo, até mesmo para um proprietário dinástico ou autocrático, faz sentido contratar profissionais externos para administrar seus ativos. Isso não apenas evitaria comprometer o relacionamento profissional entre proprietário e gestor, como também impediria que qualquer um dos lados dentro de uma "dinastia" ou clã obtivesse um poder relativo por meio da afiliação com poderosas empresas comerciais. Embora o conceito de contratar profissionais para administrar o negócio da "família" tenha mérito até mesmo no mundo atual, recomendaríamos uma maneira mais moderna de recrutar e incentivar profissionais internacionais do que os métodos utilizados pelo sistema devşirme dos otomanos.

Em situações financeiras mais críticas, as nomeações do conselho poderiam ser usadas para modificar o rumo de uma empresa. Na reestruturação do portfólio sueco no final da década de 1990, foram nomeados profissionais para mais quatro quintos de todos os cargos do conselho, quase sem exceção, dentro do primeiro ano do projeto de reforma de três anos.

A perda da capacidade de influenciar as nomeações do conselho talvez seja a principal razão pela qual os políticos, até mesmo em economias desenvolvidas consideradas sob outros aspectos campeãs da meritocracia, resistem à ideia de deslocar a unidade de controle de dentro do governo para uma *holding* independente, pois isso removeria dos políticos o poder de nomear todos os membros do conselho do FRN.

Gestão profissional

Atrair as pessoas talentosas certas para gerir os ativos estatais bem como o FRN requer políticas e uma estrutura de governança corporativa relevantes. Isso com certeza deveria incluir estruturas de remuneração e incentivos, mas é, de igual modo, uma questão de liberdade com relação à interferência política e às críticas públicas. No Reino Unido, isso está se revelando um problema importante. O órgão que supervisiona os bancos de propriedade estatal, uma entidade do governo, está lutando para encontrar não executivos e um presidente do conselho de administração. Do mesmo modo, os próprios bancos estão achando que o controle do governo ocasiona um escrutínio adicional da compensação, o que nos Estados Unidos e no Reino Unido pode se revelar uma grande desvantagem competitiva para os bancos que não podem quitar rapidamente os recursos do Troubled Asset Relief Program (TARP) ou deixar de ser propriedade do governo do Reino Unido.

Para ter êxito, a gestão executiva de um FRN deve ser semelhante à de um fundo de *private equity*, com uma experiência relevante em administração e do setor na área financeira, industrial ou de *private equity*.

A equipe de gestão inicial não precisa ser muito ampla, e sim um grupo limitado de profissionais com cerca de vinte funcionários, ajudados por um quadro de profissionais e auditores externos que auxiliam a gestão individual de cada projeto. Com o tempo, a equipe deve crescer, passando a ter entre 35 e 40 profissionais.

A equipe da alta direção deve consistir de um pequeno número de profissionais incluindo o CEO, que é de modo essencial responsável pela execução da estratégia, junto com um COO, responsável pela conformidade com as normas estabelecidas e o gerenciamento do risco, e um chefe de questões legais. O CFO deve ter um tesoureiro e um especialista em estruturação da dívida sob a sua responsabilidade, bem como profissionais responsáveis pelas relações com o investidor, comunicações, e pela capacidade e controle dos seus sistemas de TI a fim de ter o controle da contabilidade e administração de caixa.

Como é comum na *private equity*, a gestão do portfólio seria beneficiada se fosse dividida em equipes por setor relevante, como TMT, energia, instituições financeiras, segmentos de negócios em geral, bens imóveis e assim por diante. Cada uma dessas equipes seria chefiada por um executivo de investimento com uma ampla experiência internacional como executivo industrial, chefe de setor de bancos de investimento ou em empresas de *private equity*. Um ou dois gerentes de investimento respaldariam a equipe de cada setor. Eles devem ter formação em análise financeira e industrial, qualificações em gerenciamento de projetos para cada transação de participação acionária e de dívida, e também em reestruturações onde for relevante. A alta direção e as equipes de setor também devem ser apoiadas por uma rede de consultores de segmentos de negócios, composta por altos executivos dos segmentos relevantes. Essa rede de consultores de ramos de negócios ajudaria a formar os conselhos não executivos de cada empresa do portfólio, e eles também participariam como consultores independentes em outras empresas do portfólio quando fosse relevante.

O FRN proverá *know-how* e ajudará cada ativo a crescer e se desenvolver por meio da implementação de estratégias industriais voltadas para o crescimento e a excelência operacional. As estratégias traçadas para cada empresa do portfólio são executadas pelo CEO da empresa, com o apoio do conselho liderado por um presidente independente. O presidente do conselho e os diretores não executivos seriam altos executivos independentes. No caso de empresas do portfólio de propriedade integral, seria suficiente um único representante do FRN, ao passo que, para as empresas registradas em bolsa, o FRN poderia potencialmente nomear um consultor do segmento de negócio entre os consultores da rede como diretor não executivo.

O presidente de cada empresa do portfólio é o principal ponto de contato entre o FRN e o CEO da empresa, bem como entre o conselho e o FRN. Para as empresas de propriedade integral, o consultor especializado do segmento de negócio e o executivo de investimentos criariam uma audiência informal para o presidente do conselho em seu apoio ao CEO da empresa do portfólio. Isso é fundamental quando se transforma um antigo monopólio em um negócio competitivo, ou quando ocorre qualquer outra importante reorientação estratégica na empresa.

A transparência e a contínua avaliação do desempenho do CEO, do presidente do conselho de administração e da diretoria, bem como do consultor de investimentos, são analisadas uma vez por ano em um processo abrangente e comparadas com o plano de negócios e a análise de mercado. Esse processo garante que competências relevantes estejam presentes no conselho e que a governança trabalhe em conformidade com os objetivos e a perspectiva de mercado relevantes. Essa avaliação pode conduzir a mudanças na composição do conselho.

A outra preocupação de um FRN, comparada com o que preocupa o ambiente-padrão da *private equity*, é a constante necessidade de ser vigilante com relação à influência política no curto prazo e outros interesses especiais. Esta é uma contínua ameaça ao objetivo da maximização do valor e requer conscientização do conselho e da direção executiva, bem como o apoio de outros *stakeholders* financeiros. Nesse meio-tempo, os desafios culturais, financeiros e operacionais de transformar um antigo monopólio em uma empresa plenamente operacional e voltada para o mercado seriam os mesmos tanto para um proprietário privado quanto para um governo.

A independência política diz respeito, na essência, à confiança e à segurança conferida à instituição e a seu representante. A confiança é a medida da crença na honestidade ou boas intenções de outro, enquanto a segurança é nossa crença na competência daquele em quem confiamos. A confiança reduz a complexidade social e possibilita interações mais eficientes que poderiam em outros contextos ser complexas demais para ser consideradas, ou muito mais demoradas, especificamente em termos de cooperação,[8] como no mundo cotidiano do gerenciamento do tráfego nas ruas ou dos negócios. Em um cruzamento de trânsito, por exemplo, acreditamos que os outros motoristas vão se comportar de maneira tal que possibilite ao trânsito mudar de rumo de modo suave e eficiente, enquanto nos negócios a confiança de que certa transação comercial se dará no futuro é demonstrada com um aperto de mão ou um contrato escrito.

De modo geral, uma falha em termos de confiança pode ser mais facilmente desculpada se for interpretada como falha de competência do que uma falha referente a falta de benevolência ou de honestidade.

A independência política encerra dois componentes: o institucional e o pessoal. Ambos visam criar a confiança nas intenções do governo de permitir que o FRN seja profissional, independente e livre da influência política de curto prazo. O componente institucional envolve a estrutura e o sistema internos e periféricos da holding, seu sistema de governança e artigos de associações. O componente pessoal envolve os fatores humanos que influenciam a nossa capacidade de confiar na ideia da independência política e nas pessoas designadas para atuar como agentes, inclusive no processo de seleção para nomear o conselho.

Em economia, a confiança é com frequência conceitualizada como confiabilidade nas transações e tem um relacionamento circular: a percepção de justiça conduz à confiança, que, por sua vez, promove futuras percepções de justiça.[9] A confiança também aumentará com a troca aberta de informações, motivo pelo qual a transparência é um componente crucial para a independência política.[10]

A confiança é um processo que evolui e que requer persistência e franqueza a respeito de intenções e competência do sistema institucional e das pessoas que o representam. A confiança requer completa transparência. A transparência deve ser interpretada como a capacidade do público e dos investidores de compreender a natureza e o *status* de todos os ativos controlados e administrados dentro do FRN. É preciso nutrir o mais elevado conceito sobre a qualidade e a confiabilidade das informações para garantir a viabilidade de qualquer iniciativa comercializável, o que inclui reter uma auditoria e avaliação dos ativos independentes. Um FRN deve manter a transparência com relação ao seu portfólio de ativos no mesmo grau que qualquer veículo registrado em bolsa, publicando regularmente comunicações públicas para o mercado, inclusive relatórios anuais e análises trimestrais do portfólio. Um bom exemplo do setor privado é a Investor AB, empresa sueca de administração de ativos registrada em bolsa controlada pela família Wallenberg. Do lado do setor público, a Solidium, *holding* do governo finlandês, oferece semelhante boa transparência, embora não seja registrada em bolsa.

Os conselhos de administração das empresas comerciais estatais devem ter a responsabilidade da conformidade com a contabilidade em geral aceita e dos padrões de relatórios, além da legislação de contabilidade vigentes e os princípios de contabilidade comumente aceitos. Empresas maiores do portfólio ou aquelas que têm importância estratégica também devem seguir a prática internacional das empresas registradas em bolsa. Deve ser solicitado a esses grandes ativos estatais que publiquem seus relatórios anuais e demonstrações financeiras em inglês e que sejam auditados por auditores bem-conceituados. O veículo de controle também deve ter um site especial em inglês, publicando seus relatórios anuais e declarações financeiras auditadas, com informações financeiras trimestrais baseadas na melhor prática internacional.

Bens imóveis em um FRN

O segmento de bens imóveis dos ativos comerciais públicos com pouca frequência é incluído na íntegra na gestão consolidada de um FRN. Isso tem um preço, por duas razões. A primeira é financeira, porque a diversidade e a escala melhorariam o acesso ou o custo dos empréstimos nos mercados de capital internacionais para o financiamento de projetos de infraestrutura ou de outros empreendimentos ou ativos. A segunda é econômica, porque um plano de negócios integrado através de classes de ativos não apenas conferiria flexibilidade para maximizar o valor e tomar providências com relação a qualquer alienação potencial no *timing* individualmente mais vantajoso, mas também as economias de escala seriam capazes de reduzir os custos operacionais e das transações.

No entanto, vários governos criaram *holdings* especializadas para alguns dos seus ativos imobiliários, entre eles a Finlândia, a Áustria, o Reino Unido e a Suécia, demonstrando a capacidade de produzir uma taxa de retorno saudável. Existem dois principais modelos de *holdings*: o fragmentado e o consolidado. O modelo fragmentado, representado pela Suécia, é aquele no qual os donos originais, com frequência um Ministério do Governo, confiaram seus ativos imobiliários a uma *holding*. A versão consolidada, representada pela Finlândia, é aquela na qual o governo central tentou consolidar vários segmentos de bens imóveis de um vasto leque de proprietários originais dentro do governo sob o controle de uma *holding*.

O principal benefício da abordagem fragmentada, por exemplo, a adotada pela Suécia na década de 1990, é político. Com o dono original, como um departamento/Ministério do Governo, formando a própria *holding*, os benefícios financeiros permanecem, pelo menos temporariamente, com o dono original. Em termos táticos, isso evita ou retarda a luta interna do controle dentro do governo até uma data posterior. Enquanto se melhora a transparência de maneira considerável e irrevogável, essa solução é favorecida por muitos dos benefícios operacionais de confiar os ativos a um veículo do setor privado.

Os bens imóveis estatais são, não raro, encontrados em quatro diferentes categorias:

1. *Prédios administrativos*: abrangem os bens imóveis que abrigam os ministérios e órgãos do governo.
2. *Ativos de departamentos*: abrangem os ativos que pertencem ao Ministério da Defesa, que é com frequência um dos maiores proprietários de bens imóveis em um país, que incluem as bases navais, os campos de aviação, os locais de moradia para o pessoal militar, as instalações científicas, os centros de armazenamento e distribuição, as instalações de comunicações e os escritórios; o ministério dos Transportes com ativos como portos e aeroportos; o Ministério da Saúde com os hospitais; e o Ministério da Educação com escolas e universidades.
3. *Empresas estatais*: ativos imobiliários pertencentes a antigos monopólios como as estradas de ferro, os correios, as telecomunicações e as redes elétricas.
4. *Outros*: o governo central é com frequência o maior proprietário de ativos florestais em um país e também pode possuir vastas áreas de terras agrícolas ou simplesmente de terras não desenvolvidas que poderiam ter um valor social e financeiro não realizado se fossem administradas de maneira adequada. Alguns países também podem ter propriedades urbanas como o Crown Estate no Reino Unido ou o Vasakronan na Suécia.

Nenhum país consolidou os ativos das quatro categorias em uma única *holding*, embora a Finlândia tenha sido a que, ao que tudo indica, caminhou mais nesse sentido com a sua Senate Properties controlada pelo Ministério da Educação. A Suécia seguiu a rota da descentralização e colocou todos os ativos imobiliários ligados a uma série de ministérios e empresas estatais em diferentes *holdings*, como as seguintes:

- Akademiska Hus: ativos de educação superior.
- Vassallen: antigos quartéis de propriedade do Ministério da Defesa.
- Sveaskog: ativos florestais.
- Jernhusen: ativos imobiliários da empresa ferroviária estatal.
- Conselho das Propriedades Nacionais da Suécia (Statens Fastighetsverk): ativos imobiliários administrativos estatais essenciais. Essa entidade de serviços públicos administra cerca de 2.300 propriedades e 6,4 milhões de hectares de terra, o que representa um sétimo da área da superfície da Suécia. Inclui todas as embaixadas, prédios ministeriais, casas de campo e instituições suecos, além de sete dos catorze patrimônios da humanidade da lista da Unesco. Com órgãos como o Conselho do Patrimônio Nacional Sueco, a Agência de Fortificações Sueca e a Autoridade Marítima Sueca, essa entidade divide a responsabilidade pelos cerca de trezentos prédios históricos estatais.

O principal propósito da utilização de um sistema do setor privado é potencializar as metodologias contábeis e as estruturas corporativas existentes para melhorar a transparência por meio de um registro completo dos ativos e de um valor de mercado potencial para compreender ou, pelo menos, possibilitar uma avaliação do possível uso alternativo de cada propriedade.

O Reino Unido iniciou, de modo surpreendente, uma série de iniciativas descoordenadas para melhorar a transparência de seus ativos comerciais públicos. No entanto, é difícil obter resultados satisfatórios usando métodos contábeis diferentes e nenhuma abordagem nacional de um registro ou cadastro nacional. Além disso, o governo central manteve sua abordagem fragmentada do controle da propriedade, pela qual cada departamento manteve o controle dos ativos comerciais e institucionalizou apenas uma função de assessoramento centralizada. Entretanto, até mesmo essa função de assessoramento é fragmentada, sendo dividida em dois órgãos do governo separados, cujo pessoal é composto por funcionários públicos, com a terceira unidade sendo configurada como uma empresa baseada na Companies Act:*

1. O acionista executivo: supervisiona um leque de ativos corporativos e semelhantes a corporativos, como parte do Departamento de Negócios, Inovação e Habilidades.
2. A Unidade de Propriedades do Governo: supervisiona alguns dos ativos imobiliários do governo, e faz parte do Cabinet Office (Gabinete do Governo).
3. UK Financial Investments: companhia limitada que pertence totalmente ao Tesouro de Sua Majestade, administrando os investimentos do governo no Royal Bank of Scotland, no Lloyds Banking Group e no UK Asset Resolution Ltd.

Além disso, a Crown Estate, uma companhia limitada, é um dos maiores proprietários imobiliários do Reino Unido, com um portfólio que vale cerca de 8 bilhões de libras esterlinas, abrangendo um grande número de propriedades na área central de Londres, o Windsor Estate, *shopping centers*, 144 mil hectares de terras agrícolas e florestas, mais da metade da faixa litorânea do Reino Unido, fazendas eólicas e assim por diante.

Uma empresa do setor privado comumente consolidaria seus bens em um veículo centralizado para otimizar a utilização do espaço e minimizar custos operacionais, entre eles o de energia, lixo e resíduos, água, bem como manutenção e limpeza. Pelas mesmas razões, o governo, visto como empresa, se beneficiaria se consolidasse seus bens imóveis em uma *holding* centralizada a fim de evitar a ineficiência financeira e a falta de transparência, ou a gestão abaixo do ideal. O desenvolvimento de bens imóveis, inclusive a venda e a aquisição de ativos e a contratação de construtores, beneficia-se muito da gestão profissional e de uma estrutura do setor privado capaz de incentivar a gestão adequada a fim de maximizar o valor para o governo e a sociedade como um todo.

---

* The Companies Act é uma lei do Parlamento do Reino Unido que forma a principal fonte da lei empresarial no Reino Unido. (N. dos T.)

Capítulo 13

TODOS QUEREMOS CONSTRUIR ESTRADAS AGORA, MAS TEMOS CONDIÇÕES DE FAZER ISSO?

As estradas de ferro e as companhias aéreas comerciais, nos seus primeiros dias, eram vistas como partes fundamentais da infraestrutura de transportes de um país, como estradas e pontes. O governo, não raro, era o dono e mantinha a infraestrutura de um serviço público, ou o nacionalizava com rapidez. Além disso, o governo também definia o preço de passagens e rotas, e protegia seus ativos restringindo novos concorrentes. Essas campeãs estatais também eram partes fundamentais da máquina de guerra nacional, enviando tropas para a frente de batalha. Depois da Segunda Guerra Mundial, essas campeãs estatais, junto com a rede de agências dos correios, eram consideradas elementos básicos integrais na construção do estado do bem-estar social.

No entanto, há várias décadas, a maioria dos países não tem investido de modo suficiente na infraestrutura pública urgentemente necessária como estradas, ferrovias e outros transportes públicos, bem como água, águas residuais e redes elétricas. Em especial nas economias desenvolvidas, isso aconteceu porque o processo político não raro confere prioridade a gastos de curto prazo em vez de investimentos de longo prazo. Ao mesmo tempo, os países também fazem, com frequência, investimentos em pontes que não vão dar em lugar nenhum e em projetos espetaculares, sem prestar atenção ao que oferece os maiores retornos sociais. O FMI (2014) concluiu que os investimentos em infraestrutura pública diminuíram com o tempo e que mais investimentos poderiam na verdade estimular o crescimento. Mas ele também ressalta que a eficiência do investimento em infraestrutura pode ser muito melhorado na maioria dos países.

Estradas, ferrovias e outros tipos de infraestrutura pública são com frequência ativos estatais não tratados como ativos porque não produzem retornos financeiros, e não podem ser facilmente vendidos nem transferidos. Eles não geram receita. E, de fato, não estão incluídos nas estimativas de valor de ativos públicos que apresentamos nos capítulos anteriores.[1] Ainda assim, não raro eles podem ser muito mais bem utilizados sem que isso comprometa sua função principal.

Neste capítulo, vamos examinar essas questões e mostrar como as *holdings* independentes podem ser uma excelente ferramenta para desviar a riqueza pública para a infraestrutura e conferir a ela uma base econômica mais sólida.

Alta e colapso na infraestrutura

A China produziu um grande número de recordes mundiais de infraestrutura, por exemplo, o maior projeto hidroelétrico – a Represa de Três Gargantas – e 6.500 quilômetros de ferrovias de alta velocidade. Ela também espalhou aeroportos e terminais ferroviários por todo o país. Esse surto de infraestrutura ainda continuará por algum tempo. Ao longo dos próximos vinte anos, os países do BRIC (sigla formada por Brasil, Rússia, Índia e China) serão responsáveis por mais de 50% do crescimento em viagens rodoviárias e mais de 40% em viagens aéreas.

Apesar desses espetaculares projetos de infraestrutura, a visão mais comum tanto nos países do BRIC quanto em países ricos é a falta de infraestrutura e manutenção. Por exemplo, o Canal Kiel no estado alemão de Schleswig-Holstein – a mais movimentada via navegável construída pelo homem, que liga o Mar do Norte e o Mar Báltico – precisou ser parcialmente fechado no ano passado depois que duas comportas desgastadas, construídas em 1914, pararam de funcionar. As famosas *autobahns*, as autoestradas alemãs, estão congestionadas, fazendo pessoas que viajam todos os dias para o trabalho gastarem oito dias de trabalho por ano em engarrafamentos. Pontes importantes que cruzam o Rio Reno estão de tal maneira dilapidadas que se tornaram proibidas para caminhões pesados, enquanto os carros comuns precisam reduzir a velocidade para degradantes 60 km/h. A Alemanha, que, ao que tudo indica, tem condições para gastar mais, é um dos muitos países que vêm deixando de fazer a manutenção das suas estradas, ferrovias e vias navegáveis, resultando em um enorme acúmulo de investimento (embora o país tenha gasto muito mais na modernização da antiga Alemanha Oriental comunista). O investimento público despencou de 13% de gastos federais em 1998 para menos de 10% hoje. O investimento do governo representa atualmente apenas 15,4% dos investimentos totais na Alemanha, o que coloca o país em 25º lugar entre 31 países industriais.

Em muitos outros países, a situação é ainda pior. No entanto, a infraestrutura pode funcionar muito melhor com uma gestão mais aprimorada. Eis alguns exemplos.

Melhor gestão de infraestrutura pode obter maravilhas

Em alguns lugares, os investimentos em infraestrutura se revelam lucrativos e extremamente bem administrados sem muito planejamento do governo. Compare as ferrovias privadas de Tóquio com o sistema estatal dos Estados Unidos.

Tóquio é uma das maiores megalópoles do mundo, com uma população de 35 milhões de habitantes. Em vez do esperado caos no trânsito, um enorme número de pessoas se desloca com eficiência e poucos atrasos por meio do transporte público. As redes ferroviárias das três maiores áreas metropolitanas do Japão – Tóquio, Nagoya e Osaka – talvez sejam as mais eficientes do mundo. A principal linha férrea de alta velocidade do país, a Tokaido Shinkansen, opera há quase cinquenta anos sem ter tido um único descarrilamento ou colisão. Seu atraso médio de partida é de menos de um minuto. Ainda mais impressionante do que as poucas linhas férreas de alta velocidade é a complexa rede de linhas de metrô e dos trajetos entre o centro e os subúrbios, que é resultado de um livre mercado vibrante na área de transportes. Cingapura e Hong Kong também têm companhias privadas, mas a competição lá é fraca em comparação com o grupo de empresas independentes do Japão, sujeitas a preços restritivos e outras regulamentações.

Depois da Segunda Guerra Mundial, enquanto quase todas as ferrovias e ônibus urbanos na Europa e Estados Unidos foram nacionalizados, o Japão manteve sua tendência de antes da guerra, com o setor ferroviário mantendo suas poucas empresas privadas de tamanho considerável. As ferrovias privadas se revelaram mais eficientes do que as administradas pelo Estado, as quais perdiam dinheiro até mesmo na densa megalópole Tokaido. Desse modo, em 1987, o governo privatizou a Japanese National Railways, que operava todos os tipos de transporte exceto os bondes e os metrôs do centro das cidades. Jr East, JR Central e JR West, as três *spin-offs* que operam ao redor de Tóquio, Nagoya e Osaka, respectivamente, emergiram saudáveis e lucrativas. A privatização foi em seguida aplicada ao Tokyo Metro, a maior rede de metrô da cidade.

Compare isso com o projeto da ferrovia de alta velocidade do presidente Obama. Apesar de o governo ter gasto quase 11 bilhões de dólares a partir de 2009 para desenvolver trens de passageiros mais rápidos, a maioria dos projetos não foi a lugar nenhum e os Estados Unidos ainda estão muito atrás da Europa e da China. Os críticos dizem que em vez de colocar os 11 bilhões de dólares diretamente nesses projetos, o governo cometeu o erro de repartir o dinheiro para modernizar a rede existente da Amtrak, que não permitirá aos trens andarem mais rápido do que 177 km/h. Nenhuma parte desse dinheiro foi originalmente para a linha do Corredor Nordeste, o lugar mais provável para uma ferrovia de alta velocidade. No congestionado corredor de Nova York para Washington, o Acela tem uma média de apenas 130 km/h, e um plano para levar a velocidade para a dos trens-bala japoneses, que podem ultrapassar 350 km/h, custará 150 bilhões de dólares e levará 26 anos para ser concluído, se isso um dia acontecer.

No seu discurso do Estado da União de 2011, o presidente Obama disse o seguinte: “A nossa meta é, em 25 anos, dar a 80% dos norte-americanos acesso à ferrovia de alta velocidade”. O Acela, introduzido pela Amtrak em 2000, foi o primeiro trem norte-americano bem-sucedido de alta velocidade, e os seus vagões estão lotados quase todos os dias. O trem reduziu o tempo de viagem entre Washington, Nova York e Boston, mas os trilhos e as pontes, que estão cada vez mais velhos – inclusive o túnel de Baltimore, de cem anos de idade, onde os trens são obrigados a praticamente rastejar –, reduziram sua velocidade. O Acela leva 165 minutos para ir de Nova York a Washington, em vez dos noventa minutos que levaria se fosse um trem-bala que viajasse sobre trilhos novos.

Um dos problemas é que os recursos financeiros da Amtrak estão amarrados a verbas anuais do Congresso, o que deixa a empresa sem uma fonte de dinheiro no longo prazo. Depois que a Amtrak foi criada em 1970, os subsídios para ela deveriam ser temporários, mas este não foi o caso, e a Amtrak vem oferecendo um serviço ferroviário de segunda classe há mais de trinta anos ao mesmo tempo que consome mais de 30 bilhões de dólares em subsídios federais. Seu desempenho em pontualidade é fraco, e sua infraestrutura está em mau estado. Reformas em outros lugares mostram que o transporte ferroviário privado de passageiros pode funcionar, mas também que uma empresa ferroviária pública pode melhorar consideravelmente se for administrada e exposta à concorrência de modo profissional. Essas reformas foram implementadas na Austrália, na Grã-Bretanha, na Alemanha, no Japão, na Nova Zelândia e em outros países.

Esta não é apenas uma questão de a Amtrak ter deficiências e muito pouco dinheiro. De modo deprimente, muito dinheiro é vertido em projetos de infraestrutura que são maus investimentos. Um bom exemplo disso é o fato de muitas cidades estarem construindo linhas de bonde, enquanto os ônibus expressos seriam muito mais baratos e melhores. Washington DC gastou pelo menos 135 milhões de dólares para construir trilhos de bonde com uma extensão de 3,9 quilômetros no nordeste da cidade. Pelo menos dezesseis cidades norte-americanas construíram sistemas semelhantes, com outras dezenas em andamento. Até mesmo a falida Detroit iniciou os trabalhos em uma linha de trilhos de bonde de cinco quilômetros que deverá custar 137 milhões de dólares. A maioria das pesquisas constata que os bondes custam muito mais do que os ônibus, sem transportar as pessoas com mais eficiência ou rapidez. Sua velocidade é baixa, e as paradas frequentes significam que não raro causarão mais congestionamentos. Uma rota de ônibus poderia transportar a mais o quíntuplo de pessoas em uma hora.

Uma razão importante pela qual as rotas de bonde estão sendo construídas é o fato de que os subsídios federais as incentivaram. No governo de Barack Obama, o Departamento de Transportes disponibilizou subvenções de até 75 milhões de dólares para "pequenos" projetos que prometessem revitalizar áreas urbanas e reduzir as emissões de gases de efeito estufa. Esses projetos não precisam ter uma boa relação custo-benefício no sentido convencional, desde que tornem um lugar mais habitável ou ofereçam quaisquer outros vagos benefícios.

Isso não apenas foi um desperdício, como também tende a favorecer os passageiros com melhor situação financeira, como os turistas e as pessoas que vão fazer compras. Os residentes mais pobres teriam sido mais bem servidos pelo ônibus. Um exemplo positivo nesse aspecto é o serviço de ônibus expresso de Cleveland, que atraiu 5,8 bilhões de dólares em investimentos privados ao longo da sua rota de onze quilômetros. O serviço foi criado em 2008 e custou cerca de 50 milhões de dólares, o que representa um terço do custo do seu bonde.

Em muitos casos, novas infraestruturas podem ser financiadas de maneira inteligente se o crescente valor dos terrenos for aproveitado. Isso só funciona para investimentos em infraestruturas que realmente adicionem valor econômico a uma área. Um bom exemplo é o projeto Crossrail no Reino Unido, uma ambiciosa e nova via férrea sob a área central de Londres, que liga os subúrbios do sudoeste em Berkshire com Essex no leste. A conclusão do projeto está prevista para 2018 e melhorará a capacidade da rede de transportes de Londres em 10%, reduzindo de modo significativo o tempo do deslocamento diário de ida e volta do trabalho. O Crossrail 1, que deverá custar 15 bilhões de libras esterlinas (em torno de 24 bilhões de dólares), está sendo financiado por uma combinação de subvenções do governo, tarifas e aumento do preço do terreno. O governo central entrará com cerca de um terço, e as empresas de Londres contribuirão com mais de um terço. Este último terço inclui novos empreendimentos acima das estações bem como os principais beneficiários, como o Aeroporto Heathrow e a Cidade de Londres.* O terço remanescente (ou menos) virá do Transport London, o órgão do governo local responsável pelo sistema de transporte da Grande Londres, sendo arrecadado por meio de empréstimos e pago por intermédio do excedente da operação do Crossrail. A Network Rail entregará obras no valor de até 2,3 bilhões de libras esterlinas para aprimorar a rede ferroviária existente, que serão ressarcidos ao longo de trinta anos por meio de taxas de

---

* No original, City of London. A área metropolitana da Londres moderna, a Grande Londres, contém vários distritos, sendo que dois deles têm autonomia e autoridade de cidade independente. Um desses é a City of London. Conhecida como "The City" ou "Square Mile" ("Milha quadrada"), pois é na verdade uma cidade minúscula, com um diâmetro de pouco mais de uma milha quadrada, essa área no centro de Londres é de fato a cidade original que criou a Londres que conhecemos hoje em dia. A cidade Londinium foi construída pelos romanos mais ou menos em 47 a.C., em uma área onde os romanos acharam que a maré do Tâmisa era mais favorável às suas rotas comerciais através do rio. (N. dos T.)

acesso ao sistema ferroviário. O restante é proveniente basicamente da alienação planejada de terras e propriedades excedentes.[2, 3] A Crossrail 2, a segunda fase do projeto, é a linha férrea proposta de 20 bilhões de libras esterlinas que liga a área sudoeste à área nordeste de Londres. Mais da metade do custo poderá ser coberta por fontes que não incluem os contribuintes.

Os nossos exemplos se concentraram em estradas de ferro. Mas a história é semelhante em outras áreas da infraestrutura. Quase todos os portos marítimos nos Estados Unidos são de propriedade dos governos dos estados e dos municípios. Muitos deles operam abaixo dos padrões internacionais devido a regras de trabalho inflexíveis dos sindicatos e problemas administrativos. Um relatório da Administração Marítima dos Estados Unidos (MARAD, United States Maritime Administration) observou que: "Os portos norte-americanos estão muito atrás de outras vias de acesso internacionais como Cingapura e Rotterdam". Portos ineficientes são decididamente um obstáculo às exportações.

A privatização dos portos tem sido, com frequência, relativamente bem-sucedida. Na Grã-Bretanha, 19 portos foram privatizados em 1983 para formar a Associated British Ports. Até mesmo na Grécia, o Pireaus é uma das poucas privatizações que tiveram êxito na Grécia, onde a Cosco, apesar de ser uma empresa estatal chinesa, comprou metade do porto e triplicou em menos de dois anos o volume de negócios.[4] A Hutchinson Whampoa, uma empresa do setor privado estabelecida em Hong Kong, foi bem-sucedida ao assumir o controle de portos no mundo inteiro e hoje possui trinta portos em quinze países.

Deixem que os FRNs conduzam os ativos estatais à infraestrutura

Um fundo de riqueza nacional que atue como uma *holding* para uma empresa estatal oferece uma maneira politicamente mais fácil de conduzir os ativos estatais à infraestrutura, de forma a poder alcançar os objetivos de redução do acesso direto do governo à riqueza, aumento do financiamento da infraestrutura e colocação de decisões com relação à infraestrutura em uma base econômica mais sólida.

Alguns países, como o Canadá, têm uma longa história de fundos de pensão que investem em infraestrutura. Como os investimentos em infraestrutura são com frequência grandes projetos, esses fundos raramente investem mais de 10% de seus ativos em infraestrutura. Ironicamente, vários FRNs têm investido de modo expressivo em infraestrutura – em países que não são os seus. Um famoso exemplo é a Dubai Ports World, uma empresa estabelecida nos Emirados Árabes Unidos, que quis investir em seis portos importantes dos Estados Unidos em 2006. Isso despertou a preocupação de que a empresa poderia usar seus investimentos para influenciar as rotas de navegação. No final, o Congresso impediu que a Dubai Ports World adquirisse a empresa que era dona dos portos, embora a aquisição, para todos os fins práticos, já tivesse acontecido. A Dubai Ports World acabou vendendo para a AIG os ativos norte-americanos que tinha adquirido.

Entre outros exemplos estão a China Investment Corporation, a quarta maior empresa estatal do mundo, que adquiriu uma participação na Heathrow Airport Holdings, enquanto consta que a Qatar Investment Authority está pensando em usar parte dos seus 170 bilhões de dólares para construir infraestrutura na Índia. Nesse meio-tempo, companhias chinesas têm construído estradas e ferrovias na África, centrais elétricas e pontes no sudeste na Ásia, e escolas e pontes nos Estados Unidos. Em uma das últimas listas das maiores empreiteiras internacionais, compilada por um boletim informativo do setor, *Engineering News-Record*, empresas chinesas detinham quatro das primeiras 25 posições. A China State Construction Engineering Corporation realizou mais de 5 mil projetos em cerca de cem diferentes países e teve com isso uma receita de 22,4 bilhões de dólares em 2009. A Sinohydro chinesa controla mais da metade do mercado mundial da construção de projetos de energia hidrelétrica.

Na realidade, os investimentos das empresas estatais e, às vezes, os dos FRNs em infraestrutura de outros países se tornaram tão generalizados e, ao que tudo indica, tão ameaçadores que muitos países impuseram obstáculos discriminatórios legais contra investimentos diretos desses recursos, devido à preocupação com possíveis motivações políticas, de modo que as barreiras regulatórias que enfrentam são com frequência muito mais onerosas do que, digamos, as enfrentadas pelos fundos de pensão. Para lidar com essas preocupações, os FRNs se esforçaram para melhorar sua transparência fazendo investimentos conjuntos em fundos de pensão e outros, de reputação internacional consagrada.

Muitos desses países têm uma grande necessidade de obter mais investimentos internos em infraestrutura. Mas existem limitações, especialmente nas questões de governança que poderiam resultar na utilização inadequada de vastos recursos. No entanto, muitos desses países ainda estão desenvolvendo a sua infraestrutura intelectual e jurídica, e é aí que os FRNs podem ajudá-los a fazer isso proporcionando uma janela para as melhores práticas internacionais, bem como experiência prática e gestão. Os FRNs estão em uma posição financeira de investir em grandes projetos de infraestrutura, mas uma questão importante é se eles têm a competência que os investimentos bem-sucedidos em infraestrutura requerem. Em geral, a especialização deles é financeira e não estrutural.

Do nosso ponto de vista, o investimento na infraestrutura nacional pode ser fomentado e mais bem administrado se for permitido que um FRN desloque ou venda ativos estatais em outras empresas comerciais do portfólio, investindo em consórcios de infraestrutura no próprio país. Ao fazer isso, três medidas que se reforçam mutuamente revelam-se importantes.

Primeiro, um FRN que invista em infraestrutura deve se concentrar exclusivamente na lucratividade. A função dele é administrar o valor dos ativos operacionais, garantir a estabilidade econômica e tentar encontrar transações estruturais que aumentem a lucratividade. Por exemplo, muitos investimentos em estradas e ferrovias podem se tornar lucrativos se o aumento do valor da terra em torno desses investimentos for incorporado. Um FRN está em posição de comprar as terras em volta desses investimentos e, desse modo, tornar os projetos lucrativos, ou pode já ser, de maneira efetiva, o proprietário por meio de uma das suas empresas do portfólio, como as ferrovias ou o serviço postal.

Usar um FRN para levar ativos públicos em direção à infraestrutura também é proveitoso em termos políticos. Os governos não raro conservam as empresas estatais apenas porque não há uma forte opinião política a favor da privatização. Um FRN que, com certa independência com relação ao governo, possa, por exemplo, vender um banco estatal e investir em um projeto lucrativo de infraestrutura não seria considerado como alguém que estivesse cedendo parte da riqueza líquida ao setor privado, mas apenas como transferindo a riqueza dentro do seu portfólio.

Segundo, os projetos de infraestrutura que não são comercialmente lucrativos, mas têm um valor social líquido positivo, devem ser pagos pelos governos estaduais ou locais na forma de "pagamentos por uso". Por exemplo, um consórcio que seja de propriedade exclusiva do FRN ou conjunto com proprietários privados pode assinar um contrato com o Estado ou com um governo local no qual o consórcio construa uma estrada, e o Estado se comprometa a pagar uma taxa de utilização anual que pode variar, dependendo da acessibilidade da estrada e de outros parâmetros de qualidade. Esse já é um modelo comum em muitos projetos de Parcerias Público-Privadas (PPP). Por exemplo, os governos pagam anualmente a um consórcio PPP pela administração de uma estrada ou ferrovia, em geral com base na qualidade que a PPP atinge. Isso faz com que os governos se concentrem no valor de um serviço para o consumidor, em vez de se enredar em difíceis decisões de investimento que também oferecem tentações para a corrupção e o clientelismo. Por exemplo, a via expressa Lekki-Epe perto de Lagos na Nigéria está sendo construída como um projeto PPP, o que evita grande parte da corrupção comum nos outros projetos de infraestrutura do país.

Terceiro, um instituto independente deve avaliar de modo contínuo a lucratividade social dos serviços de infraestrutura que os governos adquirem. Para isso, devem usar ferramentas mundialmente aceitas para determinar de que maneira contabilizar os valores ambientais e sociais. Embora, ao que tudo indica, não seja possível exigir que as recomendações de um instituto independente se tornem obrigatórias, isso faria com que a justificativa econômica para vários projetos ficasse mais transparente, impondo um custo político aos governos que investem em pontes que não vão dar em lugar nenhum.

Uma infraestrutura mais inteligente

Um FRN também se encontra em uma boa posição para inovar o financiamento da infraestrutura por meio da geração de valor. As rodovias, por exemplo, são, com frequência, exemplos flagrantes de oportunidades perdidas. Vários estados norte-americanos construíram, ou estão construindo, rodovias financiadas e operadas pela iniciativa privada. A Dulles Greenway na Virgínia do Norte é uma rodovia de 23 quilômetros inaugurada em 1995 que foi financiada pela emissão de ações e títulos privados. Na mesma região, a Fluor-Transurban está construindo e, acima de tudo, financiando pistas de pedágio em um trecho de 23 quilômetros da Capital Beltway. Os motoristas pagarão para usar a pista por meio do pedágio eletrônico, o que recuperará o investimento de um bilhão de dólares. A Fluor-Transurban também está financiando e construindo pistas de pedágio ao longo da Interstate 95, partindo de Washington rumo ao sul. Projetos particulares semelhantes foram concluídos, ou estão sendo executados, na Califórnia, em Maryland, Minnesota, na Carolina do Norte, na Carolina do Sul e no Texas.

No entanto, a principal oportunidade não reside em cobrar pedágio em estradas individuais. Mais exatamente, reside na criação generalizada de valor relacionada a rodovias. Ao contrário da maioria dos outros ativos físicos, a terra pode ser um veículo para a valorização administrada do capital, em particular quando os próprios governos são a principal fonte da alocação dos direitos de desenvolvimento e da construção da infraestrutura necessária para adicionar valor. Quando os órgãos públicos tornam disponíveis novas terras construindo estradas, proporcionando serviços de infraestrutura ou transferindo fisicamente repartições públicas, eles criam valores de terra incrementais, às vezes de grande magnitude. Quando os órgãos públicos são donos das terras em questão, uma estratégia inteligente de investimento em infraestrutura, aliada a mudanças na designação do uso da terra, pode recuperar grande parte dos custos do investimento de capital e, em algumas situações, todos os custos, a partir da valorização e de venda subsequente das terras. Por exemplo, em Changsha, capital da Província de Hunan na China, mais da metade do financiamento de um anel viário com oito pistas foi proveniente da venda de terras estatais adjacentes (e de empréstimos para construção com apoio no valor dos lotes das terras).

Outro tipo de criação de valor reside em criar um sistema de pedágio para aliviar o congestionamento. Em vez de cobrar o acesso a rodovias ou pontes individuais, um sistema de transporte bem administrado introduziria um pedágio mais caro na hora do *rush* a fim de reduzir os congestionamentos. Isso alcançou um sucesso inesperado em Estocolmo, por exemplo. O governo da cidade introduziu uma taxa para os carros que estivessem circulando durante o horário de pico, o que causou uma redução de 20% no tráfego da hora do *rush*.

A maioria dos residentes da cidade de início se opôs à taxa, mas agora 70% da população apoia a taxa de congestionamento.

Na Alemanha, onde há estradas congestionadas e restrições sobre o financiamento público, o ministro das Finanças Wolfgang Schäuble sugeriu recentemente um pedágio geral nas rodovias, que seria cobrado por meio de dispositivos eletrônicos, sem a necessidade de postos de pedágio dispendiosos, reduzindo assim filas ao nivelar o fluxo de tráfego entre os horários de pico e os demais horários, ao mesmo tempo que arrecadaria financiamento dos usuários.

Até mesmo para o transporte local, as taxas de congestionamento parecem funcionar. Londres, por exemplo, introduziu essa taxa em 2003, a qual funciona de segunda a sexta-feira na área central de Londres entre sete horas da manhã e seis horas da tarde. Várias pesquisas mostram que essas taxas ajudam a reduzir o congestionamento, principalmente por induzir algumas pessoas a evitar a hora do *rush*. Nos primeiros dez anos que se seguiram à implantação do sistema em Londres, a receita bruta foi de 2,6 bilhões de libras esterlinas, enquanto cerca de 1,2 bilhão de libras esterlinas da receita líquida (46%) foram investidos no transporte público, em programas de transporte e em ciclovias.

Em muitos países, essas mudanças na estrutura de taxas para os consumidores, ou taxas que os operadores de transportes pagam pela utilização dos trilhos e de outras infraestruturas, estão sujeitas a uma intensa negociação política. Em muitos casos, esse tipo de decisão com toda probabilidade poderia ser tomada de modo mais racional se fosse liderada por consórcios públicos de infraestrutura sob os auspícios de um FRN.

Um interessante avanço, possivelmente nessa direção, está ocorrendo na Network Rail, organização mantida pelo Estado que é proprietária e opera a infraestrutura ferroviária da Grã-Bretanha. A União Europeia tem exigido que a Grã-Bretanha reclassifique a dívida bruta de 34 bilhões de libras esterlinas da Network Rail como dívida pública, ou que transforme a Network Rail em um órgão independente. A Network Rail, que controla 2.500 estações, vias férreas, túneis, pontes e passagens de nível, foi criada em 2002 como uma empresa privada sem acionistas, com suas finanças garantidas pelo governo. Ela tem sido, de vez em quando, multada pelo Departamento de Regulamentação das Ferrovias por deixar de cumprir os objetivos de pontualidade. A providência lógica, de acordo com o nosso argumento, seria transformar a Network Rail em uma entidade independente de propriedade de um FRN.

Em resumo, existe uma grande expectativa por uma administração mais eficiente na área de infraestrutura pública, e muitos países têm uma boa razão para transferir ativos públicos de empresas estatais na área de infraestrutura que careçam de bons motivos para ser de propriedade estatal. Um FRN propicia um veículo viável para essa transferência. Além disso, um fundo politicamente independente desse tipo pode introduzir um elemento de racionalidade econômica nos investimentos em infraestrutura.

Capítulo 14

DA DETERIORAÇÃO À GOVERNANÇA VOLTADA PARA O INTERESSE PÚBLICO

Francis Fukuyama (2014a) apresenta um relato claro das deficiências da governança do Estado no seu artigo "America in decay" ["O declínio dos Estados Unidos"]. Muitas das suas observações corroboram a nossa descrição de como a riqueza estatal é mal administrada em muitos países. Fukuyama escreve o seguinte:

> A desconfiança com relação ao governo depois se perpetua e se alimenta de si mesma. A desconfiança com relação às agências executivas conduz a exigências de mais restrições legais ao governo, o que reduz a qualidade e a eficácia deste último. Ao mesmo tempo, a demanda de serviços do governo induz o Congresso a impor novas incumbências ao executivo, algo que com frequência se revela difícil, ou até mesmo impossível, de cumprir. Ambos os processos conduzem a uma redução da autonomia burocrática, o que por sua vez conduz a um governo preso a regras, pouco criativo e incoerente.
>
> O resultado é uma crise de representação, na qual os cidadãos comuns sentem que o seu governo supostamente democrático não mais reflete de modo preciso os seus interesses e está sendo controlado por sombrias elites. O irônico e peculiar a respeito desse fenômeno é que essa crise de representação ocorreu, em grande parte, por causa de reformas destinadas a tornar

o sistema mais democrático. Na realidade, existem leis em demasia e um excesso de democracia com relação à capacidade do Estado americano.

Essa análise reflete nosso argumento sobre a governança da riqueza pública. Lamentavelmente, Fukuyama oferece poucas esperanças exceto a perspectiva de que uma próxima crise possa incentivar reformas. Nosso ponto de vista é um pouco mais otimista. Um processo de reforma de pequenos passos é possível, e alguns países estão de fato seguindo esse caminho. Por meio desses passos, os políticos podem renunciar ao acesso direto à riqueza pública, o que os ajudará a focar suas ideias no destino das pessoas. A história paralela dos bancos centrais e dos fundos públicos de pensão mostra que políticos esclarecidos podem vir a escolher de modo espontâneo esse caminho de reforma até mesmo na ausência de uma crise.

A ideia central do nosso argumento também penetra a pseudoguerra que há muito tempo vem se alastrando entre aqueles que defendem a propriedade estatal de ativos comerciais e aqueles que a condenam – privatização *versus* nacionalização. O mais importante é a qualidade da governança dos ativos.

O fato de que o valor dos ativos públicos da maioria dos países excede sua dívida pública tem sido negligenciado porque os governos raramente têm conhecimento completo do seu portfólio. Na realidade, o nosso método tende a subestimar o valor dos ativos, já que o governo carece de um registro central e da contabilidade adequada, necessários para uma avaliação do valor de mercado desses ativos.

A transparência é a chave para uma gestão mais aprimorada. Com um conhecimento consolidado do valor e o desmembramento do portfólio de ativos comerciais públicos, não é difícil melhorar o rendimento, seja de empresas estatais, de bens imóveis, de florestas produtivas ou de outros ativos públicos que proporcionem algum tipo de fluxo de renda.

A falta de eficiência e retorno financeiro entre os ativos comerciais públicos é corroborada por uma grande variedade de estudos de casos, desde a exposição de fatos de Fukuyama sobre a administração das florestas estatais nos Estados Unidos à descoberta da Lituânia de suas florestas ineficientes. Neste livro, demos muitos exemplos, como o de bancos, empresas de energia, companhias aéreas e muitos setores, tanto nos países ricos quanto nos pobres.

A proeza mais desafiadora exigida da propriedade estatal é que o governo precisa, em última análise, ser ao mesmo tempo jogador e árbitro, participante do mercado e regulador. É preciso lidar com essa dualidade com decisão por meio de uma separação legalmente clara entre a propriedade e a governança. Os ministros só devem ser capazes de influenciar um setor e os seus participantes por meio de uma regulamentação transparente e justa.

Nossos recursos comuns são limitados. Em decorrência disso, é imperativo que sejam administrados de uma maneira responsável. Os ativos comerciais públicos que permanecem ocultos, sem um valor econômico transparente, correm o risco de ser utilizados de maneira inadequada, sem que ninguém preste muita atenção a isso. O conhecimento do valor, tanto atual quanto potencial, é fundamental para o desenvolvimento de qualquer ativo comercial. A transparência também é crucial para evitar o desperdício, a má utilização e a corrupção dos ativos públicos.

Alguns países tomaram medidas para aumentar a transparência monetizando seus ativos, ou planejam fazer isso. Até mesmo um país socialista como o Vietnã está tentando organizar suas empresas estatais, vendendo ativos não essenciais, e planeja reduzir o número deles em 75% até 2020. Na Índia, a maioria dos estrategistas políticos afirma que deseja desmembrar a Coal India para estimular a concorrência. No entanto, esse é apenas o começo. Mesmo depois dessas mudanças, os governos ainda terão imensos ativos nas mãos.

Se, em vez disso, os ativos comerciais públicos fossem confiados a um FRN, as ferramentas e estruturas consagradas pelo tempo do setor privado e a governança profissional poderiam impulsionar a riqueza pública. Um FRN requereria um veículo corporativo protegido que controlasse todos os ativos comerciais longe da influência política de curto prazo.

Os políticos alcançariam mais êxito se se concentrassem exclusivamente em questões que dissessem respeito aos cidadãos como indivíduos e à economia como um todo. A maioria dos governos já terceirizou o gerenciamento da estabilidade monetária e financeira para bancos centrais independentes, e transferiu o controle dos fundos de pensão para gestores profissionais de fundos. Seguir esse exemplo, estabelecendo uma solução mais profissional para nossos ativos comerciais públicos, inclusive bens imóveis, por intermédio de um FRN é o passo lógico seguinte. Muitos países, em particular os com sistemas federais de governo altamente desenvolvidos, com toda a probabilidade também precisarão de FRNs em níveis regional e local.

A atual situação econômica na Europa e nos Estados Unidos, bem como em muitas outras economias desenvolvidas da OCDE, requer medidas extraordinárias. Os governos responsáveis pelo controle de ativos comerciais compartilham os mesmos desafios. Nenhum deles poderá jamais ser um proprietário ideal devido ao inerente conflito de interesses. No entanto, deveria ser obrigatório que todos os tomadores de decisões permitissem que esses ativos fossem administrados de modo profissional, e que fizessem isso no interesse de todos os cidadãos, por mais impopular que essa ideia possa ser para alguns grupos de interesses especiais. Um programa de reforma pública para a governança da riqueza pública é um empreendimento financeiro e social com um enorme lado positivo para as finanças públicas, a democracia e a constante luta contra a corrupção.

NOTAS

Capítulo 1

1. Segundo Kowalski *et al.* (2013). Baseado em dados de participação acionária com nível firme e levando em conta o participação acionária direta e indireta.
2. FMI (2013).
3. GAO (General Accounting Office) (2005); consulte Managing Federal Real Property.
4. Baseado na nossa estimativa de que os ativos comerciais públicos mundiais totalizam 75 trilhões de dólares.
5. Gastos mundiais com infraestrutura básica de acordo com o Fórum Econômico Mundial.
6. Peterson (1985).
7. Tanzi e Prakash (2000).
8. Como proposto por Buiter (1983).
9. Nicholas Lardy (2014) do Peterson Institute for International Economics argumenta, de modo convicente, que foi o setor privado, e não as empresas estatais, que acionaram o crescimento da nação depois que teve início a era de reforma do país em 1978.
10. Murray *et al.* (2013).
11. Myrdal (1968).
12. Fölster e Sanandaji (2014).
13. Por exemplo, Herle e Springford (2010).

Capítulo 2

1. Vários países europeus tiveram regimes autoritários até meados da década de 1970, entre eles a Grécia (1974), Espanha (1975) e Portugal (1974). Toda a Europa Oriental esteve efetivamente sob o controle comunista soviético até 1991, inclusive a Romênia (1989) e a Alemanha Oriental até 1990. A separação da Iugoslávia do antigo regime comunista e a guerra étnica que se seguiu perdurou quase toda a década, com vários Estados obtendo a independência oficial somente na década de 2000, entre eles a Sérvia, Montenegro (2006) e Kosovo (2008).
2. Consulte Lardy (2014).
3. Em dólares a partir de 2007, dependendo de como considerarmos as empresas que não estavam registradas em bolsa no início do período. De acordo com *The Economist* (2014a).
4. *Financial Times* (2014), "Lenovo to buy IBM server unit for US$2.3 billion", 23 de janeiro.
5. *Wall Street Journal* (2014), "Lenovo completes Motorola acquisition", 30 de outubro.
6. McGregor (2012).
7. Lardy (2014).
8. Netter e Megginson (2001) apresentam uma boa análise crítica dessa bibliografia.
9. Kim e Chung (2008).
10. Bartel e Harrison (1999).
11. Bloom e van Reenen (2010) e Bloom *et al.* (2012) descrevem as técnicas de pesquisa duplo-cego e amostragem randomizada utilizadas para construir dados de gestão em muitos tipos organizações e países.
12. Kapopoulos e Lazaretou (2005).
13. Eram empresas registradas e não registradas em bolsa, e corporações estatutárias.
14. Pessoas por 100 mil habitantes que iniciam a educação superior.

Capítulo 3

1. Liu e Mikesell (2014). A questão da causação não é examinada de modo completo nessas pesquisas, sendo também conceitualmente complicada. Por exemplo, é possível que a estrutura do setor ou as normas culturais sejam determinantes mais básicos tanto da corrupção quanto da intervenção do Estado.
2. De acordo com *The Economist*, "Politics and the purse", 19 de setembro de 2013, www.economist.com/blogs/graphicdetail/2013/09/daily-chart-14.
3. Edwards (2004).
4. Lardy (2014).
5. Common Cause (2008).
6. *Süddeutsche Zeitung* em uma série de artigos durante 2010.
7. Fukuyama (2014a).

Capítulo 4

1. *The Economist* (2014), "The $9 Trillion Sale", 11 de janeiro.
2. Grubišic *et al.* (2009).
3. *The New York Times* (2013), "Who owns this land? In Greece, who knows?", 26 de maio.
4. Grubišic *et al.* (2009).
5. Cálculos de 2013.
6. Office for National Statistics [Departamento de Estatísticas Nacionais] (2012), *The National Balance Sheet*.
7. HM Treasury [Tesouro de Sua Majestade] (2014), *Whole of Government Accounts, 2012 to 2014*.
8. HM Treasury [Tesouro de Sua Majestade] (2007), *National Asset Register*.
9. Audit Commission [Comissão de Auditoria] (2014), *Managing Council Property Assets*. A razão pela qual os valores são diferentes dos da dívida líquida do setor público (PSND, Public Sector Net Debt) é o fato de a WGA estar usando o International Financial Reporting Standards (IFRS) e ter um âmbito mais amplo do que a PSND, particularmente

devido à inclusão de ativos fixos como propriedades, fábricas e equipamentos, e débitos de pensão do serviço público.

10. Manning (2012).
11. Baber (2011).
12. Buiter (1983).
13. Consulte, por exemplo, FMI (2013).
14. Os ativos não produzidos são incluídos apenas em 16 dos 27 países nas informações do FMI.
15. Um desses países é a Ucrânia, que é descrita com mais detalhes na próxima seção. Outro país é a Suécia. A nossa estimativa para a Suécia acompanha um cálculo feito pela PricewaterhouseCoopers (PwC) do valor dos bens imóveis baseado no valor de impostos. O valor das empresas estatais de propriedade do governo central foi extraído do relatório anual do governo sueco de 2013, avaliadas em 500 bilhões de coroas suecas. Além disso, a PwC chegou ao valor líquido dos bens imóveis e das empresas de serviços de utilidade pública de 20 bilhões de dólares. No todo, os ativos não financeiros da Suécia são avaliados em 230 bilhões de dólares.
16. Estimamos regressões que explicam que o tamanho dos ativos públicos financeiros e não financeiros como uma função do PIB, do tamanho da população, de uma avaliação da democracia, de uma avaliação dos atributos dos recursos naturais, e da dívida bruta. As estimativas do coeficiente dessas regressões são então usadas para calcular um valor previsto dos ativos públicos para cada país. Essa forma de extrapolação para os ativos públicos mundiais leva mais em consideração as diferenças estruturais entre os países para os quais temos valores para os ativos públicos e aqueles para os quais não temos.
17. PwC (2013).
18. Segundo o Banco Mundial, reservas totais em 2013 (inclui ouro, dólares atuais).
19. Os fundos de riqueza nacional e os seus ativos estão relacionados na Tabela 10.1.

20. De acordo com a Credit Suisse (2014), a riqueza das unidades familiares mundiais equivale a 263 trilhões de dólares, cuja metade é financeira e a maior parte do resto são bens imóveis.
21. Por exemplo, Bom e Ligthart (2010).
22. Segundo estimativas da GaveKal Dragonomics, uma firma de pesquisas econômicas estabelecida em Beijing. Esses valores podem não ser rigorosamente comparáveis. É possível que os retornos privados incluam o benefício de serviços públicos que não estão sendo precificados. Uma vez que eles sejam precificados de maneira adequada, os retornos sobre os ativos públicos aumentariam, mas aqueles sobre os ativos privados poderiam diminuir. A caça à renda é um claro exemplo disso: o setor privado recebe um retorno que na realidade pertence aos contribuíntes.
23. A Statoil tem uma avaliação muito mais alta embora os seus campos de petróleo e de gás natural em águas profundas envolvam elevados custos de extração.
24. *The Economist* (2014b).
25. Banco Mundial (2011).
26. Incluindo uma contribuição orçamentária de dividendos de ativos estatais de cerca de 0,2% do PIB, ao apoio fiscal por meio de transferências orçamentárias de recursos no total de 2% do PIB, subsídios de energia tanto dentro quanto fora do orçamento, que excederam 7,5% do PIB em 2012. Dívidas em atraso da Naftogaz de cerca de 2,2 bilhões de dólares, ou 1,5% do PIB com a Gazprom (Ministério das Finanças da Ucrânia, 2013). Um por cento do PIB adicional em custos adicionais em um orçamento suplementar para capital adicional que poderá ser necessário para respaldar o setor bancário (FMI, 2014).
27. Ministério das Finanças ucraniano.
28. FMI (2012).
29. Câmara de Contabilidade da Ucrânia (2009).
30. Por exemplo, Robinson *et al.* (2005), Tanzi e Davoodi (2000), ou Sawyer (2010).
31. Gupta *et al.* (2011).

32. *The New York Times* (2011), "Time Warner trims its excesses", 31 de outubro.
33. Governo sueco (2011) e relatórios anuais da empresa.
34. Senate Properties, www.senaatti.fi/en.
35. A ETAD foi criada no final de 2011 a partir da fusão de duas entidades estatais preexistentes – a Hellenic Public Real Estate Corporation (KED) e a Hellenic Tourist Properties (ETA). A KED foi instituída em 1979 como a divisão de manutenção do Ministério das Finanças e tem sido usada com a empresa que administra os ativos imobiliários, envolvendo o registro de propriedade e o desenvolvimento do registro da terra e os ativos. A ETA era a divisão de manutenção equivalente, que administrava os ativos imobiliários do Ministério do Turismo.
36. The US Civilian Property Alignment Act 2012 (H.R. 1734).
37. *Ibid.*

Capítulo 5

1. Consulte Walker (2003).
2. Governo da Lituânia (2009); Governo da Letônia (2009).
3. Governo da Lituânia (2009).
4. Haldane e Madouros (2012).

Capítulo 6

1. Consulte, por exemplo, Megginson *et al.* (2004).
2. Consulte OCDE (1998). Mudanças mais recentes no controle estatal parecem estar concentradas em revogar os controles de preço em vez de privatizar.
3. Bloomberg (2010), "Petrobras raises $70 billion in world's largest share sale", 24 de setembro.
4. Reuters (2014), "Brazil's Petrobras faces another lawsuit over corruption scandal", 15 de dezembro.

Capítulo 7

1. *Financial Times* (1999), "Sweden lets its champions go", 29 de janeiro.
2. UBS Warburg (2000), "Privatisation international, Sweden: bold, novel approach", dezembro.
3. Carnegie (2002a).
4. Merrill Lynch (2000).
5. *Financial Times* (1999), "Swedish government hires financiers", 1º de junho.
6. Em uma ocasião como essa, antes da efetiva nomeação, um ministro que está para ser nomeado provavelmente fará essa concessão.
7. Governo sueco (2005).
8. *Ibid.*
9. Carnegie (2002b).
10. BNP Paribas (2001).
11. SEKO (2000).
12. Governo sueco (2000).
13. *Financial Times* (1999), "Welcome to the ways of the market", 12 de novembro.
14. *Ibid.*
15. Governo sueco (2004).
16. Merrill Lynch (2000).
17. JP Morgan (2000).
18. UBS Warburg (2000).
19. Governo sueco (2005).
20. Governo sueco (2012).
21. *Financial Times* (2013), "Writedown moves Vattenfall to restructure", 23 de julho.
22. *Financial Times* (2014), "Utilities companies search for new business models as losses mount", 22 de outubro.
23. *Financial Times* (2013), *op. cit.*
24. *Financial Times* (2009), "Vattenfall lands Nuon in €8.5 billion deal", 24 de fevereiro.

Capítulo 8

1. Governo finlandês (2004).
2. Governo norueguês (2002).
3. OCDE (2005a).
4. Useem (1993) faz um notável relato dessa mudança.
5. Por exemplo, Alesina e Summers (1993).
6. Ver, por exemplo, Iglesias e Palacios (2000).
7. Goh (1972).
8. Ng (2009).
9. House Financial Services Committee (2008).
10. Low (2004).
11. Under the Willow Tree (2011).
12. FMI (2003).
13. Shome (2006).
14. Ng (2009).
15. House Financial Services Committee (2008).
16. *Wall Street Journal* (2009), "At Temasek, a foreign CEO-to-be won't", 22 de julho.
17. *The Guardian* (2009), "Temasek abandons plan to install Chip Goodyear as chief executive", 21 de julho.
18. *Ibid.*
19. *Financial Times* (2014), "Temasek's dealmaking reflects big bets on the rise of the consumer", 14 de abril.
20. *Financial Times* (2014), "Temasek widens its Africa footprint", 15 de abril.
21. Temasek (2014), *Annual Review.*
22. Balding (2011).
23. Shome (2006).
24. Temasek (2014), *op. cit.*
25. *Ibid.*
26. Temasek (2010) $10m MTN Program, 3 de fevereiro.
27. Lardy (2014).

Capítulo 9

1. *Financial Times* (2014) “Corruption with Chinese characteristics”, 12 de agosto.
2. Fukuyama (2014b).
3. Buiter (1983).
4. Tanzi *et al.* (2000).
5. Governo sueco (2007).
6. Solidium (2013).
7. *Financial Times* (1999), “Welcome to the ways of the market”, 12 de novembro.
8. OCDE (2005a).
9. Micklethwait e Wooldridge (2014).
10. Olson (1982).
11. *The Economist* (2011), “The East India Company: the Company that ruled the waves”, 17 de dezembro.

Capítulo 10

1. Shleifer e Vishny (1997).
2. Cadbury Report (1992).
3. Verhoeven *et al.* (2008).
4. *Financial Times* (2014), “China slowdown threatens timetable for financial reform”, 28 de setembro.
5. OCDE (2005a).
6. Assemblée Nationale (2003).
7. Rozanov (2005).
8. Nicolas *et al.* (2014).
9. Website do SWF Institute: www.swfinstitute.org.
10. Wicaksono (2009).
11. “Stubb: Hands off Solidium”, 25 de janeiro de 2014, http://yle.fi/uutiset/stubb_hands_ off_solidium/7052254.
12. McKinsey & Co (2006).
13. *The Economist* (2013), “The world’s biggest banks”, 13 de julho.
14. Forbes (2013), “World’s largest corporations in 2013”, 7 de julho.

Capítulo 11

1. Institute for Government (2012).
2. Eleftheriadis (2014).
3. Websites de Annington and de Terra Firma.
4. Escolher a dívida ou a participação acionária não importa em um mundo sem distorções e restrições de liquidez, mas o próprio governo introduziu uma distorção ao tornar os juros da dívida dedutíveis e os dividendos da participação acionária não dedutíveis. Essa ideia está sendo aos poucos reconsiderada na análise moderna da política tributária.
5. HM Treasury (2010).
6. Parker (2012).
7. *Financial Times* (2013), "Rail to Royal Mail: the dangers of flawed privatisations", 10 de outubro.
8. Naughton (2007).
9. *Ibid.*
10. *Ibid.*

Capítulo 12

1. Bagehot (1873).
2. OECD (2005b).
3. Unger (2006).
4. Na prática, o Departamento de Organização nomeia o comitê do partido dentro de cada ativo/banco estatal. Como os membros do comitê do partido precisam receber uma função graduada, eles tendem a ser nomeados como membros executivos. O mentor, sendo a pessoa legalmente responsável, é, de maneira característica, muito menos importante.
5. Governo sueco (2004). Contém as diretrizes completas para os relatórios financeiros externos adotados pelo governo em 21 de março de 2002 e as diretrizes para termos de contratação e planos de incentivo adotados pelo governo em 9 de outubro de 2003.
6. Crowe e Meade (2007).

7. O Sveriges Riksbank Act (1988:1385), disponível em www.riksbank.se/en/The-Riksbank/Legislation/The-Sveriges-Riksbank-Act/.
8. Bachmann (2001).
9. DeConick (2010).
10. Goddard (2003).

Capítulo 13

1. A não ser que eles apresentem um fluxo de receita, como estradas com pedágio.
2. London First (2014).
3. *The Economist* (2013), "How other infrastructure projects can learn from London's new railway", 23 de novembro.
4. *The New York Times* (2012), "Chinese company sets new rhythm in port of Piraeus", 10 de outubro.

REFERÊNCIAS

Accounting Chamber of Ukraine [Câmara de Auditoria da Ucrânia] (2009) Auditoria de "Naftogaz Ukrainy". Kiev.

Alesina, A. e Summers, L.H. (1993) "Central bank independence and macroeconomic performance: some comparative evidence", *Journal of Money, Credit and Banking*, 25(2), pp. 151-62.

Assemblée Nationale (2003) "Rapport fait au nom de la commission d'enquête sur la gestion des entreprises publiques afin d'améliorer le système de prise de décision", Rapport Douste-Blazy, nº 1004. (Paris).

Baber, B. (2011) "Squeezing the assets", 1º de maio, disponível em: www.publicfinance.co.uk/features/2011/05/squeezing-the-assets.

Bachmann, R. (2001) "Trust, power and control in transorganizational relations", *Organization Studies*, 22(2), pp. 337-65.

Bagehot, W. (1873) *Lombard Street: A Description of the Money Market*. (Nova York: Scribner, Armstong & Co.).

Balding, C. (2011) *A Brief Research Note on Temasek Holdings and Singapore: Mr. Madoff Goes to Singapore*, available at piketty.pse.ens.fr/files/Balding13.pdf.

Bartel, A. e Harrison, A. (1999) *Ownership versus Environment: Why are Public Sector Firms Inefficient?*, NBER Working Paper, nº 7043.

Bloom, N. e van Reenen, J. (2010) "Why do management practices differ across firms and countries?", *Journal of Economic Perspectives*, 24(1), pp. 203-24.

Bloom, N., Genakos, C., Sadun, R. e van Reenen, J. (2012) *Management Practices across Firms and Countries*, NBER Working Paper, nº 17850.

BNP Paribas (2001) *Sweden: Blazing the Reform Trail*, 21 de junho. (Londres: BNP Paribas).

Bom, P. e Ligthart, J.E. (2010) "What have we learned from three decades of research on the productivity of public capital?", CESifo Working Paper Series, nº 2206, Center Discussion Paper nºs 2008-10.

Buiter, W.H. (1983) "Measurement of the public sector deficit and its implications for policy evaluation and design", *Staff Papers*, IMF, 30, pp. 306-49.

Cadbury Report (1992) *Report of the Committee on the Financial Aspects of Corporate Governance*. (Londres: Gee Publishing).

Carnegie (2002a) *Case Study: AssiDomän*, 1º de março.

Carnegie (2002b) *From an Integrated State Railroad Authority to a Structure with Specialised Corporate Entities*, 1º de junho.

Christiansen, H. (2011) *The Size and Composition of the SOE Sector in OECD Countries*, OECD Corporate Governance Working Papers, nº 5. (OECD Publishing).

Common Cause (2008) "Ask Yourself Why ... They Didn't See This Coming", disponível em www.commoncause.org/.../National_092408_Education_Fund_Report (acessado em: 29 de setembro de 2008).

Credit Suisse (2014) *Global Wealth Report 2014*.

Crowe, C. e Meade, E.E. (2007) "The evolution of central bank governance around the world", *Journal of Economic Perspectives*, 21(4), pp. 69-90.

DeConick, J.B. (2010) "The effect of organizational justice, perceived organizational support, and perceived supervisor support on marketing employees' level of trust", *Journal of Business Research*, 63(12), pp. 1349-355.

Economist, The (2014a) "State capitalism in the dock", 22 de novembro.

Economist, The (2014b) "Our crony-capitalism index", 15 de março.

Edwards, J.R. (2004) "How nineteenth-century Americans responded to government corruption", *The Freeman: Ideas on Liberty*, abril, p. 24.

Eleftheriadis, P. (2014) "Misrule of the few: how the oligarchs ruined Greece", *Foreign Affairs*, 93(6), pp. 139-46.

Finnish Government [Governo finlandês] (2004) *Matti Vuoria: Evaluator Report of the State's Ownership Policy*. (Helsinki, Gabinete do Primeiro-Ministro).

Fölster, O. e Sanandaji, N. (2014) *Renaissance for Reforms*. (Londres: IEA/ Timbro).

Fukuyama, F. (2014a) "America in decay: the sources of political dysfunction", *Foreign Affairs*, 93(5), pp. 763-75.

Fukuyama, F. (2014b) *Political Order and Political Decay: From the Industrial Revolution to the Globalization of Democracy*. (Nova York: Farrar, Strauss and Giroux).

GAO (General Accounting Office) (2005) *High-Risk Series: An Update*, GAO-05-207.

Goddard, R. (2003) "Relation network, social trust, and norms: a social capitol perspective on students' chances of academic success", *Educational Evaluation and Policy Analysis*, 25(1), pp. 59-74.

Goel, R. e Nelson, M.A. (1998) "Corruption and government size: a disaggregated analysis", *Public Choice*, 97(1/2), pp. 107-20.

Goh, K.S. (1972) *The Economics of Modernisation and Other Essays.* (Cingapura: Asia Pacific Press).

Grubišic, M., Nuinovi, M. e Roje, G. (2009) "Towards efficient public sector asset management", *Financial Theory and Practice*, 33(3), pp. 329-62.

Gupta, S., Kangur, A., Papageorgiou, C. e Wane, A. (2011) *Efficiency-adjusted Public Capital and Growth*, IMF Working Paper, WP/11/217.

Haldane, A. e Madouros, V. (2012) "The Dog and the Frisbee", trabalho apresentado no 36º Simpósio de Política Econômica do Federal Reserve Bank of Kansas City.

Haley, U. e Haley, G. (2013) *Subsidies to Chinese Industry: State Capitalism, Business Strategy, and Trade Policy.* (Oxford: Oxford University Press).

Herle, D. e Springford, J. (2010) "Prairie wisdom for Britain's age of austerity", *Financial Times*, 9 de junho.

HM Treasury (2010) *Joint Venture Guidance*, disponível em: www.hm-treasury.gov.uk/d/joint_venture_guidance.pdf.

House Financial Services Committee (2008) *Temasek Holdings: A Dependable Investor in the United States*, testimony of Simon Israel, 5 de março, disponível em: www.temasek.com.sg/mediacentre/speeches?detailid=8609.

Iglesias, A. e Palacios, R.J. (2000) *Managing Public Pension Reserves.* Part I: *Evidence from the International Experience.* (Washington: Social Protection Unit, World Bank).

IMF (International Monetary Fund) [FMI, Fundo Monetário Internacional] (2003) *Singapore Inc. vs the Private Sector: Are GLCs Different?* (Washington DC: IMF).

IMF (2004) *World Economic Outlook.* (Washington DC: IMF).

IMF (2012) *Ukraine Gas Pricing Policy: Distributional Consequences of Tariff Increases*, Working Paper 12/247. (Washington DC: IMF).

IMF (2013) *Another Look at Governments' Balance Sheets: The Role of Nonfinancial Assets.* IMF Working Paper 13/95. (Washington DC: IMF).

IMF (2014) *World Economic Outlook: Legacies, Clouds, Uncertainties* (Washington DC: IMF).

Institute for Government (2012) *The "S" Factors: Lessons from IFG's Policy Success Reunions.* (Londres: Institute for Government).

JP Morgan (2000) Posten AB, Productivity has been delivered, but the check is still in the mail [A produtividade foi entregue, mas o cheque aiinda está no correio], janeiro.

Kim, J. e Chung, H. (2008) *Empirical Study on the Performance of State-owned-enterprises and the Privatizing Pressure: The Case of Korea.* (Graduate School of Public Administration, Seoul National University, Korea).

Kowalski, P., Büge, M., Sztajerowska, M. e Egeland, M. (2013) *State-owned Enterprises: Trade Effects and Policy Implications*, OECD Trade Policy Paper, nº 147. (OECD Publishing).

Kapopoulos, P. and Lazaretou, S. (2005) *Does Corporate Ownership Structure Matter for Economic Growth? A Cross-country Analysis*, Working Paper 21. (Bank of Greece, Economic Research Department).

Lardy, N. (2014) *Markets over Mao: The Rise of Private Business in China.* (Washington DC: Peterson Institute for International Economics).

Latvian Government (2009) *Annual Review Latvian State-owned Assets 2009.* (Riga, Nasdaq OMX).

Lithuanian Government (2009) *Annual Review State-Owned Commercial Assets 2009.* (Ministério da Economia, Vilnius).

Liu, C. e Mikesell, J.L. (2014) "The impact of public officials' corruption on the size and allocation of U.S. state spending", *Public Administration Review*, 74(3), p. 346-59.

London First (2014) *Funding Crossrail 2: A Report from London First's Task Force on Funding Crossrail 2.* (Londres: London First).

Low, L. (2004) "Singapore's developmental state between a rock and a hard place", *in* Low, L. (org.) *Developmental States: Relevancy, Redundancy or Reconfiguration.* (Hauppauge, NY: Nova Science).

McGregor, R. (2012) *The Party: The Secret World of China's Communist Rulers* (2ª edição). (Nova York: Harper Perennial).

McKinsey & Co (2006) "The promise and perils of the Chinese banking system". Disponível em: www.mckinsey.com/insights/financial_services/the_promise_and_perils_of_chinas_banking_system.

Manning, J. (2012) *More Light More Power: Reimagining Public Asset Management.* (Londres: New Local Government Network).

Megginson, W.L., Nash, R.C., Netter, J.M. e Poulson, A.B. (2004) "The choice of private versus public capital markets: evidence from privatizations", *The Journal of Finance*, 59(6), pp. 2835-870.

Merrill Lynch (2000) *Sweden: Ripe for "New Economy" Gains*, September 4.

Micklethwait, J. e Wooldridge, A. (2014) *The Fourth Revolution: The Global Race to Reinvent the State.* (Nova York: Penguin Press).

Murray, C.J., Vos, T., Lozano, R. *et al.* (2013) "Disability-adjusted life years (DALYs) for 291 diseases and injuries in 21 regions, 1990–2010: a systematic analysis for the Global Burden of Disease Study 2010", *Lancet*, 380(9859), pp. 2197-223.

Musacchio, A. e Lazzarini, S.G. (2014) *Reinventing State Capitalism: Leviathan in Business: Brazil and Beyond.* (Boston: Harvard University Press).

Musacchio, A., Pineda-Ayerbe, E. e García, G. (2015) "State-owned enterprise reform in Latin America: issues and solutions", mimeógrafo, Inter-American Development Bank, fevereiro.

Myrdal, G. (1968) *Asian Drama: An Inquiry into the Poverty of Nations*. (Nova York: Pantheon).

Naughton, B.J. (2007) *The Chinese Economy: Transitions and Growth*. (Cambridge, MA: MIT Press).

Netter, J.M. e Megginson, W.L. (2001) "From state to market: a survey of empirical studies on privatization", *Journal of Economic Literature*, 39(2), pp. 321-89.

Ng, W. (2009) "The evolution of sovereign wealth funds: Singapore's Temasek", *Journal of Financial Regulation and Compliance*, 18(1), pp. 6-14.

Nicolas, M., Firzli, J. e Franzel, J. (2014) "Non-federal sovereign wealth funds in the United States and Canada", *Revue Analyse Financière*, Q3.

Norwegian Government (2002) *Reduced and Improved State Ownership*, White Paper. (Oslo, Stortinget).

OECD (Organisation for Economic Co-operation and Development) [OCDE Organização para Cooperação e Desenvolvimento Econômico] (1998) *Performance and Regulatory Patterns in OECD Countries*, ECO/CPE/WP1 (98)15.

OECD (2005a) *Guidelines on Corporate Governance of State-owned Enterprises*. (OECD Publishing).

OECD (2005b) *Corporate Governance of State-owned Enterprises: A Survey of OECD Countries*. (OECD Publishing).

OECD (2014) *Foreign Bribery Report: An Analysis of the Crime of Bribery of Foreign Public Officials*. (OECD Publishing).

Olson, M. (1982) *The Rise and Decline of Nations: Economic Growth, Stagflation and Social Rigidities*. (New Haven: Yale University Press).

Parker, D. (2012) *The Official History of Privatisation,* vol. 2. (Londres Routledge).

Peterson, E. (1985) *Panama: Urban Development Assessment.* (Washington DC: The Urban Institute).

PwC (2013) *Asset Management 2020: A Brave New World.*

Robinson, J.A., Acemoglu, D. e Johnson, S. (2005) "Institutions as a fundamental cause of long-run growth", *Handbook of Economic Growth*, 1A, pp. 386-472.

Rozanov, A. (2005) "Who holds the wealth of nations?", *Central Banking Journal*, 15(4), pp. 52-7.

Sassoon, J. e Pellbäck, M. (2000) "Sweden: bold novel approach", *Privatisation International*, 1º de dezembro, pp. 8-10.

Sawyer, C.W. (2010) "Institutional quality and economic growth in Latin America", *Global Economy Journal*, 10(4), pp. 1-13.

Shleifer, A. e Vishny, R.W. (1997) "A survey of corporate governance", *The Journal of Finance*, 52(20), pp. 737-38.

Shome, A. (2006) *A Case Study of Positive Interventionism*, Working Paper. (Massey University, Nova Zelândia).

SEKO (2000) *SEKO and Ownership: Casting off the Yoke of Monopoly and Entering a New Era*. (Estocolmo).

Solidium (2013) *Annual Report*, disponível em www.e-julkaisu.fi/solidium/annualreport-2013/.

Swedish Government (2000) *Ownership Policy: Government-owned Companies* (Ministry of Industry, Employment and Communications [Ministério da Indústria, Emprego e Comunicações]).

Swedish Government (2004) *State Ownership Policy*.

Swedish Government (2005) *Liberalisering, regler och marknade* (*Liberalization, Regulation and Markets*). (Estocolmo, SOU 2005, 4).

Swedish Government (2007) *Guidelines for External Reporting by State-owned Companies*. (Estocolmo).

Swedish Government (2011) *Statens som fastighetsägare och hyresgäst* (*State as Landlords and Tenants*). (Estocolmo, SOU 2011, p. 31).

Swedish Government (2012) *Ekonomiskt värde och samhällsnytta:* förslag till en ny statlig ägarförvaltning (*Economic Value and Social Benefit: Proposal for a New Governmental Ownership and Administration*). (Estocolmo, SOU 2012, p. 14).

Tanzi, V. e Davoodi, H.R. (2000) *Corruption, Growth, and Public Finances*, IMF Working Paper 00/182.

Tanzi, V. e Prakash, T. (2000) *The Cost of Government and the Misuse of Public Funds*, IMF Working Paper 00/180.

UBS Warburg (2000) *Global Equity Research: Telia: Ready for Lift-Off*, 18 de julho.

Under the Willow Tree (2011) "Wikileaks' stunning revelations about Singapore's corporate elite", 4 de setembro. Disponível em: http://utwt.blogspot.co.uk/2011/09/wikileaks-stunning-revelations-about.html.

Unger, S. (2006) *Special Features of Swedish Corporate Governance*. (Estocolmo: Swedish Corporate Governance Board).

Verhoeven, M., le Borgne, E., Medas, P. e Jones, L. (2008) *Assessing Fiscal Risk from State-Owned Enterprises*. (Washington DC: IMF).

Walker, D. M. (2003) "Federal Real Property: Actions Needed to Address Long-standing and Complex Problems", GAO report no. 04-119T. Testimony before the Committee on Governmental Affairs [Depoimento ao Comitê sobre Assuntos Governamentais], United States Senate [Senado dos Estados Unidos], 1º de outubro.

Wicaksono, A. (2009) *Corporate governance of state-owned enterprises: investment holding structure of government-linked companies in Singapore and Malaysia and applicability for Indonesian state-owned enterprises*, dissertation [dissertação]. (Universidade de St. Gallen, Suíça).

World Bank (2011) *Ukraine: System of Financial Oversight and Governance of State--Owned Enterprises*, Report n.: 59950, 22 de fevereiro.

Impresso por :

Graphium
gráfica e editora

Tel.:11 2769-9056